LA LANZA
SAGRADA

CRAIG SMITH

LA LANZA SAGRADA

algaida
INTER

Título original: *The Blood Lance*
Editado en Reino Unido por: Myrmidon Books Ltd
Rotterdam House
116 Quayside
Newcastle upon Tyne
NE1 3DY
www.myrmidonbooks.com

Primera edición: marzo, 2010

© Craig Smith, 2008
© Traducción: Pilar Ramírez, 2010
© de esta edición: Algaida Editores, 2010
Avda. San Francisco Javier, 22
41018 Sevilla
Teléfono 95 465 23 11. Telefax 95 465 62 54
e-mail: algaida@algaida.es
Composición: Grupo Anaya
ISBN: 978-84-9877-348-4
Depósito legal: M-10.860-2010
Impresión: Huertas, I. G.
Impreso en España-Printed in Spain

ÍNDICE

Para Martha, el amor de mi vida,
y para mi buena amiga y sabia
consejera Burdette Palmberg,
guardiana de la lanza.

PRÓLOGO

EL MUERTO LLEVABA EL UNIFORME, EL ABRIGO Y LAS AL-
tas botas negras de montar de los oficiales de las SS.
Le faltaban la gorra, el arma, la documentación y el
anillo *Totenkopf* que lucían todos ellos. Los primeros miembros del personal militar que llegaron a la escena entendieron
de inmediato la gravedad de la situación y se comunicaron con
Berchtesgaden para solicitar ayuda. Al fin y al cabo, la región
del Wilder Kaiser entraba dentro de las defensas exteriores del
Nido del Águila.

Menos de una hora después, el coronel Dieter Bachman
apareció en Kufstein escoltado por dos secciones. El coronel,
un hombre alto, grueso y medio calvo, observaba con indiferencia cómo sus hombres registraban el pueblo. Obviamente,
los austriacos estaban asustados, pero salían de sus casas sin
ofrecer resistencia. Satisfecho con el progreso de la operación,
Bachman se llevó a un pelotón de sus hombres al pie de la
montaña. Era un día frío, igual que la noche anterior; la nieve
caía en ráfagas mezclada con aguanieve, el cielo estaba gris, y la
tierra se veía helada y blanca. Bachman se reunió con los dos
guardias austriacos de las SS que vigilaban el pie de una colina

cubierta de árboles jóvenes. Le señalaron la ubicación del cadáver. Después de ordenarles que volvieran al pueblo para ayudar en el registro, Bachman subió solo la colina.

Al acercarse, vio que la víctima estaba boca arriba. Tenía los ojos abiertos, mirando al cielo, aunque el cuerpo y la cabeza estaban hundidos en la nieve. Los brazos y las piernas parecían haberse relajado al producirse el impacto. El coronel sacudió la cabeza, asombrado, y levantó la vista hacia el saliente nevado del que había caído el hombre. Notaba los aguijonazos de la nieve mientras intentaba calcular los metros; en cualquier caso, eran suficientes para una caída de varios segundos, al menos tres o cuatro; una larga y angustiosa espera antes del final. ¿En qué estaría pensando al acabarse su vida? ¿Qué imagen se habría llevado con él montaña abajo? solo Dios lo sabía.

Bachman se acercó un poco más para examinarle mejor la cara y, entonces, dejó escapar un sollozo. La emoción lo golpeó de forma tan repentina que no pudo controlarla. Hincó una rodilla en el suelo con la esperanza de ocultar el llanto, con la esperanza de parecer un hombre al que le costaba agacharse, pero fue un esfuerzo inútil, ya que los demás no parecían haberlo oído... o fingieron no haberlo hecho. Se quitó uno de los guantes y acarició la fría y cerosa mejilla del atractivo rostro. Notó la barba de un día y siguió recorriendo con los dedos la delicada curva de los labios. Después le tocó la frente, con su elegante forma arqueada. Le desconcertaba su expresión de serenidad, ¿cómo era posible?

Levantó de nuevo la vista. Había ocurrido de noche, claro, puede que no hubiese visto cómo la montaña pasaba volando a su lado. En cualquier caso, aunque mirase al cielo sin ningún punto de referencia, seguro que habría oído el salvaje rugido del viento, que habría sentido el tirón de la gravedad.

14

Cuatro segundos de vida bastaban para aterrorizar a cualquier hombre, pero allí tenía la pura verdad, mirándolo a la cara. «Sí —pensó Bachman—, se ha enfrentado a la muerte como un cátaro que se dispone dichoso a meterse en la hoguera del gran inquisidor...».

CAPÍTULO UNO

Cara norte del Eiger (Suiza)
24 de marzo de 1997.

LOS QUE LO CONOCÍAN MEJOR LO LLAMABAN EL OGRO. A sus solitarios vecinos los habían bautizado como el Monje y la Virgen. Durante casi cien años después de que el alpinismo se convirtiese en deporte, mató a todos los que se atrevieron a subir por su retorcida cara norte. En el proceso, sus repisas, hendiduras, grietas y empinadas pendientes monolíticas se habían ganado una letanía de nombres extravagantes. En los alrededores de la roca estaban la Chimenea Roja y el Nido de Golondrinas. Más arriba se encontraba el Vivac de la Muerte, donde dos alpinistas alemanes, después de llegar más lejos que nadie hasta entonces, murieron congelados en 1935. Estaba la Travesía de los Dioses, un vertiginoso pedazo de roca que había que cruzar antes de llegar a la Araña Blanca, el último y más peligroso campo de hielo, llamado así por las numerosas grietas que surgían de su parte central. Y, por último, las Fisuras de Salida, unos finos canales de piedra, casi verticales, que conducían a la cumbre.

La primera subida con éxito por la cara norte del Eiger tuvo lugar en el año 1938. Dos equipos, uno alemán y otro austriaco, habían empezado con un día de diferencia, pero se

17

unieron para subir por las Fisuras de Salida atados con una sola cuerda. La siguiente ascensión fue nueve años después, con mejor equipo y los rastros de la primera expedición todavía en su sitio. Como ocurrió con el primer equipo, el segundo dejó también sus cuerdas y anclajes tras de sí, y salió por el flanco occidental. Los equipos posteriores hicieron lo mismo, lo que simplificó las pendientes más difíciles con anclajes en lugares estratégicos y alguna que otra cuerda.

A partir de ahí, la cara oscura del Eiger se convirtió en un campo de pruebas para batir marcas. Primero intentaron llegar a la cumbre equipos nacionales, después alpinistas en solitario. Una mujer llegó a la cima de la cara norte en 1964. Un año antes, un equipo de guías suizos logró hacer un descenso aterrador con cuerda desde la cumbre para rescatar a dos alpinistas italianos. Salvaron a uno y perdieron a tres de sus compañeros en el intento. Había una ruta más directa, a la que habían bautizado John Harlin en homenaje al alpinista que había muerto al intentar recorrerla. A todo ello se sumó un descenso esquiando por el flanco occidental del Eiger, la subida del alpinista más joven, e incluso una subida en ocho horas y media en 1981, algo que parecía imposible y que batió todos los récords.

Sin embargo, a pesar de haberlo domesticado con cuerdas y anclajes, detalladas narraciones de sus numerosos retos y rescates en helicóptero, el Ogro a veces despertaba de su letargo para salir rugiendo del sur alpino con aullidos semejantes a los de un animal herido. Sus vientos eran capaces de arrancar a los alpinistas de sus débiles asideros a la montaña y, por tanto, a la vida. El hielo era famoso por su inestabilidad, la piedra estaba picada y resultaba frágil. La niebla solía ir detrás del claro *foehn* como la noche sigue al día, barriendo la pared con una cortina tan espesa y cercana que obligaba a depender del tacto para avanzar. Después estaban las avalanchas de rocas, hielo y nieve, el implacable frío de las sombras que nunca recibían el calor de los rayos de sol y el cansancio que penetraba hasta los huesos al arrastrarse por unas paredes verticales. Nueve personas murieron antes de lograr una subida completa. Más de cuarenta perecieron en las décadas posteriores.

Cuando Kate Wheeler lo intentó por primera vez, en 1992, daba la impresión de que ya se había conseguido todo. El Eiger era una roca de los Alpes Berneses con una historia llena de relatos; peligroso, sí, pero muy recorrido y casi cómodo para ser una montaña. Kate tenía diecisiete años, ni siquiera era la alpinista más joven en subir al Eiger. Llevaba tres años dedicada en serio a ese deporte y ya había alcanzado la cima de muchas de las glorias de Europa, incluida la legendaria Matterhorn.

El primer día, Kate y su padre ascendieron durante diez horas y bromearon sobre ser el primer equipo padre-hija; la lista de récords había crecido tanto que no era más que un chiste. Pensaban llegar a la cima a última hora de la tarde siguiente, ya que todo iba tan bien, pero una fuerte tormenta de nieve los sorprendió aquella noche y los obligó a retroceder. Acamparon e intentaron esperar a que amainase, hasta que escasearon los suministros y tuvieron que rendirse.

Kate volvió a intentarlo el verano siguiente, junto con un joven alpinista alemán al que había conocido en primavera. Después de abrirse paso entre los bajos campos de hielo durante dos días, hicieron el amor en el Vivac de la Muerte. Pretendían empezar a escalar al tercer día, que les recibió con un tiempo perfecto. Empezaron con confianza, ascendieron la rampa y recorrieron la Travesía de los Dioses. Entonces se rompió un tornillo de hielo en la Araña y el compañero de Kate sufrió una caída de varios cientos de metros por hielo y roca. Tuvo suerte de salir de allí con tan solo dos piernas rotas.

En el tercer intento, Kate formó equipo con lord Robert Kenyon y un guía suizo que había subido a la montaña más de doce veces. A Robert se le había ocurrido convertir el viaje de novios en una escalada.

—O lo conseguimos —le había dicho a Kate con la serena confianza de un hombre que nunca fallaba— o nos mata a los dos. Una cosa o la otra.

Alguien sin la pasión de Kate podría haber vacilado ante una promesa tan terrible, pero a ella le encantaba. Robert Kenyon no era una persona de medias tintas y paciencia; él aprovechaba el momento con audacia y saboreaba sus victorias como si le correspondiesen por derecho divino.

Siguieron la ruta clásica de la subida de 1938 y planearon un viaje de tres días. La noche del segundo día, Alfredo, su guía, encontró un poco de nieve invernal rezagada en una grieta y excavó una cueva, mientras Kate y Robert se hacían con una estrecha repisa que colgaba como una pesadilla sobre el abismo.

Después de dos días de atravesar pendientes y clavar sus piolets en bloques de hielo descompuesto, Kate estaba agotada, pero, con la perspectiva de solo tres o cuatro horas más de subida a la mañana siguiente y el buen tiempo prometido, se dio cuenta de que nunca había sido tan feliz. Aunque, bajo ellos, la noche ya había caído sobre el pueblo de Grindelwald, desde donde estaban todavía podían ver el débil brillo de la puesta de sol reflejada en los lejanos picos nevados del oeste. Una vez asegurados con cuerdas, se sentaron con las piernas colgando de la repisa para tomarse una cena fría con té negro caliente.

Cuando terminaron de comer guardaron un agradable silencio, como un viejo matrimonio, a pesar de haber intercambiado los votos hacía tan solo cuatro días. Al final, deseosa de compartir sus pensamientos de nuevo con Robert, Kate suspiró y susurró:

—Nuestra última noche.

Kate era una belleza de veintiún años, esbelta, alta, de piel clara y con una fuerza extraordinaria. Sus nórdicos ojos azules y su cabello dorado pálido le habrían permitido convertirse en actriz o modelo, pero ella misma era la primera en reconocer que aceptar órdenes y fingir romances no era lo suyo. Robert tenía treinta y siete años, y unas facciones duras, aunque atractivas. También era rico, atlético y sereno. Se habían conocido hacía seis meses, en una fiesta organizada por un antiguo novio de Kate, Luca Bartoli, en un pueblo turístico al sur de Génova. Robert resultó ser un viejo amigo de Luca. Kate y él se pasaron aquella primera noche hablando (solo hablando) y, cuando llegó el alba, ambos supieron que las cosas nunca volverían a ser iguales. Kate suponía que tendrían que haber ido más despacio, que así era como lo hacía todo el mundo, pero los dos vivían como escalaban: nada los detenía, y mucho menos el sentido común.

Robert se rio alegremente del suspiro lastimero de su mujer y le cogió la mano con un cariño que resultaba mucho más dulce que el deseo.

—Da la impresión de que te gustaría pasar otras dos noches más aquí arriba.

—No me importaría pasar un par de noches más —respondió ella, recorriendo con la mirada el mundo oscuro que se extendía bajo ellos—, siempre que pudiéramos seguir escalando.

—Dios mío —repuso él, gruñendo, de buen humor—, ¿con quien me he casado?

—¡No dirás que no lo sabías! —exclamó ella entre risas.

—¡Ya ves!

—Seguro que mi ex novio y mi posesivo padre te contaron todo lo malo en dos segundos —contestó ella, esbozando una sonrisa tristona.

—Y resulta que todo era verdad. ¿Sabes? Si no hubiese estado loco por ti, ¡probablemente les habría hecho caso!

A Kate nadie le había contado nada sobre su prometido. Lo cierto era que nadie la advirtió sobre sus obsesiones, mientras que su padre y Luca habían puesto a Robert al día sobre ella. De hecho, no se enteró de que Robert era el séptimo conde de Falsbury y el propietario de una casa solariega en las colinas de Devon hasta varias semanas después. En Falsbury Hall se sorprendió al ver las fotos de su marido con uniforme militar británico recibiendo una condecoración. Después de un aluvión de preguntas (un interrogatorio en toda regla, en realidad), consiguió que reconociera que sí, que había sido condecorado por «su valor, distinción en el servicio y demás unas cuantas veces». ¿Un héroe? «Más bien tenía la mala costumbre de estar en el sitio equivocado en el peor momento posible...».

Kate era demasiado joven para ser práctica y demasiado inteligente para ambicionar un título nobiliario, pero descubrió que no estaba mal que la llamasen lady Kenyon y que los hombres de la edad de su padre contemplasen a su marido con admiración. Aunque tampoco importaba, porque se había casado por la mejor razón del mundo: estaba enamorada. Y, ¿por qué no? Robert Kenyon tenía los oscuros rasgos y el aire misterioso de un Heathcliff, así como la dulzura, el orgullo natural y la ética inquebrantable de un señor Darcy. Conocía al primer ministro y había servido con varios miembros de la familia real durante su tiempo en el ejército. Había viajado por el mundo, hablaba cinco idiomas con fluidez y se defendía con bastantes más. Sin embargo, lo que más le gustaba de su marido era que nunca retrocedía ante nada.

La única vacilación de Kate, y no le había durado mucho, la tuvo al considerar la diferencia de edad. Él le llevaba dieciséis años. Por supuesto, ella siempre había salido con hombres mayores, al menos desde que cumplió los dieciséis años. Sus escasas aventuras con hombres más jóvenes, siempre alpinistas, solían acabar con una pelea y los consiguientes resentimientos.

Con los mayores apenas tenía que enfrentarse al desagradable rencor que surgía cuando superaba a un hombre joven en una competición física. Los adultos confiaban más en sí mismos y parecían disfrutar con sus notables aptitudes para la escalada. Por tanto, era inevitable que se acabase casando con un hombre bien asentado en su mundo y satisfecho con su vida. ¿Ocho años, diez, dieciséis? ¿Qué más daba?

—Espero que no estén pensando en vivaquear con nosotros.

Kate apartó la mirada de los picos lejanos y la fijó en las dos figuras que subían por la roca. No resultaba fácil verlas a la luz del atardecer, pero distinguía que avanzaban con el ritmo regular de los escaladores que llevan muchos años trabajando juntos. Sin duda, subían más deprisa que Robert, Alfredo y ella. Es lo que pasaba cuando dos compartían cuerda, pero, en cualquier caso, eran muy buenos.

Meditando sobre el comentario de Robert acerca del campamento, Kate miró la repisa en la que se encontraban. Los dos alpinistas podrían pedirles permiso para compartirla, aunque no les iba a servir de mucho, porque el área para dormir tenía poco más de medio metro de ancho y le faltaba el largo suficiente para acomodar a dos personas. Sobre ellos, un saliente los protegía de las rocas que cayesen; por debajo, un largo descenso vertical de varios metros acababa en un glaciar.

—Dudo que pretendan cruzar la Travesía de los Dioses a oscuras —respondió Kate. Por fin fue consciente de la repentina intromisión y se sintió bastante molesta. No quería compañía en aquellas alturas, deseaba toda la atención de su marido para ella. Ni siquiera le había gustado que los acompañase Alfredo y había expresado su opinión contraria al uso de un guía, pero Robert había insistido. Decía que, si pasaba algo, un tercer alpinista supondría una importante diferencia.

Robert seguía observando su avance.

—No lo sé —dijo al fin—, puede que sea interesante. —Hablaba de una subida nocturna por una roca que solo los mejores alpinistas del mundo se atrevían a subir de día.

—Interesante es pasar por la Travesía de los Dioses en una tarde soleada —respondió Kate—. Por la noche es una locura.

—La luna llena saldrá en un par de horas —repuso él—. Si el cielo sigue claro, un par de alpinistas fuertes podrían llegar a la cumbre a las dos o las tres de la mañana.

Kate consideró la idea y notó que le palpitaba el corazón. La posibilidad no se le había ocurrido antes, pero, pensándolo bien, una escalada a la luz de la luna sonaba como el punto final que estaba buscando.

Oyó cómo Alfredo recibía a los recién llegados con el obligatorio saludo suizo de *Gruezi-mitenand*. Ellos respondieron en alto alemán, expresando su sorpresa de encontrarse a alguien vivaqueando tan cerca de la rampa. Como no había espacio de sobra que compartir, resultaba una situación un tanto incómoda, aunque los escaladores son famosos tanto por su generosidad como por su capacidad de apañárselas con lo que haya.

—¿Queréis vivaquear aquí? —les preguntó Alfredo en una ambigua mezcla de alto alemán y alemán suizo.

Alfredo tenía la edad de Robert, pero su piel curtida y los mechones grises de la barba le daban el aspecto de un hombre de cincuenta años. Hablaba una versión campestre del dialecto de Berna, unas frases de lentitud inimaginable con su propio encanto montañés.

—No, si no nos queda más remedio —respondió el más alto de los dos hombres—. Esperamos seguir avanzando en cuanto salga la luna —hablaba con acento austriaco—. ¿Os importa que nos quedemos aquí un par de horas hasta entonces?

Alfredo miró hacia Kate y Robert.

—Depende de él.

Los austriacos miraron hacia la repisa, sorprendidos; al parecer, no los habían visto.

Robert les gritó que le parecía bien, utilizando un correcto alto alemán.

—¡Quedaos lo que queráis! —afirmó—. ¿Cuándo salisteis?

—A las cuatro de la mañana —respondió el hombre—. Todavía esperamos hacerlo en menos de veinticuatro horas, pero va a estar justo.

—¡Nosotros hemos tardado dos días en llegar aquí! —exclamó Robert.

—¿Sois los dos tortolitos en viaje de novios? —preguntó el segundo hombre.

—¡Los mismos! —gritó Kate.

—Si queréis subir a la roca con nosotros, sois bienvenidos —repuso el primer hombre—. Se supone que mañana a primera hora tendremos niebla espesa, quizá sea complicado salir de aquí si esperáis a que salga el sol.

—Lo último que oí era que nos esperaban un par de días más con buen tiempo —respondió Kate.

—Creo que no haríamos más que frenaros —añadió Robert.

—¡Eh, lo he leído todo sobre vosotros! ¡Seguro que no nos frenáis!

—¿De verdad no os importaría que nos uniésemos? —preguntó Robert, que parecía estar pensándose en serio la invitación.

—¿Me tomas el pelo? ¡Si llegamos con vosotros dos atados a las cuerdas podríamos acabar en la portada del *Alpine Journal*!

—No se me había ocurrido —dijo Robert, entre risas—. Dadnos un minuto para hablarlo.

—No hay prisa, tomaos un par de horas si queréis.

—Alfredo ¿Por qué no les preparas un café?

—Creo que tengo un par de tazas que todavía están calientes, señor.

—Justo lo que necesitábamos —afirmó el primer austriaco—. Muchas gracias.

Alfredo, que había pasado su cuerda por un anclaje permanente para bajar hasta los hombres, se volvió y empezó a tirar de ella para volver a su improvisada cueva de nieve. Los austriacos lo siguieron por la inclinada pendiente utilizando tan solo los crampones.

Cuando los tres llegaron a la roca y se perdieron de vista, Kate dijo:

—¿De verdad quieres hacerlo?

—¡Tendría que haberme imaginado que te apetecería! —exclamó Robert, riéndose ante el entusiasmo de su mujer.

—Teniendo en cuenta lo de la niebla, quizá sea lo más inteligente.

—La verdad es que me siento bastante bien, dadas las circunstancias —respondió él, después de pensárselo un momento—. ¿Y tú?

—¿Cuánto es? ¿Cuatro horas?

—Si seguimos el ritmo de esos dos, puede que sea bastante menos.

Kate oyó algo, como un palo golpeando roca, y miró hacia la pendiente justo a tiempo de ver una sombra que salía volando por la roca. Sobresaltada, se dio cuenta de que era un cuerpo.

La forma oscura empezó a deslizarse, para después dar tumbos con la indiferencia de un objeto inanimado. Cayó por el borde y se desplomó hacia el glaciar. Kate y Robert se pusieron en pie de un salto, y, sin poder evitarlo, chocaron, de modo que el hombro de él la hizo perder el equilibrio. Kate notó que se caía por el precipicio, así que alargó un brazo en busca de Robert, que no parecía darse cuenta del peligro que corría. Kate gritó su nombre y perdió pie.

La cuerda que la anclaba a la roca llegó a su límite con un chasquido que la envió contra la montaña. Algo le rozó la cabeza y siguió cayendo. ¿Su saco de dormir? ¿Una de las mochilas? No estaba segura. Miró abajo, pero solo veía el fantasmagórico hielo del fondo.

Parpadeó e intentó entender lo que había pasado. Estaba colgada unos cuantos metros por debajo de la repisa, girando en su cuerda de sujeción. El choque con la pared de roca la había dejado atontada y sentía un dolor agudo en la rodilla, aunque, al menos de momento, estaba tan cargada de adrenalina que no le costaría trepar hasta la repisa.

Estudió la situación con ojo de experta. Estaba unos dos o tres metros por debajo de la repisa. Su anclaje se encontraba otro metro más arriba. La única dificultad consistía en encontrar puntos de apoyo. Por desgracia, los piolets estaban arriba, junto con los crampones, así que tendría que trepar por la cuerda.

Entonces se le ocurrió algo: ¿por qué no estaba Robert asomado al borde para asegurarse de que se encontraba bien? Sin atreverse a responder a la pregunta, Kate notó que la fatalidad y la pérdida se cernían sobre ella. «No», pensó, antes de tan siquiera poder articular el terror que intentaba apoderarse de ella. Él también se había atado, lo había visto hacerlo. Miró a su alrededor pensando en que podía haber caído y estar colgado unos cuantos metros por debajo.

—¿Robert? —preguntó, con voz tímida y asustada.

¿Se habría soltado su anclaje? La idea le dio náuseas, y no podía dejar de pensar en el objeto que había pasado junto a ella. Saco de dormir, mochila..., Robert.

—¡¡Robert!!

Vio la silueta de la cabeza de un hombre asomándose a la repisa y se sintió aliviada.

—¿Robert? Estoy aquí, ¡estoy bien!

—Corta la cuerda —dijo una voz a lo lejos.

—¡No! —gritó ella, aterrada.

La silueta se retiró mientras Kate daba patadas como loca para intentar llegar a la pared. Sus esfuerzos para impulsarse la acercaron más a la roca, pero seguía sin poder tocarla.

—¡¡Por favor, no!! —gritó.

Rozó la pared con los dedos, sin lograr agarrarse. Se alejó, apartando las piernas de la roca, dio patadas para ampliar el arco de su balanceo y retrocedió. Levantó las piernas, se echó hacia atrás en el arnés y alargó un brazo hacia la roca.

Aquella vez se acercó lo bastante para agarrarla, pero las piernas no dejaban de dar vueltas y perdió la oportunidad. Miró arriba y notó que la cuerda daba una sacudida.

—¡¡No!!

Cuando la cuerda se soltó, Kate dejó escapar un chillido de terror y vio la sombra de un canto rodado que se acercaba a ella. Se golpeó contra el flanco inclinado y rodó por encima de él, demasiado atontada para intentar cogerse. Las caderas y las piernas salieron por el borde, pero la cuerda se enganchó en algo.

Temiendo que el más ligero movimiento la mandase al fondo del abismo, tanteó el canto rodado en busca de un asidero. Lo que encontró fue una ligera cresta que logró quitarle algo de tensión a la cuerda. Por el momento, estaba a salvo, así que levantó la mirada hacia la repisa de la que había caído. Las sombras hacían que resultara complicado calcular las distancias. Le daba la impresión de haber caído otros dos metros. ¿Cuatro o cinco metros para volver a subir? Vio de nuevo la misma silueta asomándose. Cuando desapareció, Kate se levantó y se dio cuenta de que quizá se hubiese roto una costilla en la segunda caída. Encontró la hendidura en la que se había enganchado la cuerda y tiró de ella para soltarla, pero estaba demasiado metida. Sabía que podría desatarla en el mosquetón del arnés o soltar el arnés si no quedaba más remedio, aunque no quería dejar ninguna de las dos cosas. El instinto del alpinista: un trozo de cuerda y los medios para atarla podían suponer la diferencia entre la muerte y la salvación. Metió la mano en el bolsillo con cremallera del abrigo y sacó su navaja suiza.

Perdió un metro de cuerda después del corte, pero conservó casi tres metros, lo bastante para atarla a algo. Enrolló la cuerda con cuidado, la ató y se la guardó en el bolsillo del abrigo. Después examinó la mezcla de hielo y rocas que se elevaba sobre ella. Miró al horizonte y vio la débil luz de la puesta de sol que todavía se reflejaba en las montañas. Muy pronto sería de noche, y escalar en la oscuridad sin ningún tipo de lámpara era suicida, aunque, en realidad, no tenía elección. No podía atarse allí y esperar a la luna, ya que, en dos horas, expuesta como estaba al viento, tendría demasiado frío para moverse.

Intentó sacudirse la pena y el miedo que la atenazaban. Por experiencia, sabía que si se rendía estaría acabada. Tenía que salir de allí escalando, eso era todo. Sin embargo, ¿por dónde? Miró arriba. Por allí se encontraría con los dos austriacos. Miró al oeste y pensó que quizá pudiera recorrer la cara vertical por debajo de la repisa. Eso la llevaría por debajo de los austriacos, aunque no tenía equipo para descender de la montaña. Hizo inventario: llevaba un abrigo y botas; tenía una navaja suiza, tres metros de cuerda para escalar y un arnés. No bastaba. La única forma de sobrevivir era hacerse con el equipo adecuado. Levantó la mirada: fuego, agua, comida, crampones, piolets, cuerda, saco de dormir; todo estaba a tan solo cinco metros de ella. Sin aquellas cosas no podría salir de la montaña.

Después de recorrer con precaución una estrecha tira de piedra, Kate se dirigió a la rampa con la intención de salir por encima de los dos hombres. Sin embargo, al instante se rozó la cabeza con una repisa saliente. Se agachó e intentó estudiar la sombra: un canto rodado bloqueaba su única subida y la obligaba a moverse de nuevo en lateral. Aguantaba su peso agarrada con las puntas de los dedos de las manos y los pies. Bajo ella, el vacío esperaba, paciente.

El viento sopló con un poco más de fuerza mientras rodeaba el obstáculo. Al salir, más adelante, notó que el viento le tiraba del abrigo. No había llegado a helar en todo el día, demasiado calor para la clase de escalada mixta que ofrecía el Eiger, aunque, por la noche, las temperaturas solían bajar hasta caer en picado. Aquella noche no era una excepción. Levantó la mano y encontró una grieta helada, imposible de asir. ¡Necesitaba sus piolets! De repente, de pie sobre centímetro y medio de piedra, con tan solo las botas y las manos desnudas para evitar caer al profundo abismo, sin tan siquiera un anclaje que la sujetase, Kate se dio cuenta de que nunca lograría subir la rampa. ¿En qué estaba pensando? ¿Contra quién intentaba luchar? ¿Contra Dios?

Empezó a temblar y notó que le ardían los ojos. «Lady Katherine Kenyon murió ayer en un accidente de montaña al escalar el Eiger...».

«Los titulares son una cosa estupenda —pensó—. ¡Llorada por las clases altas y envidiada por el resto!».

—No —susurró, sacudiendo la cabeza y agarrándose a una rugosidad de piedra y hielo—. Todavía no estoy muerta.

Tiró de su cuerpo hacia arriba. El contorno de la roca le empujaba las caderas hacia fuera y, por un instante, sus pies perdieron apoyo, de modo que se vio obligada a soportar todo su peso con las puntas de los dedos. Sintió el pánico que todo escalador siente cuando no hay protección. Sin embargo, conocía aquel movimiento, lo había practicado numerosas veces. ¡Qué más daba que no hubiese anclaje! ¡Era lo bastante buena a la luz del día para hacer aquello sin necesidad de cuerda! No era más que una escalada libre con un poquito de niebla. Lo que debía hacer era agarrarse y seguir avanzando. Ese era el estilo de la montaña. En realidad, ¿cuántas veces había necesitado la seguridad de una cuerda anclada?

—¡Cógete a la montaña con las manos y haz lo que sabes hacer! —se susurró.

Subió más y se sujetó a una protuberancia de roca porosa; era como un pomo, así que se elevó fácilmente. Encontró una hendidura con la punta de la bota. Rodeó por completo el bulto y se tumbó sobre él para recuperar el aliento.

—Todavía... no... estoy... muerta.

El siguiente tramo fue más sencillo, con muchos asideros y repisas, típicos de gran parte de la montaña. Se movía con lentitud por la oscuridad y por la naturaleza impredecible de la roca, pero se movía. No se encontró con salientes en su camino, ni con paredes lisas resbaladizas que detuvieran su avance. «No está mal», pensó. Después dio con un páramo de hielo puro que se extendía sobre ella. Kate llevaba dos días escalando pedazos de hielo como aquel, que, en realidad, era de los fáciles. Con un par de piolets en las manos y crampones en las botas podría haberlo dejado atrás en unos segundos. Golpe, golpe, salto. Golpe, golpe, salto. Una vez que le cogías el ritmo era lo más rápido del mundo. Sin equipo, sabía que, de empezar a deslizarse, todo habría terminado.

—Para —susurró—. Quédate aquí, espera. No te congelarás.

«Lady Katherine Kenyon murió ayer en un accidente de montaña al escalar el Eiger. Su padre ruega..».

Su padre. ¿Qué haría Roland Wheeler con aquella pared delante? ¿Se mentiría, pararía y se quedaría dormido, dejando que el frío viento lo helara hasta matarlo? La idea estuvo a punto de hacerla reír. ¡No habría sido propio de él! El hombre tenía muchos defectos (como una completa falta de moralidad en lo referente a las propiedades de los demás), pero rendirse fácilmente no era uno de ellos. ¡Él no se iría a dormir sin más! Y nunca había permitido que Kate lo hiciera. Una vez, en su primera escalada de verdad, a ella le había entrado el pánico. Se había quedado paralizada en una repisa (una repisa por la que, en aquellos tiempos, habría matado), y su padre le había dicho: «Las lágrimas no te sacarán de esta roca, Katie. ¡Has llegado aquí escalando y saldrás de aquí escalando!».

Ella respondió: «¡No puedo!», y él repuso: «Bueno, entonces no eres la chica que yo creía». Después, siguió adelante. ¡Siguió adelante! ¡La dejó allí! Con catorce años y temblando, y él la había dejado atrás sin molestarse en volver la vista ni una sola vez. Se puso tan furiosa que dejó de sentir pánico..., y esa era la idea.

Kate tocó el mosquetón que llevaba en el arnés, pero no estaba preparado para algo semejante. Registró el abrigo: cuerda, navaja... ¡pitón! Sacó la navaja y el pitón. Con la navaja en una mano y el pitón en la otra quizá lograse utilizarlos como si fueran un par de piolets.

O moriría en el intento.

Kate clavó la hoja de la navaja en el hielo y notó que se agarraba bien. Después, el pitón. Notó la suficiente resistencia para impulsarse hacia arriba. Una vez en el hielo, se arriesgó a mirar abajo, aunque lo único que vio fue una pared gris lisa con una inclinación de unos cuarenta grados. Se extendía durante unos cuantos metros y después se convertía en cielo.

Arriba le esperaba un duro camino. Sacó la navaja del hielo y se aferró como pudo al pitón con dedos temblorosos. Después metió rápidamente la navaja en el hielo y sostuvo su peso con ella. A continuación el pitón, y otra vez la navaja.

La furia de tener que clavar aquellos pequeños objetos de acero en el hielo la estaba dejando agotada, pero quedarse colgada le minaba las fuerzas, así que mejor seguir moviéndose...

¡Habían cortado su cuerda! ¡Intentaron tirarla de la montaña! ¿Habría visto Robert cómo lo hacían? ¿Habría gritado sin que ella lo oyese? Su silencio la preocupaba, porque significaba que lo que había pasado junto a ella en su caída era un cuerpo, no un saco de dormir, ni una mochila, sino su cuerpo. Estuvo a punto de rendirse al pensarlo, pero no podía estar segura. Quizá su marido hubiese gritado al ver que cortaban la cuerda. Ella se había golpeado la cabeza con fuerza, puede que perdiese algunos segundos. Robert podía seguir con vida, quizá pretendiesen secuestrarlo, llevárselo a la luz de la luna y exigir un rescate de dimensiones obscenas...

Se detuvo para respirar, para lamentarse, para encontrar en lo más profundo de su ser la rabia que necesitaba para subir el último trecho. No le valía pensar que Robert estuviese muerto. Miró atrás, los dedos empezaban a sufrir calambres por la tensión, las fuerzas le fallaban. ¡Tenía que terminar con aquello lo antes posible!

Había perdido el conocimiento; por eso no había oído el grito de terror de Robert cuando cortaron la cuerda, porque se había dado en la cabeza con la roca. Su silencio no significaba que él también hubiese caído, sino que ella había estado ausente durante un instante. ¡Robert seguía arriba! ¡Pensando que ella estaba muerta! ¡Rezando por un milagro, igual que hacía ella! Clavó el pitón en el hielo y se impulsó unos cuantos centímetros más. La mano que lo sostenía estaba ardiendo de dolor por culpa de un calambre, pero ahora veía un canto rodado surgir sobre ella.

Buscó en vano algún asidero, después se movió lentamente hacia la izquierda, resistiéndose al impulso de mirar de nuevo abajo, hasta que, por fin, encontró una zona con nieve. Allí la inclinación era mayor y la nieve inestable. Veía varias rocas prometedoras justo encima de ella (se acababa la parte difícil de la ascensión), pero, cuando se subió a la nieve, vio que se partía bajo ella. Tenía la barriga y los dedos de los pies dentro y sentía algo de agarre, aunque no mucho; no era una posición segura. Podría desaparecer en un segundo, junto con toda la pared de nieve que se deslizaba hacia al fondo. Metió los puños en ella y se sujetó al hielo. Después subió unos cuantos centímetros, y lo intentó una y otra vez.

Al cabo de un momento se encontró subiendo por piedras sueltas hasta llegar a la larga rampa inclinada. Se metió el

34

pitón en el bolsillo e intentó calcular la distancia que quedaba para llegar a los dos austriacos. Por su posición, le parecía que estaban a unos veinte metros por debajo de ella, aunque no veía nada. Miró al cielo. Las estrellas ya habían salido, pero seguían siendo pálidas. El horizonte estaba negro. Si se quedaba en las sombras y no hacía ruido, quizá lograse llegar a ellos antes de que se diesen cuenta de lo que pasaba. Tocó la hoja de su navaja con el pulgar; a pesar de no ser una gran arma, al menos estaba afilada.

Kate descendió como si bajase una escalera. Se sujetaba a la roca con los dedos de las manos y los pies, y el cuchillo bajo el pulgar derecho. Vio trozos grises de hielo y después la vaga silueta de la hendidura donde Alfredo había excavado en la nieve para protegerse del viento.

Estaba a punto de llegar a la repisa cuando oyó el inconfundible sonido de acero sobre piedra justo encima de ella. Levantó la mirada, sorprendida, pero era demasiado tarde: el ataque fue muy rápido. Kate cayó al recibir el impacto, aunque no sin antes dar un navajazo que acertó en el abrigo y, al menos, parte de la carne del hombre, cosa que la frenó momentáneamente.

Apenas fue consciente del grito del hombre cuando este le dio un puñetazo en la cabeza. La navaja se soltó y Kate empezó a deslizarse. Antes de coger velocidad, consiguió meter la bota en una cresta. Estaba unos tres metros por debajo del hombre, que volvía al ataque. Para poder moverse así, el asesino debía de estar colgado de una cuerda.

Podía haberla pasado fácilmente por algún tipo de anclaje natural, lo que le permitiría bajar a por ella a toda prisa. Sin embargo, de ser así, la cuerda estaría atada a su arnés por un extremo y él tendría que sujetar el otro. Esa era la forma de mantener la tensión de la cuerda e ir dándola conforme bajaba por la roca, aunque también significaba que no estaba del todo seguro. Cuando la golpeó por segunda vez, Kate estaba lista y le rodeó las rodillas con los brazos. Él intentó patearla, pero ella logró ponerlo de espaldas, de modo que los dos colgasen de su cuerda. Después se lanzó sobre su pecho y le cortó la muñeca.

Empezaron a deslizarse juntos por la pendiente, mientras el hombre se agarraba a ella, desesperado. Kate le cortó la cara, le dio un fuerte rodillazo y rodó para alejarse. El grito del hombre había cambiado de tono: conforme ganaba velocidad, aumentaba su terror. Kate siguió deslizándose hasta notar que las piernas llegaban al borde, momento en el que se agarró con ambas manos a un trozo de piedra que sobresalía. La roca le cortó los dedos por culpa del peso del cuerpo, pero se sujetó; las piernas colgaban en el aire, agitándose como locas.

El segundo hombre se asomó a la repisa y, muy nervioso, llamó a su compañero; no hubo respuesta. Colgada de una mano, sin navaja, Kate levantó la mirada, pero solo pudo ver el cielo y las oscuras sombras de las rocas. Metió la mano por debajo de la repisa, encontró una cresta, se aferró a ella y se apartó de la rampa, quedando colgada frente a una pared vertical con la única ayuda de cuatro dedos.

Por encima de ella, la sombra del segundo hombre tapaba las estrellas, mientras sus crampones arañaban el punto de la roca en el que antes estaba la mano de Kate. Si la veía, podía darse por muerta.

Empezó a temblarle la mano, pero esperó, sin atreverse a buscar un asidero mejor.

—¡Jörg! —gritó el hombre mientras caminaba sobre ella, con los dientes de los crampones a pocos centímetros de sus dedos. Se movía despacio, procurando mantener el equilibrio.

36

Una vez perdido en las sombras, Kate se atrevió a utilizar la otra mano y empezó a buscar un punto de apoyo para los pies. Respiraba en silencio, despacio, resistiéndose a la necesidad de jadear.

—¡Jörg! —gritó el hombre de nuevo.

Kate encontró una grieta vertical y metió parte de la suela de la bota dentro, impulsándose hacia arriba hasta apartar el pecho y las caderas del borde. Se quedó quieta, sujeta por manos y pies, con la barriga a pocos centímetros de la superficie. Kate ascendió lo más deprisa que pudo, aunque con precaución. Se quedó en la parte más oscura de las sombras, cerca de los cantos rodados. Necesitaba colocarse por encima del hombre y así adquirir la velocidad necesaria para igualar la diferencia de tamaños y pesos.

El austriaco volvió a gritar el nombre de su compañero, aunque con otro tono de voz. Era un hombre solo en una montaña y, quizá, por primera vez, estaba algo asustado. Kate visualizó los contornos de la rampa. No podía ni verlo, ni oírlo. Intentó calcular la distancia entre los dos, pero, de repente, el asesino había dejado de hacer ruido. ¿Estaría todavía cerca del borde? ¿Subía hacia ella con tanto sigilo que no podía oírlo? ¿O estaba de pie en alguna parte, procurando mantener el equilibrio y prestando atención, para asegurarse de que no había nadie más?

Quizá se imaginaba que los dos habían caído al abismo, pero seguro que sabía que ella podía seguir viva. Empezó a moverse lateralmente y lo oyó volverse, como si la hubiera escuchado. Kate se quedó paralizada, a la espera. Un paso y después nada. ¿A qué distancia? Tenía las manos, los pies y la cara pegados a la pendiente, de espaldas al asesino. Se volvió con toda la lentitud y el silencio que le eran posibles, pierna sobre pierna, brazo sobre pecho. Una vez boca arriba, observó las sombras que había más allá de su barriga y sus rodillas.

Sacó el trozo de cuerda que había guardado en el bolsillo y soltó el nudo con los dientes. El hombre seguía sin moverse, lo que significaba que estaba seguro de que ella se encontraba por encima de él, en alguna parte. Al parecer, no pretendía dar a conocer su posición antes de lo necesario. Kate suponía que se encontraba a unos tres o cuatro metros de ella; los dos ciegos; los dos, de repente, completamente inmóviles; los dos plenamente conscientes de que estaban a punto de encontrarse.

Dejó la cuerda un poco floja y sostuvo un extremo en cada puño. Le daba la impresión de que el hombre estaba a su derecha, no justo encima de ella, pero no estaba segura. No podía arriesgarse a un deslizamiento. Si no acertaba, no habría nada que detuviese su caída. Necesitaba saber su posición, aunque eso significase delatarse.

—Por favor —susurró, y apenas reconoció su voz—, no me haga daño.

El asesino parecía haber estado esperando algo similar, porque empezó a bajar la pendiente rápidamente. Kate averiguó su posición al instante y, dando un salto, comenzó a deslizarse. La fuerza del impacto hizo que se resbalase por los brazos del hombre y se diese contra sus piernas. Una vez logró que perdiera el equilibrio, Kate le pasó la cuerda por las rodillas y rodó debajo de él. Tensó la cuerda y dejó que el impulso lo lanzase pendiente abajo. El hombre gritaba como loco, pero ella siguió tirando, frenando conforme él aceleraba. Cuando por fin soltó la cuerda, el asesino chilló.

Oyó su cuerpo golpearse contra el glaciar tres o cuatro segundos más tarde. Después, solo quedó el viento.

Kate se puso a cuatro patas, llamando a Robert. Se arrastró por la rampa hasta llegar a la repisa donde su marido había estado sentado.

—¡¡Robert!!

Solo obtuvo silencio. Se dijo que no lo habían matado, que no habían subido a la montaña solo para eso. ¡No! ¡Lo que querían era secuestrarlo! Estaba atado, amordazado... en alguna parte. ¡Estaba allí! ¡Tenía que estar allí!

—¡¡Robert!!

Kate salió de la oscura repisa, pero solo encontró dos mochilas y un par de sacos. Cogió una linterna de una de las mochilas y echó un vistazo a su alrededor. El equipo de Robert no estaba. Se volvió, salió de la repisa y cruzó la rampa, enfocándolo todo con la linterna. Siguió escalando un poco más, llamando a su marido una y otra vez. De nuevo, no obtuvo respuesta. Pensó que Robert estaba en otra parte, pero, incluso mientras se susurraba aquella mentira para intentar soportar los segundos siguientes, sabía que no había ninguna otra parte. De haber estado vivo, habría estado allí. Y no lo estaba.

Lo llamó de nuevo, pero se le rompió la voz. Robert no estaba. Se dejó caer de rodillas y se tapó la cara con las manos.

Cuando terminó de llorar, Kate recuperó uno de los sacos de dormir y se metió dentro para poder descansar una hora.

Se despertó con la luz de la luna y descubrió que le dolía todo el cuerpo. No le parecía posible moverse, aunque sabía que debía intentarlo. La luz de la luna iluminaba la zona, así que volvió a la repisa sin usar la linterna para registrar las mochilas en busca de equipo. No encontró crampones, pero sí piolets y cuerdas, cascos con luz, comida, fuego, agua y aspirinas. Incluso encontró el hornillo de Alfredo. Pensó en seguir ascendiendo, pero conocía mejor la bajada, ya que la había hecho dos veces. Si se metía en problemas, sabía dónde podía parar y esperar a que la rescataran. Tenía fuego, comida y ropa para sobrevivir unos cuantos días, si no le quedaba más remedio.

Acampó en un trozo nevado cuando por fin se ocultó la luna. Al amanecer siguió descendiendo; el cuerpo le temblaba con cada movimiento. Encontró a dos escaladores a última hora de la tarde.

—¿Qué ha pasado? —le preguntó uno de ellos mientras esperaban al rescate por helicóptero.

Ella sacudió la cabeza, no quería decirlo. Los médicos también quisieron saberlo, pero Kate se negaba a hablar. Estaba demasiado cansada, demasiado dolorida y demasiado asustada para revivirlo. Lo entendieron o, al menos, creyeron entenderlo.

Fue el instinto lo que la silenció. Alguien había enviado a aquellos hombres a por Robert, estaba segura, y el que lo había hecho seguía allí fuera. Si mentía sobre lo sucedido, quizá el asesino pensara que estaba a salvo. Seguramente decidiría que ella tenía demasiado miedo para buscarlo. Sin embargo, lo haría; acabaría con él o moriría en el intento.

Cuando tuvo que hablar y no pudo seguir escondiéndose detrás de la excusa del cansancio, ya estaba fuera de la montaña, mintiendo a salvo en el hospital. Les dijo que su marido, su guía y ella habían decidido unirse a dos hombres que esperaban llegar a la cima a la luz de la luna llena, los cinco en dos cuerdas. Apenas habían empezado cuando el líder del equipo perdió un anclaje y cayó sobre su grupo. La fuerza de la colisión había roto también su anclaje, así que los cinco escaladores se habían deslizado por la rampa, enredados en las cuerdas. Les contó que, al empezar a rodar, logró cortar la cuerda, pero los otros ya habían caído por el borde.

Su historia presentaba algunos problemas, como el intercambio de los equipos y las cosas que faltaban. ¿Por qué llevaba una de las mochilas de los otros? ¿Cómo había perdido sus crampones? ¿Qué le había pasado a su mochila? Les dijo que no lo sabía, que encontró el equipo después de perder el suyo. Le contestaron que eso no tenía sentido y la presionaron para que les diese más detalles, pero Roland hizo algunas llamadas de teléfono y, al día siguiente, el interrogatorio terminó. No hubo más preguntas. Los periódicos recibieron la historia, y la versión ofrecida por Kate acabó grabada en piedra.

Los suizos hicieron una búsqueda en helicóptero a primera hora de la mañana siguiente a que Kate por fin reuniese las fuerzas suficientes para decirles a las autoridades dónde había pasado todo exactamente. Para entonces, una tormenta de nieve había cubierto los cadáveres y los equipos. Se realizó otra búsqueda en el verano, aunque sin éxito.

Todos decían que el Ogro se había cobrado otras cuatro víctimas.

CAPÍTULO DOS

Zúrich (Suiza)
Domingo, 24 de febrero de 2008.

A LA FIESTA DE INAUGURACIÓN DE LA FUNDACIÓN RO-
land Wheeler solo se podía acceder mediante invitación. Entre las grandes figuras que honraban la lista
había políticos, consejeros delegados y los directores de las
fundaciones y museos más prestigiosos de Zúrich. Naturalmente, los filántropos de la ciudad acudieron en masa, ya
que nunca perdían la oportunidad de echar un vistazo a lo que
ofrecían los demás. Para que la gente no pensara que el acontecimiento solo trataba de poder y dinero, la hija de Wheeler,
Kate Brand, extendió la mitad de las invitaciones a músicos,
pintores, arquitectos importantes, autores y eruditos. La lista
se cerraba con unos cuantos fanáticos del alpinismo, amigos de
Kate y su nuevo marido, Ethan. Viejos, jóvenes, ricos, sabios,
locos o bellos: todos aportaban algo a la ocasión. Era el tipo de
grupo que Roland habría reunido, de haber estado vivo para
hacerlo.

Puede que el capitán Marcus Steiner, de la policía de Zúrich, fuese el invitado más curioso de la lista. Veterano con más
de veintinueve años de servicio, Marcus se había abierto paso
en la vida de manera silenciosa, casi podría decirse que encu-

bierta. Su participación en anteriores funciones de aquel tipo se había limitado a la seguridad, pero, en aquella, era un invitado genuino... y estaba tan perplejo como todos los demás. Obviamente, a Marcus no le resultaba difícil encajar. A diferencia de la mayoría de los polis del mundo, él disfrutaba de la compañía de los ricos. Al inicio de su carrera, había descubierto que los ricos pagaban bien por los favores una vez llegaban a conocerlo y comprendían que había pocas cosas que no estuviese dispuesto a hacer por el precio adecuado.

Por supuesto, Marcus era consciente de que había personas en la fiesta que suponían que Kate lo había invitado por pura bravuconería, ya que se rumoreaba desde hacía años que Roland Wheeler había amasado su fortuna robando cuadros en otros países y vendiéndolos a coleccionistas suizos. Al hacerse mayor, según decían los mismos rumores, le había pasado el testigo a su única hija. Nadie podía probarlo, claro, pero, en realidad, tampoco es que se esforzaran mucho en hacerlo. Roland Wheeler había comprado su entrada en la sociedad suiza mediante fastuosos regalos a la ciudad, ayudado además por los secretos que guardaba a sus clientes suizos. Por otra parte, los robos que sucedían al otro lado de las fronteras de Suiza no eran problema de los suizos.

A Marcus no le importaba que se hicieran algunos comentarios sarcásticos a sus expensas. La ocasión era demasiado grandiosa para perdérsela, y a su carrera tampoco le venía mal relacionarse con aquel tipo de personas. No fue dando su tarjeta de visita, pero no dudaba en contarle a todo el mundo dónde trabajaba. Al fin y al cabo, alguien podría necesitar su ayuda algún día, así que tenía mucho sentido hacerles saber dónde encontrarlo.

Mientras iba de habitación en habitación, Marcus disfrutó enormemente leyendo los nombres de los distintos cuadros. Tanto que apenas prestó atención a los cuadros en sí. Pero, ¿a quién le importaban? Rothko, de Kooning, Pollock, Kandinsky, Picasso: ¡echaban pintura en el lienzo y valía más de lo que a él le pagaba la ciudad en una década!

Se mareaba de pensar en el valor de todo aquello, sobre todo teniendo en cuenta que Roland Wheeler había empezado su carrera en el East End londinense como un vulgar ladrón. Después de una serie de encuentros con la policía y una condena que no llegó a ejecutarse por posesión de bienes robados, Wheeler se marchó a Alemania. En Hamburgo su vida cambió a mejor: se casó con una guapa inglesa, encontró trabajo en una galería de arte y, finalmente, nació su hija. Aunque nadie sabía mucho sobre los primeros pasos profesionales de Wheeler, pocos años después tenía su propia tienda en Hamburgo, otra en Berlín y una tercera en Zúrich. Había pulido todas las aristas de su pasado en el East End. Roland Wheeler se había convertido en un hombre respetable. Después de la muerte de su mujer a principios de los noventa, había dejado Alemania para mudarse a Zúrich. La mudanza parecía haberle ido bien, porque, en los años siguientes, se hizo extremadamente rico.

—Casi cien millones —calculó un invitado cuando Marcus le preguntó por el valor de la colección que la hija de Wheeler había donado a la ciudad.

—¿De francos? —preguntó a su vez él impresionado.

El hombre, que era inglés, esbozó una rígida sonrisa.

—Libras esterlinas..., al menos en un buen día. Diría que francos suizos en un mercado débil.

Marcus, que había adquirido un monet de Wheeler en octubre de 2006, preguntó por la situación del mercado en aquel momento. ¿Era un buen momento para vender?

—Depende por completo de la obra de la que hable, supongo —respondió el inglés, evitando contestar. Le echó un vistazo al reloj, los zapatos y el corte de la chaqueta de Marcus, que no daban ninguna pista sobre él. Podía ser un respetable funcionario o un hombre con diez millones de francos. De tratarse de una cantidad mayor, todos los de la sala lo sabrían. Los suizos eran un pueblo muy educado, por norma general, pero muy cotillas en temas monetarios.

—Un monet, por ejemplo.

—¿Tiene un monet? —preguntó el hombre arqueando una ceja.

El alemán del caballero inglés era impresionante: dominaba un sarcasmo muy sutil con solo cambiar la inflexión de la voz. Por supuesto, la ceja arqueada también ayudaba.

—Uno pequeño —respondió Marcus, a punto de ruborizarse.

Hizo el gesto de guardarse un lienzo bajo la chaqueta, y el inglés se rio.

—Siempre hay mercado para un monet..., sea del tamaño que sea —el caballero examinó las paredes, aunque sin éxito—. Roland tenía un monet exquisito, si no recuerdo mal. Me lo enseñó una vez. Me sorprende que se haya desprendido de él, sé que le tenía mucho cariño.

—Lo entiendo perfectamente —respondió Marcus sonriendo—. Yo también le tengo mucho cariño al mío.

Después de la información sobre el valor del regalo póstumo de Wheeler a Zúrich, Marcus se encontró con una tal *frau* Goetz, esposa del presidente de un pequeño banco privado en el que tenía parte de sus negocios.

—Un regalo extraordinario por parte del señor Wheeler, ¿no le parece? —le preguntó después de que un conocido mutuo los presentase..., el alcalde, para ser exactos.

Como Roland había fallecido hacía más de un año, el alcalde se rio un poco.

—No podía llevárselo con él, ¿no? —comentó.

Marcus sonrió ante el chiste y alzó un hombro en ademán afable.

—Quiero decir que su hija podría haber disfrutado de él.

—Según tengo entendido —respondió *frau* Goetz—, la responsable del regalo es Kate, no Roland.

—¿De verdad? —preguntó Marcus. No había oído aquel rumor, así que empezó a preguntarse de inmediato por las cuentas de Kate, por cómo serían para poder permitirse aquel regalo.

—De verdad —insistió *frau* Goetz, que era algo seca, resoplando con indiferencia—. ¿Cómo no voy a saberlo, si mi marido se encargaba de las propiedades?

—Pues ha sido... muy generoso por su parte. Espero que no se haya quedado en la ruina.

—Por lo que tengo entendido, tuvo algunos problemas en Zúrich el año pasado. Supongo que se sentiría obligada a hacer el regalo para recuperar el favor de la ciudad.

—Doscientos cincuenta millones de francos suizos pueden comprar grandes cantidades de buena voluntad —afirmó el alcalde, entre risas.

—Además —siguió diciendo *frau* Goetz—, Kate tiene su propio dinero..., del que está muy orgullosa, todo sea dicho.

—Tenía la impresión de que contaba con un fideicomiso por las propiedades de su madre —comentó Marcus.

—Lo tenía, pero lo recibió cuando cumplió los veintiuno y lo invirtió en un negocio con su primer marido, lord Kenyon. Eso fue..., ah, sí, hace diez años. Cuando la empresa quebró después de la muerte de su marido, la pobre lo perdió todo. ¡Imagínese! —siguió contando *frau* Goetz sacudiendo la cabeza, lo que hizo que la piel debajo de la barbilla le temblase de forma extraña—. ¡Perder a su marido en el viaje de novios y toda su fortuna un par de meses después!

—Por el aspecto de esta colección —dijo el alcalde encogiéndose de hombros—, Roland debía de tener unos cuantos millones para amortiguar el golpe.

—Los tenía, pero Kate no quiso aceptar ni un *rappen*. El fideicomiso era suyo. Ella lo había perdido, así que se dispuso a recuperarlo... con intereses, según mi marido.

—¿Alguna idea de cómo lo consiguió? —preguntó Marcus, con un brillo malicioso en los ojos.

—En el negocio del arte, como su padre, según tengo entendido —respondió la dama, lanzándole una mirada evasiva—. Ya sabe, el dinero no es lo más importante que se hereda de los padres.

—Entonces, ¿es más que una cara bonita? —preguntó Marcus inclinando la cabeza y mostrando cierta curiosidad por Kate Brand.

—Oh, por favor, claro que sí. Creo que es la persona más extraordinaria que he conocido. Seguro que sabrá que es una de las mejores escaladoras de Suiza, ¿no?

—Creo que vi algo en la tele hace unos años.

—¡A mí me da vértigo subirme a una escalera!

El resplandeciente objeto de la admiración de *frau* Goetz estaba en lo que antes fuera la biblioteca de Roland Wheeler. En aquel instante se reía de algo que había dicho el director de la Fundación James Joyce. «Es curiosa la facilidad con la que se gana a la gente», pensó Marcus. Kate Wheeler, la rica heredera; lady Kenyon, la joven viuda de un lord inglés; o simplemente Kate Brand, la esposa de un alpinista británico: fuera cual fuera el escándalo del que se hablaba, se desvanecía al primer contacto con aquella radiante sonrisa.

No habían hecho falta cien millones de libras para regresar a los caprichosos brazos de Zúrich. Para eso le bastaba con su sonrisa. El regalo a Zúrich en nombre de Roland era justo lo que parecía: el amor de una hija por su padre.

El marido de Kate, Ethan Brand, se escabulló del director de la ópera y encontró a los fanáticos del alpinismo en el jardín del lateral de la casa: Reto, el loco; Renate, la belleza de pelo oscuro; Karl, que sabía contar historias mejor que nadie; y Wolfe, el alemán que había estado a punto de coronar el Eiger con Kate antes de romperse las dos piernas en la Araña. Estaban bebiendo vino blanco y pasándose un porro. A juzgar por los ojos vidriosos, Ethan calculaba que aquel porro no era el primero.

Al verlo, Karl gritó en una mezcla de inglés y suizo:

—¡Ethan! *What's the* los*, man?*

—Hay un poli ahí dentro —les dijo él en inglés.

Reto se rio y le pidió que se lo enviara, que quizá él también quisiera colocarse. Renate se preguntó en voz alta si el policía llevaría encima las esposas. Wolfe pasó por completo del tema y le ofreció una calada a Ethan, aunque sabía que su amigo no fumaba. Solo lo hizo para poder burlarse de él cuando la rechazara.

No parecía haber pasado mucho tiempo desde la época en la que Ethan estaba convencido de que necesitaba un porro para poder soportar las clases del instituto. Obviamente, después de colocarse, le daba la impresión de que, si volvía a entrar para escuchar a sus profesores, le estallaría la cabeza, así que al final siempre se iba en busca de una casa vacía. Al principio entraba en las viviendas para ver si podía hacerlo y salir impune. Normalmente se fumaba otro par de porros, veía la tele y se daba una vuelta por la casa para cotillear qué tenían sus dueños y cómo vivían. Si veía dinero en efectivo, se lo llevaba, por supuesto, pero, en sus primeros allanamientos, no tocaba nada más. No tardó mucho en ver las cosas de un modo diferente. Se llevó un reloj para él y un microondas para su madre. Después se hizo con una televisión, un estéreo, joyas y varios CD. Más adelante se buscó un compañero, porque le parecía mucho más seguro tener a alguien vigilando, pero su compañero era de los que se iban de la lengua, así que los dos acabaron detenidos.

Los dieciocho meses posteriores le cambiaron la vida. En primer lugar, se enderezó («se enderezó del susto», como decían por aquel entonces) y conoció a un cura jesuita que vio algo en lo que no habían reparado sus profesores del instituto: Ethan tenía una memoria casi fotográfica.

Cuando lo soltaron, se pasó nueve meses en una escuela católica terminando los dos años de instituto que le faltaban y aprendiendo del cura el equivalente a cuatro años de latín. En su tiempo libre aprendió a escalar..., también con ayuda del cura. Al año siguiente entró en la universidad de Notre Dame con una beca académica y la intención de hacerse sacerdote después de la graduación. Le gustaban las asignaturas, sobre todo la historia de la Iglesia, y era el mejor de su clase en latín. Sin embargo, cuanto más estudiaba la fe, más vacilaba la suya. Finalmente se dio cuenta de que podía abandonar la idea de hacerse cura (y, en última instancia, su fe en Dios), sin hundirse de inmediato en la ruina moral. Al menos, ese era el plan. Después resultó que la ruina moral solo necesitaba un poco de ayuda.

Lo aceptaron en la Facultad de Derecho de George Washington después de licenciarse con matrícula de honor en Notre Dame. Antes de irse a Washington DC, Ethan quiso pasar un verano viajando por Europa, dedicando el último mes a subir montañas. Después de una semana en la fase del alpinismo Ethan estaba en una roca con un par de amigos, sacando las cuerdas, cuando apareció Kate, le dedicó una bonita sonrisa y empezó a subir la roca a pelo. Ethan dejó atrás a sus amigos y las cuerdas, y la siguió hasta la cumbre. Fue su primera ascensión sin ningún tipo de seguridad, pero mereció la pena el riesgo, ya que logró captar la atención de Kate. Un par de noches antes del vuelo de vuelta de Ethan a los EE.UU., en pleno paseo con Kate, la chica saltó un muro y se metió en una propiedad privada. Él sabía lo que pretendía hacer, pero la mera idea de tener a Kate en sus brazos en la cama de un desconocido lo excitaba, así que saltó el muro detrás de ella.

Siguió saltando muros detrás de Kate durante siete años más, ganándose bien la vida con el sistema. Roland vendía los cuadros que ellos robaban. Un antiguo novio italiano de Kate, Luca Bartoli, se encargaba del resto. A veces entraban en una casa a por un solo cuadro que el comprador ya estaba esperando, mientras que otras veces se basaban en especulaciones. Su buena racha se acabó el verano de 2006 con un trabajo que había ido mal desde el principio. Tras el desastre dejaron el negocio y salieron del país. No eran del todo fugitivos, pero la habían fastidiado y no les pareció buena idea quedarse por allí, por si a la policía le daba por hacer un montón de preguntas difíciles de contestar.

—¿Dónde encontráis a esta gente? —preguntó Reto.

Ethan se volvió y miró por una ventana. «Entre esta gente —pensó— están algunas de las personas más asombrosas del continente». Pero, en el mundo de Reto, si no escalabas no valías ni..., bueno, ni el aire que respirabas, entre otras cosas.

—El padre de Kate solía decir que, si quieres dinero, lo primero que debes hacer es averiguar dónde bebe.

—¡Pero no lo van a soltar, tío! —exclamó Reto entre risas. Para él, el dinero no era más que algo que servía para llevarlo al pie de una montaña con un equipo decente—. Por mi parte, prefiero hacer un *whipper* antes que hablar con esa gen-

51

te. —Un *whipper* era jerga estadounidense para referirse a una caída sin cuerdas.

—Es una condenada convención de pingüinos —masculló Renate, haciéndose la inglesa.

—¿Y eso es malo? —preguntó Ethan, mirando su propio traje de pingüino.

—¡Es malo, tío! —afirmó Renate, riéndose—. ¡Es como si ya no te conociera!

—Bueno, ¿dónde habéis estado? —le preguntó Reto—. ¡Hace siglos que no os vemos el pelo!

—Nos quedamos en Francia casi todo el año pasado. Antes estuvimos unos cuantos meses por Nueva York.

«Estar por Nueva York» era la forma en que Ethan describía su breve paso por la universidad de la ciudad cuando dejó los robos. Al final resultó que la vida académica, como la virtud, no cuajaba. Descubrió que la mayoría de sus profesores no sentían ninguna curiosidad por algunos aspectos del mundo medieval. Si mencionaba el santo grial, la lanza de Longino, el sagrado rostro de Edessa o incluso el sudario de Turín, los académicos vibraban con una especie de patente nerviosismo que, al principio, le resultaba incomprensible. Al cabo de unas semanas lo resolvió: para un académico, los estudios de los templarios y el grial no formaban parte de una disciplina seria. «Si lo que buscas es el santo grial estás en el sitio equivocado», le dijo su director de tesis sin rodeos.

Ethan dejó los estudios aquella misma tarde, cuando tan solo llevaban seis semanas del semestre. Kate, que estaba harta de tanta ciudad y echaba de menos las rocas, se lanzó en sus brazos y lo colmó de besos. Se instalaron en Francia una semana después.

—¿En qué parte de Francia? —le preguntó Renate.

—Teníamos un apartamento en un pueblo a unos cuantos kilómetros de Carcasona.

Carcasona era una ciudad medieval amurallada en la que resultaba imposible vivir durante la temporada turística, pero que se convertía en otro mundo cuando el tiempo refrescaba y solo quedaban allí los locales y los visitantes con estancias más largas.

—¡En los Pirineos! —exclamó Reto, encantado.

—Fue genial —respondió Ethan, asintiendo, sonriente.

—Estadounidenses... para ellos todo es genial —se rio Wolfe.

—¿Qué te gustó más? —le preguntó Renate.

—El sol, las rocas, los viejos castillos, ¡todo! Era...

Se detuvo justo antes de decir «genial». Para ser más exacto sobre lo que le había gustado tendría que haberles hecho confidencias en las que no quería entrar con gente como Wolfe y Reto. Además, no había forma de explicar el «felices para siempre», y menos a un ex novio celoso.

—Entonces, ¿por qué lo dejasteis para venir aquí? —le preguntó Wolfe. «Aquí» era el frío y temible Zúrich, a un par de horas largas de la base de cualquier cosa que mereciese la pena escalar.

—Kate quería poner en marcha la fundación de Roland, y los dos pensamos que estaría bien volver y ver a todos.

—¡Kate! —exclamó Reto. Los demás se volvieron y, al ver que Kate se acercaba a ellos, también la saludaron a gritos. A ella nadie le fue con quejas sobre pingüinos; ni una sola broma sobre camisas almidonadas; le dijeron que estaba preciosa, lo que era cierto.

—La casa es increíble —comentó Karl en inglés.

—¡Los cuadros son increíbles! —añadió Renate—. ¿Tres de Picasso?

—Era la colección de Roland. Ethan y yo solo hemos elegido el vino.

Todos levantaron las copas, y Wolfe dijo:

—El vino es... genial, Kate —después, lanzó una mirada maliciosa a Ethan.

—¿Qué tal los Pirineos? —preguntó Renate.

—Puros —susurró Kate—. Hay lugares que no han cambiado en mil años. ¡Y cuevas! ¡Ni os imagináis lo que vimos en las cuevas!

—¿Qué escalasteis? —le preguntó Wolfe.

—Absolutamente todo —respondió ella esbozando una sonrisa de serenidad.

—¿Os dejasteis las cuerdas en casa? —preguntó Reto.

—¿Tú qué crees?

Kate hacía escalada libre siempre que podía. Le gustaba decir que era la única forma de subir una montaña. Entrenaba con cuerdas a veces, y algunas montañas lo requerían, pero, a la hora de subir a la mayoría de los picos, prefería hacerlo por libre si era posible y, algunas veces, aunque no lo fuera. Normalmente, Ethan la seguía con la cabeza llena de terribles ideas sobre su mortalidad, pero siempre lo conseguía... aunque fuese por poco. Con Kate no era posible quedarse atrás, ni vacilar. Y en la cima, al darse cuenta de que lo había hecho todo solo con pies y manos, lo invadía una sensación que podía con cualquier miedo.

—¡Esa actitud va a acabar contigo, chica! —le dijo Renate.

—Con Kate no —se rio Reto—. Puede que con Ethan, ¡pero con Kate no!

Kate y Ethan se cogieron del brazo, y ella le dijo:

—Quiero presentarte a alguien. ¿Tienes un minuto?

—Bartoli —susurró Kate una vez a solas.

—¿Giancarlo o Luca? —preguntó Ethan, deteniéndose.

—El viejo. Cuidado con lo que haces, Ethan —añadió—. Giancarlo puede leer la mente.

Giancarlo Bartoli estaba de pie junto al lago, de espaldas a ellos cuando se acercaron. Kate lo llamó, y él se volvió y tiró el cigarrillo. Bartoli tendría unos setenta años, era alto y delgado, y tenía una mata de pelo blanco, profundas arrugas, cara rojiza y unos ojos gris pálido que no perdían detalle de nada. Como Ethan, llevaba esmoquin, y también un abrigo de cachemira amarillo para protegerse del viento.

Roland consideraba a Giancarlo uno de sus mejores amigos. Kate le había contado a Ethan que tenía claros recuerdos infantiles de las visitas de Giancarlo, cuando sus padres vivían en Hamburgo, largas noches en las que los dos hombres bebían y hablaban de arte, política e historia. Hablaban de todo, en realidad. Roland la enviaba a la cama, y después se reía cuando se daba cuenta de que había vuelto a hurtadillas y volvía a encontrarse sobre su regazo. Mientras los escuchaba hablar (siempre en italiano), Kate se imaginaba que los dos controlaban todas las cosas importantes del mundo.

Ethan entendía la amistad entre los dos hombres, porque el padre de Kate había sido una persona afable con los instintos de un vendedor para conseguir que la gente se sintiera cómoda. También poseía un intelecto afilado como una cuchilla, lo que animaba el ambiente. De joven era como Kate, audaz y siempre buscando nuevos retos. Cuando Ethan lo conoció, Roland se había acomodado en un mundo a su medida; le salían canas, pero, más que frenar, lo que hacía era disfrutar de la vida.

Por su parte, Giancarlo Bartoli era mucho más que un empresario astuto. Como Roland, sus pasiones eran variadas y complejas. Amaba el arte, la ópera y la historia más que nada, aunque también era experto en idiomas y derecho. En la universidad le había dado vueltas a la idea de estudiar matemáticas superiores antes de dedicarse a los aspectos más prácticos de la disciplina. De joven subía a menudo a la montaña y esquiaba casi a nivel olímpico, y escalaba con el mismo entusiasmo que Roland en sus mejores tiempos. De mayor, Bartoli se había dedicado a navegar; una vez había dado la vuelta al mundo capitaneando un equipo de doce hombres.

Poco después del nacimiento de Kate, Giancarlo Bartoli había sido el padrino del bautizo. Kate no era su única ahijada, aunque sí la favorita, y el hombre no intentaba disimularlo. Todos los años por su cumpleaños (al menos hasta que se hizo adulta) le enviaba un regalo elegante meticulosamente seleccionado. Al regalo adjuntaba largas notas escritas a mano, llenas de grandilocuentes lamentos por el paso del tiempo o conmovedores himnos a la belleza de la juventud que se marchita antes de ser realmente descubierta ante el espejo. Ethan sabía el suficiente italiano para que los logros poéticos de Bartoli lo impresionasen. También entendía que Kate lo consideraba parte de la familia.

Giancarlo saludó a Ethan con cariño, utilizando un inglés muy bueno, pero Ethan respondió en italiano. Oír a un estadounidense hablar italiano agradó muchísimo a Bartoli. ¿Había vivido Ethan en Italia? Ethan respondió que no, pero que, cuando conoció a Kate, ella le dijo que nunca se casaría con un hombre que no supiera italiano.

—Di la primera clase al día siguiente.

Bartoli se rio con ganas y se volvió hacia Kate.

—¡Me gusta este hombre, Katerina! Siento haberme perdido la boda. Aunque, claro, no estaba invitado...

—Fue una boda pequeña —respondió ella, ruborizándose—. Los dos solos, un testigo y un cura.

—Solo tenías que llamar, ya lo sabes. ¡Habría estado allí para aumentar el grupo aunque me hubiese supuesto recorrer medio mundo!

—Fue culpa mía —confesó Ethan—. Cuando por fin la convencí para que se casara conmigo no quise darle tiempo para cambiar de idea.

Bartoli les preguntó por su año en Francia y quiso saber las montañas a las que habían subido. La charla sobre escalada duró un rato y después les preguntó por sus planes de futuro. ¿Se quedarían en Zúrich o regresarían a Francia? Kate miró a Ethan.

—Vamos a pasar el verano en Zúrich. Después, ¿quién sabe? —respondió.

—¿Tengo alguna posibilidad de convenceros para que os asociéis con Luca y conmigo?

—¿Qué tipo de sociedad? —le preguntó Kate.

—Uno de mis socios vio un precioso cézanne el verano pasado, en una vivienda particular de Málaga. Medidas de seguridad razonables, aunque nada que vosotros dos no podáis superar.

—Hemos abandonado esa línea de negocio para siempre —le dijo Kate.

Bartoli arqueó una ceja y se volvió para mirar a Ethan.

—Culpa mía, de nuevo —explicó este—. Al final descubrí que robar cosas no era la forma más segura de ganarse la vida.

—Bueno, no puedo decir que lo desapruebe —contestó Bartoli, volviendo a mirar a Kate—. Se llega a un punto en el que el riesgo es mayor que el beneficio. Supongo que cuando ya has ganado lo bastante para vivir cómodamente es el momento de retirarse.

—Agradecemos la oferta —le dijo Ethan, sin atreverse a mirar a Kate, ya que temía que estuviese interesada.

Él había perdido las ganas de robar después de su último trabajo e incluso le había dicho a Kate que, o paraban o se iba. Ella lo sorprendió tomándole la palabra. En aquellos momentos temía que su mujer hubiese aceptado el ultimátum con la intención de que Ethan cambiase de idea más adelante.

Kate se volvió hacia él y le dijo que, aunque odiaba tener que decirlo, uno de los dos tendría que entrar para asegurarse de que todo estuviese en orden. ¿Le importaba hacerlo a él?

—Podríamos entrar los tres, si quiere —le dijo Ethan a Bartoli—. Puede echar un vistazo a la colección que hemos reunido...

Bartoli contestó que iba a tener que irse pronto. Además, conocía la mayor parte de la colección de Roland; solo se había pasado para saludarlos. Añadió que si querían visitarlo alguna vez, solo tenían que llamarlo, que él se organizaría como fuese para atenderlos.

Los dos hombres se dieron la mano, y Ethan volvió a la casa.

Sin quitarle la vista de encima a Ethan mientras se alejaba, Giancarlo le dijo a Kate:

—Me gusta.

—A mí también.

Bartoli se volvió y la miró a los ojos. No lo mencionó en voz alta, pero parecía preguntarse si eso era todo lo que ella sentía.

—Me alegro de que te haya convencido para abandonar esa vida, Kate.

—Hubo un momento en que lo necesitaba. Era lo único que me hacía sentir viva de verdad. Incluso ahora, no puedo decir que no lo eche de menos.

—Cuando se te da bien algo es difícil parar —hizo una pausa antes de preguntar—: supongo que le habrás contado a Ethan lo que pasó en el Eiger, ¿no?

Kate se volvió hacia el lago y cruzó los brazos. Sabía que llegaría aquel momento, pero hablar del tema seguía poniéndola incómoda.

—Se lo dije después de la boda, estaba cansada de que hubiese secretos entre nosotros.

—Me prometiste no contárselo a nadie —respondió Giancarlo, después de guardar silencio un momento para pensar en lo que aquello implicaba.

—Y tú me prometiste encontrar a la persona que envió a los asesinos que mataron a Robert.

—Te dije que lo intentaría.

—No, me dijiste que nunca dejarías de buscar al asesino de Robert.

—Estaba alterado. Robert también era amigo mío.

—Robert no era mi amigo, padrino. Era mi marido.

—¿Estás dispuesta a perder otro por culpa de tu obsesión? —le preguntó Giancarlo, mirando pensativo hacia la casa.

—Eso suena a amenaza.

—Sabes que no lo es. Lo que quiero decir es que ha sido un error contárselo a Ethan.

—Creo que no.

—Seguro que está decidido a ayudarte a encontrar al asesino de Robert.

—¿Y qué tiene eso de malo?

—Arriesgaste la vida para descubrir la verdad, Katerina —respondió Giancarlo fijando la mirada en las revueltas aguas—. Te lo dije hace once años, pero tú contestaste que no te importaba. Afirmaste que lo arriesgarías todo. Solo me preguntaba si sigue siendo así.

—No ha cambiado nada.

—Pues quizá debería. La vida sigue, ¿sabes? Lo que sientes ahora es una llaga abierta. Si dejaras de rascártela, el dolor iría cediendo.

—Alguien pagó a aquellos hombres para subir al Eiger y encontrar a Robert.

—Has puesto nerviosa a mucha gente importante, Katerina.

—¿De verdad?

—No deberías sentirte orgullosa. ¡Con esa clase de personas acabas muerta antes de darte cuenta de lo cerca que las tienes!

—Parece que sabes mucho, padrino. ¿Significa eso que puedes darme un nombre, a la persona responsable?

—Si presionas para saber la verdad, Katerina, no podré seguir protegiéndote. Ni a ti... ni a Ethan.

—¿Quién va a hacerme daño, padrino? Puedes decírmelo, ¿no?

—Robert estaba metido en muchas más cosas de las que imaginas —respondió el anciano, negando con la cabeza.

—Entonces, ¿me has estado ocultando datos?

—No me escuchas —insistió Bartoli sacudiendo la cabeza con pesar.

—Me estás diciendo que sabes quién mató a Robert.

—No he dicho nada parecido.

—Dime una cosa: ¿estás protegiendo a alguien?

—Siempre he intentado protegerte, Katerina, pero me temo que haces que me resulte imposible.

—¿Desde cuándo sabes lo de esa «gente peligrosa», padrino?

El anciano miró a Kate a los ojos. Parecía estar intentando decidir cuánto podía contarle. Finalmente, respondió:

—Me temo que desde hace muchos años.

—Entonces, ¿me mentías cuando dijiste que no te habías rendido?

—Te estaba protegiendo, pero ahora que pareces haber encontrado a alguien que cree poder encontrar al asesino de Robert...

—Voy a descubrir la verdad y será mejor que esa gente tan peligrosa entienda algo: juré ante Dios que nada me detendría, y lo decía en serio.

—Pues reza a Dios para que te ayude, Katerina, porque yo no puedo.

En cuanto Giancarlo Bartoli regresó a la limusina, Carlisle lo saludó en italiano.

—¿Está involucrada?

A punto de entrar en la cincuentena, David Carlisle era alto y guapo, con melena plateada y piel tostada por el sol. Bartoli se sentó frente a él y miró hacia la casa que antes perteneciera a Roland Wheeler. No estaba contento.

—Es justo lo que pensabas —contestó al fin.

El coche se alejó de la acera y se sumergió en el denso tráfico de lo alto de la colina.

—Supongo que le habrás pedido que se olvide de sus sentimientos, ¿no? —le preguntó Carlisle.

Lo decía con un tono sarcástico que a Bartoli no le gustaba, clavando la mirada en el anciano.

—No quiero meterme en cómo llevas tus asuntos, David, pero Kate no puede encontrarte sin los recursos de Thomas Malloy. Si eliminas a Malloy, estarás a salvo de nuevo.

—Una vez te hice caso sobre lo que debía hacer con ella, Giancarlo, y mira dónde me veo ahora.

—Entonces, ¿estás decidido a matarlos a los tres? —preguntó Bartoli, lanzándole una extraña mirada a su amigo.

—Creo que no me queda otra alternativa.

—Será mejor que te lo pienses bien antes de hacer algo de lo que tengas que arrepentirte —le advirtió Bartoli, esbozando una sonrisa burlona—. Si no recuerdo mal, la última vez que decidiste asesinarla, Kate tiró a tus matones montaña abajo.

Carlisle se rio con ganas, como si hubiese oído un buen chiste. Después se volvió hacia las calles de Zúrich que iban dejando atrás.

—Esta vez no lo verá venir.

—Se lo he dicho, pero no parece importarle, David, y, por su expresión, me parece que a lo mejor eres tú el que no lo ve venir.

—Cree que está a punto de descubrir lo que pasó. Eso es cosa de Malloy. Está convencido de que podrá hacer hablar a Jack Farrell.

—¿Estás seguro de que no podrá?

—Del todo. Sin embargo, dime algo que no sé, Giancarlo. Has conocido al nuevo marido de Kate, ¿crees que está enamorada de él?

—Cuando una mujer llega a determinada edad, David, de repente entiende el amor de una forma distinta —respondió Bartoli, encogiéndose de hombros mientras alzaba las palmas de las manos—. Si es sincera consigo misma, sabrá que solo ha amado de verdad a un hombre. Por eso su marido está deseando ayudarla con esto, porque quiere ocupar el lugar de su predecesor. Quiere todo su amor. Por supuesto, sabe que nunca lo tendrá, pero se intenta convencer de que, si la ayuda, estará más cerca de ella que antes.

—Creo que lord Kenyon fue un hombre muy afortunado.

—Más de lo que él creía, me parece —respondió Giancarlo, después de pensárselo.

—Qué lástima que muriese tan joven.

—Es lo que siempre he pensado.

Kate encontró a Marcus Steiner cuando el policía se iba de la fiesta. Habló con él en alto alemán, utilizando el *Sie* formal que se usa con los desconocidos y dándole la mano, en vez de besarlo en la mejilla, como habría hecho con un amigo íntimo. En su opinión, Marcus Steiner era el suizo por excelencia: encantador, reservado, diplomático y fiel a su palabra... sobre todo en sus negocios ilegales.

—¿Se ha divertido, capitán?

—Mucho, gracias, señora Brand.

—Por cierto, siento curiosidad, ¿sigue...?

—Nada ha cambiado desde que se fue del país —respondió él encogiéndose de hombros, dándole a entender que sabía de qué le hablaba.

—¿Mi crédito todavía sirve? —preguntó ella con dulzura—. ¿O necesitará efectivo por adelantado para mi pedido?

—Si acaso, su crédito ha mejorado después de lo de hoy.

—Siento no haberle prestado más atención, pero me parece que voy a necesitar algo muy pronto. Le he metido una lista en el abrigo —Marcus Steiner se miró el abrigo sorprendido—. En el bolsillo del pecho —explicó ella, dándole palmaditas en él y riéndose como si se tratase de un buen chiste.

—¿Quiere algo exótico?

—Nada fuera de lo común.

—¿Se lo dejo todo en el garaje de su viejo piso, como solíamos hacer?

—Me temo que lo vigilan —Marcus la miró con curiosidad. No era la policía, de eso estaba seguro, aunque ella nunca se había preocupado por eso. Tenía demasiados amigos como para temer las investigaciones secretas, sobre todo después de aquella fiesta—. Ethan y yo tenemos un sitio nuevo, cerca de la Grossmünster. He puesto la dirección al final de la lista. Deje todo en la habitación principal si no estamos allí. Pondré en un sobre el dinero suficiente para cubrir la deuda y algo más para que lo asigne a cualquier necesidad que surja en el futuro.

—Me parece bien. ¿Necesito una llave para entrar?

—¿Un hombre de su talento? —repuso ella sonriendo.

Capítulo tres

Nueva York (EE.UU.)
Jueves, 6 de marzo de 2008.

T HOMAS MALLOY SALIÓ DE LA BOCA DEL METRO EN LA calle 86 y se unió a la multitud de última hora de la tarde que se dirigía a la Quinta Avenida. Llevaba mocasines negros, pantalones negros de lana con pinzas, un jersey gris, gafas de sol y una cazadora negra. Algunos turistas se volvían para mirarlo, intentando averiguar si se trataba de alguien importante. Normalmente llegaban a la conclusión de que no lo era, aunque no siempre. Malloy se miró de reojo en el cristal de un edificio, permitiéndose un segundo de vanidad.

El pelo, que empezaba a encanecer sin prisas, le llegaba hasta el cuello de la camisa. El estilo era tirando a artista: actor, arquitecto, escritor *freelance*. Era alto y delgado, razonablemente guapo, en su opinión. No era la mejor cara del mundo para alguien que prefería pasar desapercibido mientras se dedicaba a lo suyo, pero resultaba versátil. Se cambiaba de ropa, se movía un poco el pelo, añadía o reducía unos cuantos gestos, cambiaba la voz, y podía ser un tipo diferente: francés, alemán, suizo, inglés y, por supuesto, tres o cuatro clases de estadounidense. Solía viajar al extranjero con el pasaporte suizo de una de sus cuatro identidades, aunque tenía cuatro nombres estadounidenses, dos alemanes e incluso un pasaporte francés... por si acaso.

Malloy había trabajado durante casi toda su vida como agente de inteligencia sin tapadera oficial. Eso significaba que podían detenerlo y procesarlo en la mayoría de los países, mientras que en otros eran capaces de ejecutarlo de inmediato. Era el tipo de vida que le había enseñado a cultivar la amistad de algunos delincuentes, personas con la habilidad y los recursos necesarios para atravesar las típicas barreras que levantaban los gobiernos. A veces se trataba de ladrones o asesinos por libre, de traidores a su país o de patriotas con un objetivo. Había muchos que solo querían ser ricos o hacer lo correcto, y otros a los que les caía bien y lo ayudaban porque, por encima de todo, él era un individuo persuasivo.

Salvo por un par de brutales excepciones, la vida profesional de Malloy había sido tranquila. Lo peor le ocurrió cuando era un joven espía en formación, y todavía lucía las cicatrices de aquello: un nido de heridas en el pecho. En la cima de su carrera había logrado penetrar en lo más profundo de los conglomerados bancarios suizos, además de en varios de los principales sindicatos del crimen europeos, todo ello a través de los contactos que había cultivado. Mientras tanto había conseguido permanecer invisible y lejos del alcance de la gente violenta a la que seguía el rastro. A finales de los noventa, un viejo enemigo de la agencia, Charlie Winger, llegó al puesto casi divino de director de operaciones y celebró su promoción ordenando que Malloy volviese de Europa para encadenarlo a un escritorio de analista en Langley. La idea era que se le fuesen asignando cada vez más tareas administrativas, pero esa era la historia que contaba Charlie. En realidad, se trataba de su venganza por multitud de agravios sin especificar cuando entrenaban en la Granja... cuando los dos eran unos críos.

Malloy había seguido como analista lo suficiente para terminar sus veinte años de servicio y asegurarse una pensión con la mitad del sueldo. Después se largó. Los ataques del 11 de septiembre sucedieron unos cuantos meses después, así que acabó volviendo como analista externo tras la desgracia, pero al menos, podía realizar su trabajo desde su casa de Nueva York. Durante el año anterior, Malloy había reactivado algunas de sus antiguas redes y había empezado a viajar de nuevo con sus distintos pasaportes. Llevaba una década sin hacer trabajo de campo y, a veces, le daba la impresión de que había perdido la ventaja en un juego que no perdonaba. Peor aún, sus contactos habían envejecido y estaban más nerviosos; ya no les gustaban los grandes riesgos tanto como cuando eran jóvenes. Así que empezó con la nueva generación e hizo lo que pudo por ponerse en forma.

Con sus investigaciones ocasionales para la agencia, la pensión, una herencia familiar y algunas inversiones ambiciosas, aunque modestas, Malloy tenía unos ingresos decentes, como siempre. Solo había tardado unos cuantos años en recordar la sabiduría de su juventud, pero, al acercarse al choque frontal con los cincuenta, volvió a tenerlo todo muy claro: podía hacer lo que quisiera, solo debía estar listo para pagar el precio. No era un pensamiento profundo, sino algo en lo que había creído toda la vida, pero, al perder el trabajo en el que centraba su existencia y sumirse en la desesperación del retiro a la tierna edad de cuarenta y dos años, le costó un poco superar la idea de que Charlie Winger había acabado con él. Lo cierto era que tenía que avanzar, y para eso antes necesitaba caer, así que lo había permitido. Una vez pasada aquella fase, lo que quería era trabajar, aunque fuese por su cuenta, y eso lo llevó a sus antiguos trucos.

En el Metropolitan Museum of Art, Malloy subió sin prisa los amplios escalones que daban a la entrada del edificio.

Puro hábito: cuando vas a una reunión urgente, nunca debe parecer que eso es justo lo que estás haciendo. Mientras subía, echó un vistazo a los estudiantes y turistas que descansaban en las escaleras. No era más que un hombre disfrutando de una escena juvenil en una borrascosa tarde de primavera. Los chicos tirados sobre los escalones de piedra tenían esa actitud ociosa que los jóvenes dominan tan bien. Le gustaba pensar que él era diferente a aquella edad, aunque no era cierto: como los chicos que tenía delante, de joven no tenía ni idea de la riqueza que poseía con los bolsillos vacíos y una sonrisa ingenua. ¡Ay!, ¡la de cosas que podría hacer si todavía dispusiera de la misma inocencia!

Una vez en la cola para comprar la entrada, Malloy examinó un folleto sobre una próxima exposición que su mujer, Gwen, quería visitar. Gwen sabía muy poco sobre la vida profesional de Malloy, ya que lo había conocido poco después de su jubilación. Era consciente de que había trabajado en el extranjero durante varios años, y él la había dejado creer que estaba en el Departamento de Estado como perito contable. Gracias a su dilatada experiencia en el juego, sabía que decir que era contable solía acabar con todas las preguntas sobre su vida profesional. El aspecto pericial despertaba un poco la curiosidad de Gwen, pero no pasaba nada, no le importaba que su mujer lo considerase una especie de detective. En cualquier caso, el resto quizá fuese algo más de lo que ella podía aceptar. Una vez le preguntó por las heridas. «Una visita al Líbano —le contestó él, lo cual era cierto—, me confundieron con otra persona», lo cual no era tan cierto. La primera misión de Malloy; en una sola tarde había perdido a todos sus activos, es decir, a la gente que había reclutado, y aprendió mejor que de ninguna otra forma a no volver a contarle la verdad sobre nada a nadie.

Gwen era pintora, con mucho éxito en los últimos años. En su mundo, lo que ella decía era cierto, y dividía a sus conocidos entre los que le caían bien y aquellos a los que evitaba. Sabía que su marido tenía armas y estaba entrenado para usarlas, pero nunca las tocaría y prefería no tener que verlas jamás. A Malloy le parecía bien. Con Gwen podía ser… bueno, no exactamente él mismo, ya que solo lo era cuando trabajaba. Sin embargo, al menos con ella se sentía satisfecho. Vale, mejor llamarlo por su nombre: con Gwen era feliz.

Su mujer era una buena persona con un punto de desobediencia hacia la autoridad que ambos compartían. Le gustaba pensar que había logrado su transición sin ayuda, aunque era consciente de que solo había conseguido volver a ponerse en pie porque Gwen lo amaba. La verdadera lástima era que ella nunca llegase a saber lo mucho que había hecho por él; era lo único que lamentaba.

Después de comprar la entrada, Malloy deambuló por las colecciones de Roma y Grecia, deteniéndose de vez en cuando, como si estudiase los rostros de piedra, aunque en realidad memorizaba las caras de las personas de la sala. Quería estar seguro de que nadie lo seguía sin que se diese cuenta. Seguramente se trataba de buenos chicos, pero nada lo irritaba más que dejar saber a los demás lo que estaba haciendo.

Vio a una chica guapa de pelo largo con minifalda examinando un mosaico con náyades de largos cabellos, y se paró un momento a reflexionar en lo poco que habían cambiado las cosas en dos mil años, al menos en lo referente a los peinados, las jóvenes y el eterno erotismo de las fantasías del macho de la especie. En la siguiente sala, la chica apareció otra vez y se esforzó de nuevo por no mirarlo a la cara. Lo habría tomado por una coincidencia si creyese en tales cosas, pero no era así, de modo que la perdió con un desvío rápido.

La joven lo esperaba, aunque algo ruborizada al ver que la despistaban tan fácilmente, cuando llegó al centro del laberinto del museo: la impresionante colección medieval del Metropolitan. La sala estaba casi vacía, salvo por la chica de pelo largo y una rubia alta treintañera que examinaba un tríptico bizantino con demasiado interés. ¡Jane estaba contratando a niños! Sin embargo, recordaba lo joven que era él cuando lo reclutó, acribillado a balazos y desesperado por conseguir una segunda oportunidad.

Jane era buena, dirigía espías de la misma forma en que los mejores espías dirigían a sus activos: pagaba, mimaba, engatusaba, pagaba un poco más y demostraba tener corazón, siempre que sirviese a un propósito. En dos o tres años, la chica más joven iría al fin del mundo por Jane y, probablemente, no la verían hacerlo. La treintañera ya estaba en aquel punto y bien podría haberlo seguido sin que se diera cuenta. Si Jane quería ver muerto a Malloy, la rubia también lo habría hecho sin el menor remordimiento. Era algo a tener en cuenta.

En el otro extremo de la habitación había un vigilante sentado en una silla, con aire satisfecho; no tenía pinta de ser uno de los de Jane. Cuando dos chicos entraron corriendo en la sala y lo despertaron con sus gritos, él fue obedientemente detrás de ellos. Los chicos sí que podían haber sido cosa de Jane. La joven del pelo largo se dirigió a otra sala más pequeña, y Malloy la siguió, como si tuviesen una cita.

Jane Harrison contemplaba una ballesta de fíbula bizantina, un arma que podía llevarse con una mano como si fuera una pistola y que servía para matar a unos dos o tres metros de distancia. No solo era mortífera, sino también muy ornada. Malloy nunca había apreciado el arte bizantino, que le parecía demasiado teórico para su gusto, aunque opinaba que sus armas demostraban mucha imaginación… era el verdadero arte de aquella cultura adoradora de Dios y amante del oro.

Jane había entrado en ambiente; como no quería que la vieran, se había decidido por el estilo desaliñado: grandes gafas cuadradas con un buen par de manchas, nada de maquillaje e incluso los pasos algo tambaleantes de una anciana. Llevaba el pelo alborotado, lo que le daba el aspecto de una esquizofrénica un poco desequilibrada, con una expresión que decía: «¡Háblame si te atreves!».

El toque final de su disfraz eran unos zapatos desgastados y a punto de romperse por el tacón, porque los profesionales siempre miraban los zapatos. Jane creía que las ancianas desaliñadas con abrigos desaliñados eran invisibles al ojo humano (el prototipo de terroristas sigilosos), como ella misma le había explicado hacía años. Afirmaba haber hecho experimentos que lo probaban: mete a quince personas en una habitación y pide a unos agentes entrenados que recuerden hasta el último detalle de cada individuo. De la anciana desaliñada no solo se olvidaba el color de pelo, y la altura y el peso exactos, sino que, en el sesenta y dos por ciento de los casos, ni siquiera se recordaba su existencia… o eso decía Jane. Jane hacía dudar a Malloy: mentía con tanta seriedad y de manera tan continua que nunca se sabía lo que era verdad. Daba igual que una frase no tuviese importancia; mentir era un arte que se empleaba en todas las ocasiones, porque puede que un día te salvara la vida. Merecía la pena ser bueno contando mentiras y aún mejor detectándolas.

En aquel caso, si no era cierto, tendría que haberlo sido, aunque la anciana no fuese invisible para él. En su opinión, Jane era sencillamente asombrosa, y eso que él admiraba a muy pocas personas: su padre, su madre, Gwen y Jane Harrison.

Confiaba en algunas más, pero, curiosamente, tanto su padre como Jane no entraban en esa categoría.

Al examinar su disfraz resultaba difícil creer que Jane fuese la actual subdirectora de operaciones de Langley y casi imposible imaginar que empezase su carrera con un trabajo de campo dentro de las células terroristas italianas, donde farfullaba tonterías marxistas y hacía el amor sistemáticamente.

—Mil *Madonnas* —masculló Malloy— y te encuentro admirando la única arma de la sala.

—Aquí no hay mil *Madonnas*, T.K.

Malloy miró a su alrededor, donde varias *Madonnas* rígidas sostenían a sus hombres en miniatura, con sus halos y su viejo gesto *hippy* de la paz.

—Pues da esa impresión —repuso.

—¿No eres fan del arte bizantino?

—Hacían buenas armas.

—¿A que sí? —comentó ella, sonriendo al fin.

Jane se volvió y se dirigió a una pintura bastante primitiva de la crucifixión. Malloy la siguió, pasando por delante de una *Madonna* con su hijo. Al pasar junto a ella para ver una crucifixión un poquito más interesante, Jane le dijo:

—¿En qué me has metido, T.K.?

Malloy examinó la segunda crucifixión. La lanza de Longino acababa de atravesar la carne de Cristo y la sangre manaba como una fuente. Un hombre con túnica de seda estaba al pie de la cruz, recogiendo la sangre en un cáliz dorado. Era ciencia mala (si Cristo estaba muerto después de atravesarlo la lanza, era imposible que sangrase así) y arte malo, sin duda, pero lo que lo sorprendió fue la idea de la sangre en sí. La mente medieval creía en su poder sobre todas las cosas. Era la sangre que manchaba la lanza, el cáliz, las espinas y la cruz lo que hacía que aquellas reliquias fuesen las posesiones más valiosas de la fe. Tampoco era la misma sangre de la eucaristía, no para aquella gente, ya que habían sido capaces de entregar reinos a cambio de la más leve insinuación de una mancha de la sangre del Salvador.

—¿Estás hablando de Jack Farrell? —preguntó, fingiendo su sorpresa como un experto.

Jane estaba detrás de él, un poco hacia un lado, como si ella también examinase el arco de sangre que salía del cadáver colgado y caía en la copa.

—Se suponía que era una operación discreta, T.K.

—¿Qué quieres que te diga? Creía que no huiría.

—No es la huida lo que interesa a los medios, sino que robase quinientos millones de dólares antes de largarse.

—Que se llevase a su secretaria tampoco ha ayudado.

—La secretaria ha sido la guinda… desde el punto de vista de los medios.

Jane sonaba cansada, frustrada y cabreada, con razón. Puede que Jack Farrell hubiese provocado el problema, pero ella culpaba a Malloy.

Se acercó a otro cuadro, mientras él seguía de pie delante de Longino y la lanza. Si se paraba a pensarlo, la lanza sagrada era un símbolo de curiosa ambivalencia: normalmente se trataba de un instrumento de muerte violenta, pero su uso en un hombre vivo crucificado habría sido un acto de piedad. Era comprensible que se tratase de la reliquia más popular de la Europa del medievo: un arma que todos conocían y comprendían. En los tiempos modernos su popularidad había crecido con la idea de que quien poseyese la lanza verdadera tendría en sus manos el destino del mundo. Al parecer, Hitler estaba fascinado por el tema y había sacado de Austria la que él consideraba la lanza verdadera, después de subyugar el país en 1938. Guardó la reliquia en la catedral de Nuremberg hasta el final de la guerra, según algunos, y era el tesoro supremo del Tercer Reich.

—Me dijiste que podrías convertir a Farrell en un activo.

Malloy resistió el impulso de confesar que se había equivocado. Las confesiones, aunque fuesen genuinas, no servían más que para contrariar a Jane, a quien no le había gustado la idea de captar a Jack Farrell desde el principio. Tal como ella lo veía, Farrell era demasiado importante, demasiado público. Además, si de verdad estaba conectado con las familias del crimen europeas, tendrían que haber elegido a otra persona para reclutarlo. Malloy era más valioso para sus operaciones clandestinas. Lo cierto era que él quería a Farrell por sus propios motivos, así que había afirmado, sin ofrecer pruebas, ser la única persona capaz de reclutarlo.

Jane había llegado a vieja porque no confiaba en nadie, y mucho menos en sus espías.

—Me estás ocultando algo —respondió.

Como siempre, él le estaba ocultando mucho. Lo que le había dicho a la subdirectora era que, si iban detrás de Jack Farrell, quizá lograsen entrar en las familias criminales más importantes de Europa. Eso había logrado captar la atención de Jane. En realidad, ¿estaba Farrell tan sucio? Malloy había mentido con convicción absoluta: estaba seguro.

Jane tenía gente en casi todas las ciudades europeas importantes. Conocía a las principales familias y a los políticos que las protegían. Tenía una idea razonable de las actividades a las que se dedicaban y un cálculo aproximado del dinero que se movía. ¿Qué más podía ofrecerle Jack Farrell?

«Con Jack Farrell tendré las cuentas bancarias de los jefes», le había dicho Malloy. Aquello había suscitado unas cuantas preguntas: ¿cómo había dado con Farrell? Malloy respondió que era un tipo interesante. Jane se rio de él y le dijo que eso no era una respuesta. ¿Qué le gustaba de Jack Farrell? Sus viejos amigos, los que en aquellos momentos procuraba evitar.

¿Alguien a quien ella conociera? Malloy dejó caer algunos nombres. La pregunta más pertinente era cuánto sabía aquel hombre en realidad. ¿Tenía alguna idea Malloy de cuál era su papel dentro de los distintos sindicatos? ¿Qué hacía? ¿Qué sabía? ¿Qué información los iba a llevar dentro? ¿Cómo pretendía reclutarlo? ¿Qué sabía Malloy que no pudiera ser usado por otra persona? ¿Por qué tenía que ser un activo de Malloy? Y su mayor preocupación: ¿qué pasaba si su labor se limitaba al blanqueo de dinero? «Nos vamos a meter en muchos líos para sacar una información que ya tenemos… he hecho llamadas… ¿para qué?».

«Jack Farrell sabe cosas que nosotros no sabemos», contestó Malloy.

¿Se suponía que Jane debía aceptarlo como si se tratase de un acto de fe? ¿Por qué no? Bueno, en primer lugar, porque Farrell no tenía antecedentes, ni contactos conocidos en las familias del crimen…

Malloy le explicó que no era del todo cierto, que tenía tratos de negocios con varias compañías vinculadas de una forma u otra a Giancarlo Bartoli. Jane respondió con lo obvio: la mayoría de las empresas internacionales tenían tratos con Bartoli, les gustara o no. Además, Bartoli se movía en la franja gris y era internacional. Si tratabas con Italia (si tratabas con Europa), siempre te rozabas con él. Malloy contraatacó señalando que Bartoli se consideraba más o menos legítimo por falta de buena información. Con Jack Farrell como activo de Malloy, Giancarlo, su hijo Luca y todo su sindicato podrían derrumbarse.

Jane se había ofrecido a ver lo que podía hacer, pero Malloy le dijo que eso no bastaba, que ni un vistazo superficial, ni un examen a largo plazo funcionarían. Al final, Farrell saldría demasiado limpio para procesarlo. Lo que Jane necesitaba era conseguir que la Comisión de valores y bolsa investigase todas y cada una de las infracciones de su compañía, por muy insignificantes que fuesen. Una vez acusado por el fiscal general, Malloy mantendría una charla con él. «Si coopera, podemos dejarlo salir. Si se pone duro, comprobará si las prisiones federales de lujo hacen honor a su fama».

«Si está limpio y convenzo a la Comisión para que vaya detrás de él, de alguien tan destacado, me van a presionar bastante».

«Confía en mí —respondió Malloy—. Jack Farrell está sucio y hablará».

«Si te equivocas, T.K., confía en mí cuando te digo que te caerás con todo el equipo».

Tal como había predicho Malloy, los investigadores de la Comisión habían encontrado muy pocas irregularidades en las prácticas de la compañía de Farrell, pero había suficientes circunstancias dudosas para convencer a un gran jurado bastante ingenuo de pasar una acusación formal sellada por siete cargos, incluidos dos de perjurio y tres de obstrucción, todos por culpa de sus alegaciones de inocencia. Justo antes de la detención, alguien se chivó a Farrell de las acusaciones y él huyó. Aquello no le había gustado mucho a nadie. Farrell era un pez gordo en un mundo muy pequeño. Había salido con algunas famosas de clase B durante un tiempo, lo que llamó la atención de la prensa amarilla, pero no era un nombre muy conocido. Todo cambió cuando la prensa se enteró de que había huido con una de sus administrativas y con la mayor parte del activo líquido de su empresa, cerca de quinientos millones de dólares. Eso sí que era una historia.

Dos días después, el FBI encontró el rastro de Farrell en Montreal, pero ya se había ido, puede que en un vuelo a Irlanda o puede que no. Cuando la secretaria apareció en un hotel de Barcelona, Jack Farrell todavía era una historia americana (una curiosidad, más que nada). Sin embargo, después de Barcelona, los medios cayeron en masa sobre el tema. Las páginas de escándalos lo adoraban, mientras que un grupo duro de escritores especialistas en economía empezaron a cuestionarse por qué la Comisión había decidido ir a por Farrell. La acusación apestaba, por decirlo suavemente. Nadie había susurrado las infames letras ce, i, a, pero la gente de la Comisión corría a ponerse a cubierto, así que solo era cuestión de tiempo.

La noche antes (medianoche en Hamburgo), la policía de la ciudad alemana había recibido una llamada anónima sobre la ubicación de Farrell. Los policías acudieron de inmediato a un hotel de cinco estrellas en el centro de la ciudad, donde perdieron al objetivo por unos minutos. La tormenta mediática generada por la operación había empezado en la costa este de Estados Unidos, a tiempo de salir en los noticiarios de mayor audiencia. Los programas de cotilleo de la mañana convirtieron al instante a Jack Farrell en un héroe popular americano; lo llamaban el Millonario Fugitivo.

—Van a coger a ese tipo —murmuró Jane— y él va a volver para ir a juicio. Cuando eso ocurra, los medios meterán a la agencia en todo esto y, si eso sucede, al director no le va a costar nada encontrar al culpable... y a mí tampoco.

—Dime qué quieres que haga.

—Quiero que hagas desaparecer a Jack Farrell.

—¿Desaparecer? —repitió Malloy, después de echar la cabeza atrás y respirar profundamente.

—Muerto, desaparecido o encerrado para siempre en una prisión alemana. Elige tú. Solo quiero que no vuelva a Nueva York, ni a ningún otro lugar que esté dispuesto a extraditarlo.

—Supongo que puedo hacerlo.

—Farrell dejó dos pasaportes distintos en su habitación de hotel. Estaba usando uno de ellos. El segundo sería el de reserva. No intentaría salir del país sin una identidad nueva, y mi fuente de Hamburgo me dice que tardará como mínimo tres días, quizá una semana, en conseguir algo pasable. Por supuesto, no sabemos si sigue en Hamburgo. Podría haberse ido a Berlín, aunque ahora mismo lo más inteligente que puede hacer es esconderse, y hasta ahora ha sido bastante inteligente. Hamburgo le ofrece muchos escondites. Pasa una semana, consigue una nueva identidad y cruza fácilmente la frontera por alguna parte.

—Cogeré un vuelo a Hamburgo mañana y veré lo que puedo hacer.

—Tu avión sale esta noche, tenemos que darnos prisa, T.K. Si los alemanes le ponen las manos encima antes que tú, nos lo enviarán de vuelta por pura maldad. Si eso ocurre, tú y yo vamos a sufrir las consecuencias —Malloy miró la hora. Salir aquella misma noche era exagerar un poco—. Y una cosa más —siguió Jane—. Todavía no es de dominio público, pero lo será en las noticias de la noche: la nueva compañera de viaje de Jack Farrell es Helena Chernoff.

Malloy parpadeó. Conocía el nombre, pero nunca se le habría ocurrido relacionarlo con alguien como Jack Farrell.

—¿La número siete en la lista de los más buscados de la Interpol?

—Eres fan, ¿no?

—Algunas personas miran las listas de libros más vendidos. Yo miro las de más buscados del FBI y la Interpol.

—¿Qué te apuestas a que sube un par de puestos en la clasificación esta semana?

—¿Qué está haciendo una asesina con Jack Farrell?

—Dormir con él, según los alemanes —al ver que Malloy no tenía nada que decir al respecto, Jane se encogió de hombros, resignada. Era demasiado mayor para cuestionarse la capacidad de la naturaleza humana para sorprenderse—. Trabaja por dinero, T.K., y Farrell tiene mucho. Además, ella conoce Hamburgo.

—¿Así que Farrell puede esperar todo lo que haga falta?

—La Interpol lleva casi dos décadas buscando a Chernoff sin éxito. Creo que esa mujer sabe lo que se hace.

—Bueno, ahora también tiene detrás al FBI.

—Llevan detrás de ella bastante tiempo, pero esa es otra historia. Verás, T.K., tenemos a dos agentes del FBI en Hamburgo. Estaban en Barcelona interrogando a la novia de Farrell y volaron a Hamburgo en cuanto oyeron lo de la captura fallida. Creo que en estos momentos se sienten un poco superados por la situación, sobre todo porque ninguno de los dos habla alemán. Hablé con un amigo del Departamento de Estado para que les envíen ayuda.

Jane pasó por detrás de Malloy mientras él examinaba el pecho desnudo de una *Madonna*, colocado demasiado cerca del hombro; el erotismo medieval.

—La mejor situación posible sería que los alemanes se quedasen a Farrell. Armamos follón, pateamos y gritamos, y Farrell no ve un tribunal estadounidense hasta dentro de diez o quince años. Para entonces yo estaré retirada y a ti te habrá pegado un tiro algún marido celoso. El problema es que, en cuanto los alemanes descubran lo débil que es nuestra acusación, cooperarán solo por ver cómo se desarrolla el espectáculo —la joven guapa entró en la sala—. Se nos acaba el tiempo, ponte en contacto con Dale Perry en Hamburgo.

—Conozco a Dale.

—Lo sé. Yo os presenté, ¿recuerdas? —Malloy inclinó la cabeza. De hecho, Jane había enviado a Dale a Zúrich seis meses cuando Malloy trabajaba allí, pero supongo que en su profesión aquello quería decir que los había presentado—. Si Chernoff y

Farrell siguen en la ciudad, Dale es el que más posibilidades tiene de encontrarlos, pero procura mantenerlo lejos de los focos. No puedo permitirme perderlo, aunque sea por algo tan importante. Por cierto, irás con tu identificación del Departamento de Estado. Con la cantidad de informes financieros que han desenterrado los alemanes, no debería extrañarles.

—¿Algo digno de mención?

—*Niente.*

La chica le entregó una tarjeta de visita al pasar junto a él. Al consultarla, Malloy solo vio un número.

—Los restos de tu antiguo fondo para contingencias en Zúrich. Lo acabo de reactivar —le dijo Jane—. Para lo que surja.

—¿Cuál es el límite?

—El que haga falta —respondió antes de irse.

Malloy regresó a la sala principal, donde la treintañera se le acercó con un mapa del museo.

—Perdone —le dijo acercándole el mapa—, ¿sabe dónde puedo encontrar a los impresionistas?

Malloy cogió con la palma de la mano el billete de avión que ella le pasaba mientras tocaba el mapa y sacudía la cabeza.

—Lo siento, yo también me he perdido.

Malloy regresó a su apartamento en la Novena Avenida una hora después. Gwen había salido y no respondía al móvil, así que le escribió una nota, hizo la maleta y empezó a copiar archivos en uno de sus portátiles de viaje. Cuando estaba ya terminando, llamó a Gil Fine. Gil había sido analista en la agencia mientras Malloy estaba fuera del país. Después de la conmoción de 2002, Gil subió como la espuma y acabó en Seguridad Nacional con un buen puesto de analista experto. En los últimos años le había pasado a Malloy datos en bruto que Malloy procesaba, resumía y archivaba para distintas agencias de inteligencia. El trabajo lo mantenía dentro del juego y engordaba un poquito sus ingresos, pero, claro, era mortalmente aburrido.

Cuando Gil respondió, Malloy dijo:

—¿Sabes quién está durmiendo con Jack Farrell?

—¿Debería?

—La policía de Hamburgo dice que anoche se acostó con Helena Chernoff.

—Los medios se van a volver locos con ese tío, T.K.

—¿Qué tienes sobre la dama, Gil?

Malloy oyó el repiqueteo del teclado del ordenador, hasta que Gil contestó:

—Unos seis *gigabytes*. Imágenes, informes policiales, resúmenes de inteligencia, biometría, vídeo...

—¿La tienes en vídeo?

—En varios vídeos, en realidad —respondió él, después de más ruiditos de teclas—. Es lo que pasa cuando te pones a matar gente en los hoteles. Tengo un tiroteo en un aparcamiento..., una grabación en la que dispara a un hombre cuando trabajaba para Julian Corbeau... una tonelada de cosas, la verdad.

—¿Trabajó para Corbeau?

—Por lo que sé, es la única que queda en pie.

—Voy a necesitar todo lo que tengas sobre esa mujer, Gil, no solo resúmenes.

—Lo siento, no puedo. Solo un puñado de personas están autorizadas para acceder a la mayoría de la información.

—¿Y cuál es el problema? —preguntó Malloy, mirando el reloj.

—Jurisdicción. Hay posible actividad dentro de las fronteras de los EE.UU., así que no podemos enviártela sin una solicitud formal y un nivel de aprobación alto.

—Dame una idea general.

—¿Estás en una línea segura?

—Tú, yo y el Gran Hermano.

—El principal caso es el del senador Brooks. El de las elecciones de 2004, ¿sabes?

—¿Cuál era la historia? —preguntó Malloy, que no conseguía ubicar el nombre.

—Accidente de aviación.

—Ah, sí. Ganó las elecciones de todas formas.

—Pero el gobernador eligió a quien quiso.

—Cierto, metió a alguien del otro partido. Democracia pura. ¿Qué tiene que ver Chernoff?

—En las noticias decían que había sido un error del piloto, pero puede que hubiese sabotaje, y el FBI descubrió grabaciones de las cámaras de seguridad de alguna parte en las que podría salir nuestra chica.

—Creía que Chernoff solía trabajar en los países del antiguo bloque del este.

—Allí empezó. En los últimos diez años ha estado trabajando en el oeste, aunque de manera muy sigilosa y, sobre todo, contra políticos y empresarios legítimos.

—Necesito esa información, Gil. Consigue que tu supervisor llame a Jane Harrison, si no hay otro remedio.

—¿Te has unido otra vez al equipo de la Dama de Hierro?

—Capturar a Farrell se ha convertido en una prioridad. Ahora mismo, Chernoff es la única pista.

—Teniendo en cuenta el historial de Chernoff, no es ninguna pista.

Malloy hizo una mueca. Sabía que era una aguja en un pajar, no hacía falta que se lo restregasen por la cara.

—Haré una cosa: se lo puedo enviar sin autorización a Dale Perry. De todos modos, es probable que él lo tenga ya casi todo. Supongo que te reunirás con él, ¿no?

—Mañana por la noche. Mientras mueves archivos, ¿puedes enviarle todo lo que tenga el FBI sobre el vuelo de Farrell? Dispongo de mucha información sobre él, pero, desde la huida, solo me llega lo que dicen las noticias.

—Puedo enviarte ahora mismo los resúmenes. El resto lo meteré en los archivos que le envíe a Perry.

—Genial, pero que sea deprisa. Salgo en cinco minutos.

—No hay problema. Oye, T.K., acaba de ocurrírseme algo.

—¿El qué?

—¿Sabías que Chernoff se acostaba con algunos de aquellos mafiosos rusos antes de matarlos?

—¿Qué quieres decir?

—Que con esa «dama» en la cama, quizá Jack Farrell prefiera tener insomnio.

Malloy envió un par de correos electrónicos codificados a contactos en Europa y después se metió en el fondo para operaciones encubiertas de Jane. Transfirió diez mil francos suizos a una cuenta de Swiss Post que había abierto con uno de sus alias. Así podía acceder a aquel dinero en euros desde cualquier máquina postal de Alemania. Comprobó su correo y recibió los resúmenes del FBI sobre Farrell. Una vez hubo terminado, se dirigió a la puerta.

Justo cuando iba a salir, el ascensor bajó a la planta baja. La renovación del edificio no estaba terminada, pero él había llevado la venta de dos pisos, cada uno de los cuales ocupaban una planta entera. Ambos dueños pasaban unos tres meses al año en la ciudad y el resto en algún lugar soleado. Ninguno de los dos estaba en Nueva York en aquellos momentos, así que tenía que ser Gwen. El antiguo montacargas subió gruñendo al piso superior y se abrió.

Gwen tenía el pelo corto y oscuro, piel morena, una figura esbelta y unos grandes ojos castaños a los que Malloy nunca había podido resistirse. Se habían conocido poco después de que él dejase la agencia, y flotaron juntos durante unos cuantos años antes de casarse. El matrimonio se había celebrado hacía un año aproximadamente. La luna de miel tendría que haber terminado hacía tiempo, pero los dos seguían tonteando y provocándose como un par de adolescentes. Malloy no se quejaba, era la única inocencia que conocía y, en realidad, esperaba que no acabase nunca.

Cuando Gwen vio la maleta, preguntó:

—¿Me dejas por otra?

—Soy demasiado viejo para empezar de cero, Gwen, solo necesito pasar unos días persiguiendo a otra.

—Contigo nunca se acaba el romance, Thomas —repuso ella esbozando una sonrisa irónica mientras salía del ascensor.

—Tengo trabajo fuera. Te he dejado una nota. Siento las prisas, pero...

—¿Fuera dónde?

—Empezaré en Hamburgo y veré dónde me lleva.

—¿El Millonario Fugitivo?

Gwen no veía las noticias, ni leía otra cosa que no fueran las páginas sobre arte, gastronomía o viajes del periódico. Decía que era la única forma de conservar la cordura.

—¿Sabes lo de ese tío? —le preguntó Malloy.

—Despierta, cielo, Jack Farrell es un bombazo.

—El Departamento de Estado me ha prestado al FBI unos días —respondió él, reprimiendo un gruñido e intentando quitarle importancia a su tarea—. Quieren que intente seguirle el rastro a través de las tarjetas de crédito que encontraron.

—¡Eso ya lo tienen!

—Sí, bueno —masculló Malloy cogido en su mentira—, entonces no tardaré mucho. En cuanto encuentre dónde ha metido los quinientos millones, volveré.

—Todavía no han encontrado el dinero, ¿verdad? —lanzó una mirada de reproche al televisor apagado.

—Ni rastro del dinero, ni de Jack, pero tienen su ADN y el ADN de una compañera no identificada... que no es la secretaria. Esa sigue en Barcelona. Parece que a este tío se le dan bien las mujeres. ¿De verdad vas a estar metido en todo esto? —preguntó Gwen emocionada. Malloy intentó poner cara de aburrimiento.

—Metido en el dinero, si puedo encontrarlo.

—No correrás peligro, ¿verdad? —preguntó ella, de repente, al ocurrírsele la idea.

—Ese tío es un desfalcador, Gwen —respondió él entre risas—. Dudo que haya tocado una pistola cargada en toda su vida. Además, no voy a hacer nada más que sentarme a un escritorio y hablar con banqueros —esbozó una sonrisa cansada—. Lo mismo de siempre.

—De todos modos, me parece emocionante. Bueno, ¡ese tío está en todas las noticias!

—Quieren que coja el próximo avión a Hamburgo, tengo que irme.

—¿No hay tiempo para una despedida como debe ser para mi perito contable, luchador contra el crimen?

—Se ponen muy tontos si no estás allí dos horas antes —respondió él mirando el reloj.

—¿Qué prefieres, que se cabree contigo la línea aérea... o tu mujer?

Capítulo cuatro

Carcasona (Francia)
Verano de 1931.

—He invitado a un joven a acompañarnos en el bar del vestíbulo. Espero que no te importe.

Dieter Bachman hablaba con su esposa desde el cuarto de baño, a través de la puerta entreabierta, pero el tono despreocupado de su marido despertó su interés.

—¿Qué clase de joven?

—Se llama Otto Rahn.

—¿Un alemán? —Elise se sentía algo decepcionada.

Había ido a Francia en busca de nuevas experiencias, mientras que Bachman era capaz de encontrar a un compatriota alemán en Mongolia.

—Diría que alemán o austriaco, aunque, a decir verdad, no estoy seguro. Su francés era tan bueno que no lograba ubicar su acento. Nos presentó Magre.

Maurice Magre era un novelista de modesta reputación al que habían conocido el día anterior, a través de otro compatriota alemán. Magre se hacía el famoso para sacarles bebidas gratis a los turistas.

—¿Y de qué lo conoce Magre? —preguntó Elise.

—No se lo pregunté. Solo sé que, cuando se fue, Magre me contó que *herr* Rahn es un buscador de tesoros —Elise no estaba impresionada. Los aventureros eran tan comunes en el Languedoc como los aspirantes a escritores en París; todos buscaban el oro de los cátaros y una copa gratis.

Elise escogió un vestido de color melocotón y lo sostuvo bajo la barbilla mientras se volvía hacia el gastado espejo del hotel. No estaba segura de la elección, ya que el color parecía acentuar su bronceado, aunque la verdad era que le gustaba el efecto que surtía al combinarlo con el pelo negro y los ojos castaños. Sin embargo, Bachman había empezado a quejarse de que dentro de nada la iban a confundir con una africana. De haber sido por él, tendría la piel tan blanca como la nieve, el pelo rubio platino y los ojos azul claro. Una vez le había preguntado por qué se había declarado si no le gustaba su color. Él había respondido que su color no era ningún problema, pero, a decir verdad, ¡se había declarado porque la amaba! Ella no se había molestado en contestar. Se habían casado por cuestiones de familia y dinero. El amor que pudiera haber existido se había convertido hacía tiempo en una cómoda amistad.

Tiró el vestido a un lado. De todos modos, estaba demasiado arrugado.

—¿Y por qué pensó *monsieur* Magre que nos gustaría conocer a ese joven? Espero que no fuese porque es alemán. Ya veremos a todos los alemanes que queramos cuando volvamos a Berlín.

—La verdad es que me pareció que podríamos disfrutar de su compañía —respondió Bachman. Elise le lanzó una mirada especulativa a su marido, que seguía delante del espejo del baño, cuchilla en mano. Era un hombre alto con los hombros algo hundidos y un poco de panza. Su rostro era redondo y vulgar, con gruesas mejillas y ojos oscuros. Llevaba bigote desde que ella lo conocía, aunque había decidido cortárselo hacía poco, pensando que parecía más joven sin él; empezaba a perder el pelo y tenía mechones grises, pero el bigote debía desaparecer. Ella había sido lo bastante amable como para mentirle diciendo que, efectivamente, su aspecto era mucho más joven sin él. Lo que provocó su eliminación fue el comentario de una mujer suiza hacía unos cuantos días, en Sète: los había tomado por padre e hija. Todos se habían reído del error, incómodos. Bachman preguntó si tan joven parecía su esposa, pero Elise no era el origen de la confusión de la mujer. Aunque Bachman tenía treinta y ocho años, una década más que ella, parecía un hombre a punto de entrar en la cincuentena. Y, lo que era peor, actuaba como tal.

—Dime, ¿has investigado debidamente las simpatías políticas de *herr* Rahn? —preguntó Elise.

Bachman consiguió esbozar una sonrisa al entrar en el cuarto, con una toalla en las manos. Sabía que su mujer se burlaba de él, pero intentó disimular su frustración. En Berlín, Bachman no soportaba a nadie que no compartiese su opinión sobre asuntos políticos. En Francia, con tal de disfrutar un poco del sol, era más liberal.

—Por lo que me cuenta Magre, *herr* Rahn no se mete en política. En realidad, es demasiado joven para saber nada sobre la guerra, supongo, y, por lo poco que pudo decir sobre su vida, creo que lleva los últimos dos años trabajando en Suiza.

—Bueno, entonces… ¿una copa con un joven aventurero que no tiene opinión sobre nada? ¡Me parece que has planeado una noche encantadora, querido!

Cuando lo vio al otro lado de la habitación, Elise pensó que Otto Rahn daba el tipo del buscador de tesoros. Era tan alto como su marido, más de metro ochenta, pero, a diferencia de

Bachman, tenía un cuerpo atlético y musculoso, además de muy bronceado. Justo el aspecto que debía tener un hombre que ha pasado el verano al aire libre, recorriendo las faldas de los Pirineos. Su rostro era largo y cuadrado, y llevaba el cabello, rubio oscuro, peinado hacia atrás con aceite para mantenerlo en su sitio, como se estilaba, aunque el efecto en *herr* Rahn resultaba más agradable que en la mayoría de los hombres. Servía para acentuar la forma de la frente y los altos pómulos. Intentó imaginarse que una estrella de cine que había ido a Francia a interpretar el papel de aventurero; la imagen era perfecta.

Cuando vio a Bachman, *herr* Rahn dejó la barra y se acercó a ellos con una elegancia animal que agitó algo dentro de Elise que ella creía ya muerto. No se trataba de un actor interpretando un papel, sino que aquel hombre escalaba rocas y se lanzaba al interior de las cuevas, ¡y lo hacía el día entero! Su sonrisa y su confianza en sí mismo, que delataban que ni era servil, ni se sentía en absoluto intimidado por Bachman, la dejaron desarmada. Decidió que Otto Rahn era un joven de increíble atractivo.

Bachman a veces le presentaba a jóvenes de un estilo concreto. Eran artistas de una u otra clase, todos sin un penique y ansiosos por agradar a un mecenas adinerado. Ella creía que lo hacía para alardear de sus conquistas, al menos de las que esperaba hacer, aunque no podía estar segura. No era el típico tema de conversación en un matrimonio educado, y el suyo podía adolecer de muchas cosas, pero no de falta de educación. Si tal era el plan de Bachman en aquella ocasión (con una excusa para enviarla de vuelta a Sète, mientras él se quedaba unos cuantos días intentando seducir al buscador de tesoros), había cometido un grave error de juicio, porque a *herr* Rahn le gustaban las mujeres. Lo notó en cuanto la miró, y al cabo de unos cuantos minutos juntos estaba segura de ello. El hombre la incluía en la conversación y, al hacerlo, observaba con placer primero las manos de Elise y después los hombros. La siguiente vez que lo pilló, estaba mirándole el pelo. Una vez, al levantarse ella de la mesa, vio el reflejo del joven en un espejo y se dio cuenta de que estaba examinando su forma de andar. No era una observación descarada, ni mucho menos, ni tampoco se comportaba de forma grosera, sino como un caballero que aprecia lo que ve. Tampoco se trataba de un flirteo, ya que, al fin y al cabo, su marido estaba sentado al lado. Sin embargo, algo de eso había.

—Espero que se queden en Carcasona unos días más —comentó Bachman. Elise se imaginó que se lo preguntaba a ella, aunque Bachman respondiera en su lugar.

—En realidad nos vamos mañana. Tenemos alquilado un alojamiento en Sète para pasar todo el verano, así que tendríamos que volver y aprovechar el dinero que hemos invertido.

¿Era decepción lo que Elise veía en los ojos de *herr* Rahn? Eso quería pensar ella, pero después se recordó que el joven podría haberlo dicho por cumplir. Quizá su marido y ella no fuesen tan diferentes, y ambos vieran lo que deseaban ver en las miradas de un desconocido.

—Por supuesto está invitado a visitarnos, si lo desea —añadió Bachman—. Tenemos sitio de sobra, y el Mediterráneo es precioso por aquella zona.

—Es muy generoso por su parte...

Una mirada a Elise. No, no estaba diciéndolo por cumplir, estaba pensando, tras analizarla rápidamente, cuáles serían sus posibilidades si viajaba a Sète para visitarlos. Había hombres que solo perseguían a mujeres casadas. Elise tenía amigas que se habían encontrado con ellos y se habían sentido tentadas o, al menos, eso era lo único que reconocían. Al parecer, algunos maridos miraban a otro lado. ¿Se imaginaba *herr* Rahn que ese era el caso?

Miró a su marido. A veces era vigilante y protector con ella cuando resultaba obvio el interés de otro hombre, pero no aquella noche. *Herr* Rahn lo emocionaba demasiado para dejar que algo tan nimio como los celos disminuyesen su entusiasmo.

El tema de la política no surgió hasta la segunda ronda de bebidas. Bachman mencionó que vivían en Berlín, pero que habían decidido pasar los veranos fuera de la ciudad por culpa de los problemas.

—¿Tan mala es la situación? —preguntó Rahn, con preocupación genuina.

—¿Ha estado usted en Berlín en los últimos años, *herr* Rahn? —le preguntó Bachman.

—Me temo que han pasado bastantes años desde la última vez, aunque estudié allí la carrera. Siempre he adorado esa ciudad y odiaría verla hecha pedazos.

—Usted y cualquier alemán de bien. Y todo por culpa de los comunistas. Están decididos a arruinarlo todo.

Bachman odiaba a los comunistas, aunque solo un poco más de lo que odiaba al Gobierno. Hacía una docena de años, él era un aristócrata. Al arrebatarle el título el decreto parlamentario de 1919, fingió no darle importancia, pero la herida era profunda y, cuando descubrió que otros como él se habían unido a los nazis, él también lo hizo. Con toda una fortuna a su disposición, el círculo interno del partido lo había recibido con los brazos abiertos, por supuesto, y ese fue el único empuje que Bachman necesitó para convertirse en un defensor apasionado de la causa. Elise había visto cómo muchas noches agradables como aquella derivaban en una violenta discusión por culpa de un comentario desafortunado contra los nazis o contra los comunistas. Como Bachman había sacado el tema con la intención de evaluar a *herr* Rahn, Elise contuvo el aliento.

La conversación parecía incomodar al joven, seguramente sería un comunista. Los tacones gastados de sus zapatos y el cuello deshilachado indicaban, al menos, que era lo bastante pobre para serlo. ¿Y por qué no? En aquellos tiempos todo el mundo tenía una opinión sobre la política, cuanto más radical, mejor. ¡Estaba claro que las medias tintas no habían solucionado nada!

—Bueno, por supuesto —intervino *herr* Rahn—, algo tiene que cambiar. Todo el mundo lo cree, salvo los sinvergüenzas que ostentan el poder. Sin embargo, hasta que cambie, prefiero no estar en medio.

—Alemania se encuentra en una encrucijada —le dijo Bachman—. ¡Los que se hacen a un lado ahora se quedarán atrás cuando las cosas tomen un nuevo rumbo! Un hombre joven como usted debería tenerlo muy en cuenta.

Antes de que Bachman pudiese entrar de lleno en una arenga colérica, Elise le tocó el brazo.

—Ya tendremos política de sobra en Berlín, querido —le dijo—. Quiero que *herr* Rahn nos hable sobre el oro de los cátaros que ha encontrado.

—No sabía que lo estuviese buscando —respondió Rahn. Sonrió, desconcertado, preguntándose cuál sería la fuente de la confusión.

Elise miró a Bachman mientras le decía a Rahn:

—Lo siento, creía que...

—¿Es lo que le ha contado Magre? —le preguntó Rahn a Bachman, de repente—. ¿Que soy un buscador de tesoros? —Bachman asintió, porque eso había entendido. Rahn parecía atónito y algo irritado, aunque, al cabo de un momento, se rio. Al parecer, ya había tenido trato con el francés.

—Entonces, ¿qué está haciendo aquí? —preguntó Elise.

—Estoy investigando para el libro que pretendo escribir sobre la cruzada albigense del siglo XIII.

—¿De verdad? —exclamó Elise. Todo empezaba a cobrar sentido. Que estuviese escribiendo un libro explicaba su elocuencia natural y la confianza que lucía como una corona. ¡Era un hombre educado, como ella pensaba! No obstante, parecía algo joven para un tema tan..., bueno, tan acartonado.

—¡Otro entusiasta de los cátaros! —exclamó Bachman después de darle un trago a su bebida. Parecía a punto de soltar uno de los grandilocuentes comentarios que le había oído pronunciar a Magre la noche anterior.

—Debo confesar algo horrible —intervino Elise, antes de que su marido volviese a poner en peligro la conversación. Sus dos acompañantes esperaban la confesión con las típicas sonrisas de los hombres que esperan ansiosos oír cosas «horribles» de labios de una mujer bella—. Después de pasarme anoche toda la cena escuchando a nuestro amigo, *monsieur* Magre, explicarnos la historia de los cátaros, ¡sigo sin saber en qué creían, ni, en realidad, quiénes eran!

—¿Quiere saber por qué Magre no se lo dejó claro? —preguntó Rahn en voz baja, como si tuviese un interesante secreto que deseara compartir con unos buenos amigos.

—Me encantaría.

—¡Porque él tampoco tiene ni la más remota idea! Si quiere saber la «horrible» verdad —añadió esbozando una sonrisa que pretendía ser traviesa—, nadie lo sabe en realidad. ¡Ni quiénes eran, ni en qué creían! —se echó atrás en el asiento, como alguien con sangre de aristócrata, y terminó su bebida de un trago—. Por suerte para todos, tengo la intención de cambiar eso —anunció con autoridad, aunque sin alardes.

Tanto Elise como Bachman estaban deseando saber cuál era la esencia de la teoría de *herr* Rahn sobre los heréticos cátaros, un grupo exterminado, literalmente, durante la primera mitad del siglo XIII. Sin embargo, Bachman consideró que era mejor tratar la materia durante la cena, así que se desplazaron al comedor del hotel, donde *herr* Rahn pudo proceder a ganarse el pan a cambio de su actuación.

—Lo primero que deben comprender es que el ataque del Vaticano tuvo motivos económicos —empezó Rahn—. La «herejía» cátara fue una excusa muy conveniente para la guerra. No había ningún movimiento para separar o purificar la fe, ni discusiones sobre dogmas. Los cátaros, en realidad, se orientaban hacia lo espiritual, de forma parecida a San Francisco, en la misma época. Eran seguidores de las enseñanzas de Cristo, por así decir, aunque no rechazaban abiertamente la autoridad del Papa. Los sacerdotes del Vaticano recién llegados a la región se encontraron con una gente de fe, tanto que muchos de ellos empezaron a adaptarse a algunas de las costumbres del culto local. Obviamente, después de la guerra se trazaron líneas de separación.

—Por lo que he leído —dijo Bachman—, los cátaros eran dualistas gnósticos, maniqueos, como quiera que se llamen. —Se lo había dicho Magre—. Dios y el Diablo en igualdad de condiciones. Algo similar.

—¿Un mundo dividido entre Dios y Satán? —preguntó Rahn, asintiendo con su cabeza dorada—. ¿Dos poderosas deidades en lucha por las almas de hombres y mujeres?

—¡Exacto! —exclamó Bachman. Justo lo que le había descrito Magre.

—Esa era la postura de la Iglesia en el siglo XIII, no la de los cátaros. —Al ver la expresión de perplejidad de Bachman, Rahn siguió hablando—. San Agustín había alejado a la Iglesia de la herejía maniquea allá por el siglo V, pero, en los siglos XI y XII, el diablo había regresado. Solo hay que examinar cualquier texto medieval para ver el miedo universal al Malvado. Podría llegar a creerse que Cristo era un pobre segundón comparado con el Príncipe de las Tinieblas. La gente solía hablar tan a menudo de Cristo, los ángeles y los santos, que los habían transformado en espíritus benévolos que quizá ayudaran en momentos de necesidad, pero solo si el sol brillaba en el cielo. En cuanto caía la noche, surgía una fuerza más poderosa que dominaba la tierra, y nadie cometía la estupidez de susurrar el temido nombre de Satán, por miedo a convocarlo por accidente.

»Los cátaros, por otro lado, no sentían ningún interés por el demonio, ni siquiera un miedo saludable. Comprendían el mal tal como lo había definido San Agustín, como apartarse de la luz de Dios. Para ellos, era lo que sucedía cuando uno se encaprichaba demasiado de los placeres del mundo, es decir, de los placeres de la carne. La batalla por su alma significaba una lucha constante entre los deseos de la carne y los del espíritu. Comprendían, por supuesto, que debemos nuestra existencia al mundo físico, pero también sabían que incluso nuestras necesidades físicas, lo que necesitamos para sobrevivir, hacen que disminuya nuestro interés por el mundo del espíritu. La idea es bastante natural en nuestros días; incluso la Iglesia predica ahora las creencias de los cátaros y, sin duda, ya no nos atenaza el miedo a decir algún comentario irreflexivo que invoque a una legión de demonios, aunque les aseguro que, en el inculto mundo del siglo XIII, los cátaros eran la excepción. Sin embargo, a nadie se le ocurrió considerarlo una herejía hasta que los reyes franceses empezaron a codiciar la riqueza de la región.

—Corríjame si me equivoco —se atrevió a intervenir Bachman—, pero, ¿no estaban los cátaros en contra del matrimonio... y, en particular, del sexo?

—Es lo primero (y normalmente lo último) que suele decirse sobre los cátaros.

—Es lo que nos había contado Magre —repuso Bachman, encantado de haber entendido bien algún detalle.

—No son más que tonterías —les aseguró Rahn—. Lo
cierto es que los cátaros inventaron el amor romántico. Aunque ahora lo llamamos amor cortés para distinguirlo de las citas románticas entre amantes, no se trataba de una noción in-
sulsa de la sociedad educada de aquellos tiempos, como ahora
se pretende. Para los cátaros, el idilio no era todo adoración,
pureza y buenos modales, ni tampoco platónico. Todo lo contrario, ardía de deseo. De hecho, su único propósito era despertar el deseo de los dos amantes hasta alcanzar su punto álgido. Pero, y he ahí lo importante, se negaban a rendirse a él.
Una vez que un caballero le ofrecía su amor a una dama y la
dama lo aceptaba, los dos iniciaban un idilio del corazón (literalmente del corazón) que duraba hasta el fin de sus días. No
era algo sencillo. Muchos caballeros competían por la atención
de una dama especialmente extraordinaria, pero, una vez que
ella entregaba su corazón, el idilio quedaba sellado y era sacro-
santo. Al no poder satisfacer sus deseos en lo físico (a veces
hasta se negaban la oportunidad de estar a solas), los amantes
al final descubrían un profundo vínculo espiritual a través de
sus sentimientos, aunque no era amistad, ni siquiera la amistad
de un cómodo matrimonio, sino la verdadera y trascendental
dinámica de los amantes justo antes de la consumación, todo
expresado sin contacto físico, sin un solo beso y con la fuerza
suficiente para arder una vida entera... hasta la mismísima eternidad. O eso creían ellos.

—Lo que está diciendo es que celebraban un amor que
estaba condenado al fracaso y a la decepción —murmuró Bachman.

—Supongo que es una afirmación legítima según el pensamiento actual —respondió Rahn esbozando una sonrisa—.

Ellos consideraban que tales idilios los inspiraban. No hace falta más que observar el amor de Dante por Beatrice para entender el efecto sublime de su pasión. No se limitó a ver en Beatrice un grado imposible de belleza y bondad, sino que persiguió esa imagen hasta que, en virtud de su amor, se hizo digno del afecto de su amada. Antes de los cátaros, la pasión era un pecado. Destrozaba matrimonios, lo que, a su vez, tenía repercusiones económicas y políticas. Era una idea nueva que ofrecía una intimidad romántica socialmente aceptable entre un hombre y una mujer, todo ello sin amenazar de ningún modo los aspectos prácticos de la institución del matrimonio. Una mujer podía darle hijos a su marido y permanecer a su lado como aliada política, e incluso como confidente y amiga, mientras se carteaba con el verdadero amor de su vida.

—¿Y qué pensaban los maridos de que sus mujeres disfrutaran de tales idilios delante de sus narices? —preguntó Bachman, algo indignado—. No puedo creerme que aceptasen esa condición sin..., bueno, ¡sin los celos de toda la vida! —miró a Elise—. ¡Yo no podría soportar que Elise amase a otro hombre!

—Si me permite el atrevimiento, lo que no podría aceptar sería la idea de que su relación pudiera cambiar o destruirse por culpa de semejante idilio del corazón. En el mundo de los cátaros, ese miedo era irrelevante, porque el amor romántico nunca llevaba a otra cosa que no fuese el deseo. Se desarrollaba en el reino eterno del espíritu y, al final, acercaba a los participantes más a Dios y, sin duda, al ideal de las virtudes de la fe. Los enseñaba a través de la dura práctica de la abnegación a ser menos dependientes del mundo sensorial.

Bachman sonrió, aunque sacudió la cabeza poco convencido. Tampoco lo estaba Elise, que preguntó:

—¿Alguna vez ha disfrutado de un idilio de esa naturaleza?

Por fin, Adonis perdió su confianza y clavó la mirada en la mesa, sonriendo con melancolía.

—Ya no vivimos en ese mundo. Por mucho que alabemos los dones del espíritu y todo lo demás, lo que queremos es saborear nuestra comida y nuestro vino —levantó la copa e hizo girar el líquido rojo para recalcar lo que decía—. Queremos a nuestros amantes cerca y a nuestro dinero más cerca aún. Vivimos inmersos en las sensaciones y, por lo que veo, nunca estamos satisfechos.

—Entonces, ¿ahora nos es imposible amar así? —preguntó Elise.

—Si le escribiese a usted el tipo de carta que los caballeros cátaros enviaban a sus amadas —respondió Rahn, dirigiéndose a Elise, aunque mirando a Bachman—, estoy seguro de que su marido me pegaría un tiro... ¡y en el juicio lo absolverían!

—¿Aunque supiera que nunca nos tocaríamos? —preguntó ella. La voz le tembló un poco al hablar y, al terminar la frase, también miró a Bachman. Fue un instante de curiosidad y desafío, quizá incluso de esperanza. ¿Soportaría Bachman que ella amase a otro hombre (a aquel hombre) si no pasaba nada físico entre ellos?

—No creo que fuese posible —respondió su marido al fin, casi como si respondiese una pregunta directa—. Creo que... donde hay sentimientos, los hombres actúan y las mujeres se dejan llevar.

—Está hablando de la gente de nuestra época —les dijo Rahn, como si estuviesen dirimiendo una discusión entre eruditos—. Estamos corrompidos, no por el deseo, sino por rendirnos a él tan a menudo. Necesitamos demasiada seguridad, demasiada comodidad. No podemos confiar en el amor de otra persona sin un contacto físico que selle la promesa.

—¿De verdad cree que sucedía de ese modo? —le preguntó Bachman—. ¿Que había gente loca de amor que ni siquiera disfrutaba de intimidad física? ¿No cree que, en realidad, decían una cosa y, cuando los demás no miraban…, bueno…?

—Algunas personas fallaban, no lo dudo. Es la naturaleza humana. Sin embargo, estoy convencido de que muchos experimentaban una alegría y un amor tan profundo que, a pesar de toda nuestra sofisticación, ni siquiera imaginamos. Piensen que era como la primera sensación de profundo deseo, pero prolongada toda una vida. Piensen en la locura, la desesperación y la felicidad de enamorarse (como tener el mundo en la palma de la mano), y después añádanle la sensación de alguien que siempre permanecerá más allá de las puertas de ese bendito lugar. Creo que tales emociones deben conducirnos a un plano superior, a la humildad y la paciencia, y, probablemente, incluso a la plegaria, pero no estoy seguro. Para mí no es más que un ejercicio académico. Estar enamorado así es iniciar un viaje que nunca he experimentado.

—¿Qué te parece *herr* Rahn? —preguntó Bachman, de vuelta en su habitación.

Era tarde, pero parecía vigorizado. Sonrió con ironía al hacer la pregunta. A Elise le daba la impresión de que, en realidad, se refería a los aspectos prácticos de las teorías de *herr* Rahn sobre el amor.

Elise se ruborizó ligeramente al oír el nombre de Rahn, pero respondió con honestidad:

—Creo que nunca había conocido a nadie como él.

—¿Tanto como para enamorarte?

Resultaba tentador imaginar que el deseo se transformase en algo intachable. Quería pasión, pero no lo que sucedía cuando una mujer casada hacía el ridículo. A pesar de que en su vida no se había permitido muchos excesos, pensó que estar loca de amor por alguien debía de ser maravilloso. ¡Se acabaron las relaciones educadas! ¡Quería arder! Sin embargo, no si eso significaba culpabilidad y escándalo. Al fin y al cabo, la sociedad de Berlín seguía siendo un círculo muy cerrado en el que se observaba con mil ojos a las esposas imprudentes y a las coquetas. Resultaba muy entretenido verlas volar cada vez más cerca de la llama, pero llegaba un momento en que se acercaban demasiado y, después, como había visto tantas veces, todos las excluían de manera muy discreta. Como le había dicho sin más rodeos una amiga íntima, si una mujer deseaba demasiado los placeres de la calle, ¡con la calle se la recompensaba!

—Dime —contestó, lanzándole una mirada a su marido en la que le dejaba claro que aquella era la respuesta a su pregunta—, ¿de verdad tenemos que regresar a Sète mañana?

Nueva York-Hamburgo
Jueves-viernes, 6-7 de marzo de 2008.

Malloy llegó al JFK una hora antes de su vuelo. Como volaba en primera clase, no fueron muy duros con él. Lo que realmente les preocupaba era su decisión de viajar en el último minuto. Ante la pregunta, él enseñó su identificación del Departamento de Estado y adoptó los rígidos modales de un burócrata del Gobierno muy cabreado: ni una palabra de explicación.

—¿Jack Farrell? —preguntó la mujer, con ojos brillantes.

—¿Quién? —repuso Malloy, parpadeando, fingiendo un aburrimiento muy estudiado.

—Lo siento, es que... que tenga un buen vuelo, señor.

La CNN estaba dando las últimas noticias cuando Malloy llegó a su puerta de embarque: tenían la historia de Chernoff. Les llevaban una hora de adelanto a las cadenas (sin duda, gracias a Gil Fine) y ya estaban mostrando una foto de archivo de Helena Chernoff con veintidós años, con el uniforme militar de Alemania del Este. Tenía buena pinta, una pinta muy buena si te gustaban las chicas guapas vestidas de militar, ¿y a quién no? «Se parece mucho a Gwen», pensó. Ojos grandes y bonitos, pelo corto y oscuro, algo ansiosa y con una inocencia permanente. Por supuesto, en el caso de Helena Chernoff, la inocencia era puro teatro.

Un hombre gritó desde la zona de espera: «¡Viva Jack!». Algunas personas sonrieron. Después, en el televisor apareció una fotografía borrosa sacada de una grabación de seguridad en la que Chernoff salía con Jack Farrell del hotel Royal Meridien de Hamburgo. Los rostros quedaban ocultos por las sombras, y ella llevaba el cuerpo tapado por un abrigo y muy pegado al de Farrell. Según la periodista, el análisis de ADN de los restos encontrados en la habitación del hotel probaba que eran amantes, no solo jefe y empleada.

Un grupo de jóvenes con aspecto de comerciales lanzaron un grito al unísono, mientras las ancianas sonreían:

—¡Jack, Jack, Jack!

La periodista siguió diciendo que se buscaba a Chernoff para interrogarla en al menos... Malloy se perdió el número, ahogado por la fraternidad de amigos del Millonario Fugitivo. Después oyó:

—...hombres de negocios rusos y europeos relacionados con el crimen organizado.

No comentaron nada sobre sus actividades en Occidente.

Le dio la espalda a la pantalla y se tomó un momento para reflexionar sobre la gran simpatía despertada por Jack Farrell. Jane estaba en lo cierto: con la aparición de Chernoff, la historia se inflaba. No desaparecería después de la detención, los medios iban a seguir buscando cosas nuevas, material polémico. ¿Una conspiración de la CIA para ponerle una trampa a un icono estadounidense? Eso serviría.

Y cuando ocurriese, Jane estaría acabada... junto con cualquier otra persona que encontrasen agarrada a sus faldones.

Durante el vuelo a Hamburgo, que resultó tener escala en Londres, Malloy repasó los resúmenes del FBI que le había enviado Gil.

Farrell desapareció de su vivienda de Manhattan treinta y seis horas antes de que la policía de Nueva York se pusiera en contacto con el FBI. No había rastro de violencia, tan solo una cama deshecha y ropa por el suelo. Examinó las fotos digitales del lugar. Jack Farrell vivía bien. Malloy hojeó todo el material hasta encontrar a Irina Turner, la ayudante que había compartido los primeros días de la huida de Farrell. Encontró su imagen y su biografía: solo llevaba un par de meses como secretaria de Farrell, era guapa, rubia, de treinta y dos años, sin datos sobre su educación. Natural de Lituania con nacionalidad estadounidense desde el 2000. La ciudadanía la consiguió al casarse con Harry Turner, un empresario que viajaba con frecuencia a los países bálticos. Se divorció cuatro años después, y no había nada más sobre él...

Regresó a la descripción de los movimientos de Farrell. No habían sabido nada de su teléfono móvil desde que había huido, aunque tampoco lo habían encontrado. No había usado la tarjeta de crédito. Doce horas después de la búsqueda del departamento de personas desaparecidas, un equipo de apoyo del FBI descubrió que Farrell se había embolsado las reservas de efectivo de tres compañías de seguros de su propiedad. Curiosamente, lo había hecho seis semanas antes de la huida.

Malloy meditó un momento sobre eso. Hacía siete semanas, la Comisión de Valores y Bolsa estaba preparándose para las entrevistas y le pidió a Farrell que proporcionara ciertos registros de contabilidad. Farrell empezaba a sentir la presión, pero no tenía razón para asustarse. Reunió sesenta millones, una cantidad de dinero seria, aunque resultó no ser más que el principio.

Menos de una semana después de llevarse las reservas de las aseguradoras, una de las empresas europeas de Farrell compró poco más de cincuenta millones de dólares en platino y lo vendió inmediatamente después a un fabricante de automóviles alemán. Se trataba de una transacción rutinaria, pero el dinero recibido se transfirió a un nuevo fondo de reservas, desde donde se envió a diferentes cuentas, para después perderse su rastro. Se produjeron otros movimientos similares en la misma empresa durante las dos semanas siguientes, y lo mismo en algunas de las empresas de materias primas en las que Farrell tenía el interés mayoritario. Diez por aquí, treinta por allá... Nadie se preocupaba demasiado, esas cosas pasaban, algunos millones se escurrían por las rendijas. Era la clase de robo que cualquier persona de negocios podía realizar, aunque la desventaja era que resultaba sencillo descubrir al culpable; a no ser, claro, que se pensara huir.

Malloy no se había dado cuenta de que Farrell llevaba semanas preparándose para desaparecer, y debería haberlo hecho. No se pueden meter quinientos millones de dólares en una maleta o fundir diez toneladas de oro y llevárselos en el maletero del coche, y no se puede conseguir que todo se desvanezca con tan solo pulsar un botón. Hay que trabajárselo; hay que pensar los movimientos financieros; hay que evitar despertar demasiadas sospechas durante todo el tiempo posible; hay que pedir un préstamo que no pretendes pagar, olvidar un pago y perder el papeleo de una transferencia; hay que hacer que la gente busque en el sitio equivocado, crear problemas con un envío, negarte a pagar hasta que se soluciona el problema y después transferir los fondos a una cuenta de haberes. Desde allí a las Caimán, a la Ciudad de Panamá, a Nicosia, a Beirut, a Lichtenstein o a cualquier otro país en el que los directivos de los bancos tengan autoridad para decidir si permiten el acceso de las policías occidentales. Un poquito por allí, otro poquito por allá y, mientras tanto, el reloj sigue marcando las horas. El mundo de Farrell estaba listo para caérsele encima en cuanto los empleados de sus distintas empresas empezasen a hablar entre ellos sobre los problemas que, de repente, estaban teniendo.

En Montreal, Farrell consiguió nuevas identidades para Irina Turner y él mismo. Después fue en *jet* privado a Barcelona, aunque se suponía que el vuelo era a Irlanda. Menos de una semana después de la desaparición de Farrell, Irina Turner sale de nuevo a la luz y la detiene la policía española acusada de llevar documentación falsa. Invitan al FBI a España para realizar el interrogatorio. Malloy no tenía las transcripciones, pero leyó los resúmenes: Turner cooperó y les dio los detalles suficientes para que el FBI siguiera el rastro de Farrell desde Nueva York a Barcelona. Así que sabían dónde había estado, aunque no dónde había conseguido los documentos falsos, ni tampoco lo más importante: cuál era su destino.

Poco después de la aparición de Irina, la policía de Hamburgo recibió una llamada anónima de un teléfono público avisándoles de que Jack Farrell estaba en el Royal Meridien. El Royal Meridien era un hotel de cinco estrellas en el centro de la ciudad. La policía realizó una incursión a medianoche en la suite de Farrell pocos minutos después de la llamada. Encontraron vapor en los espejos, una cartera masculina en el escritorio, pasaportes y tarjetas de crédito, de todo menos a Farrell. Al cabo de unas horas, la policía ya había identificado a la nueva novia del fugitivo: Helena Chernoff.

Los agentes especiales del FBI Josh Sutter y Jim Randal cogieron el primer vuelo que salía de Barcelona y llegaron a Hamburgo a mediodía.

Malloy cerró el portátil e intentó dormirse, aunque sin éxito. Había muchas cosas que no le gustaban de la huida de Farrell. Lo cierto era que ni siquiera debería haber sabido lo de la acusación sellada y la inminente detención, pero, aun así, había salido pitando pocas horas después de que todo se pusiera en funcionamiento. Peor todavía era la decisión de empezar a mover dinero de empresas legítimas para guardarlo en cuentas secretas justo cuando la Comisión empezó a escarbar en los procedimientos de su compañía. Si los directivos huyeran cada vez que pasaba algo semejante, ¡todos serían fugitivos!

No tenía sentido. Además, si Jack Farrell de verdad temía lo que pudiese encontrar la Comisión y sabía que lo estaban observando, debería haberse largado a algún sitio que no concediese extradiciones. Tenía acceso a, como mínimo, cuarenta o cincuenta millones en fondos legítimos y relativamente líquidos. Eso, más el idioma y la habilidad empresarial para ganar más dinero cuando se volviese a instalar, tendría que haber bastado. Había países a los que no les importaban las infracciones «menores» y recibían con los brazos abiertos a los multimillonarios y sus fortunas, pero, si había dinero robado de por medio, los mismos países dejaban de proteger frente a la extradición.

Llegados a ese punto, las opciones de Farrell eran limitadas y, en su conjunto, poco atractivas. Podía contratar los servicios de un país delincuente y arriesgarse con un dictador sin leyes, o cambiarse de identidad y ocultarse en la sombra en alguna nación del segundo o tercer mundo. «¿Por qué se pondría un hombre inteligente en una posición tan poco envidiable?», se preguntó Malloy.

El Languedoc
Verano de 1931.

Dieter Bachman encontró a Rahn en su pensión a primera hora de la mañana siguiente a su cena juntos. Bachman parecía un hombre a punto de hacer una proposición desagradable, pero, de hecho, solo le preguntó a Rahn si querría hacer de guía durante unos días. Rahn, que no entendía del todo qué esperaban de él, vaciló.

—Hay muchas cosas que ver —explicó Bachman con una sonrisa incómoda—, y, para no andarme con rodeos, le diré que, aunque no habíamos planeado visitar la región, usted ha despertado nuestro interés... ¡por los cátaros, me refiero!

Añadió que correrían con todos los gastos de Rahn y, naturalmente, le pagarían por las molestias. La cantidad que ofrecía era muy superior a las tarifas que cobraban los locales, y Rahn se tomó un momento antes de responder. Al fin y al cabo, no era bueno parecer demasiado ansioso.

—Hay muchos guías disponibles —respondió—. ¿Ha preguntado sus tarifas?

—Estoy seguro de que no sería difícil conseguir un descuento si lo que se quiere es una visita superficial. Sin embargo, nosotros no estamos interesados en ese tipo de cosas, sino que estoy pensando en una semana o dos, según lo que permita su agenda. Algunos castillos, unas cuantas de las cuevas más importantes, y un poco de historia por el camino y durante la cena con un académico para aderezarla, de modo que podamos beneficiarnos de la experiencia.

—Supongo que podría hacerlo. Sin duda. En realidad, parece bastante divertido —concedió Rahn, y se dieron la mano.

Una vez a solas, Rahn meditó sobre el intercambio. Las palabras de *herr* Bachman no sugerían nada indebido, pero su actitud le había resultado extraña, como si le estuviese proponiendo algo más que una visita guiada por los Pirineos. A pesar de que el instinto le pedía precaución, Rahn dejó a un lado sus temores, porque estaba claro que Bachman no era de los que disfrutaban con las infidelidades de sus esposas. En realidad, la observaba con atención. Quizá solo quisiera conocer la sensación, flirtear con el desastre, por decirlo de alguna manera. Y flirtear con *frau* Bachman no le costaría nada en absoluto. *frau* Bachman... Elise... era extraordinaria, una belleza oscura, más alta que la media, con un cuerpo esbelto y atlético, y la sonrisa insolente de una mujer que seguía disfrutando de los placeres del mundo. ¡No le costaría nada, eso estaba claro! Además, ella parecía interesada en todo lo que él decía; no se trataba de una cara bonita con la cabeza hueca. Calculó que tendría la misma edad que él o que, al menos, había nacido en aquel mismo siglo, de modo que la Gran Guerra no era más que un recuerdo de infancia para ella. Varios años, quizá un par de décadas más joven que su marido, que tampoco era mal tipo, aunque sí algo pretencioso.

Por algunos comentarios que les había oído, sabía que llevaban algunos años de matrimonio. No eran recién casados. Lo más probable era que buscasen la chispa que les devolviese a su luna de miel. Al pensar en ello, Rahn se preguntó si Elise se habría casado por amor, seguridad o comodidad. Seguro que no había sido por pasión. Dieter Bachman no era un nuevo rico, por lo que daban a entender sus observaciones; era algo que la clase adinerada siempre procuraba dejar claro lo antes posible. ¿Había sido ella una chica pobre que le había llamado la atención? ¿O provenía Elise de una familia con dinero que deseaba un apellido mejor?

Rahn había trabajado duro para pagarse aquel verano en los Pirineos franceses. Vivía con un presupuesto ajustado, con la esperanza de estirar unas cuantas semanas hasta convertirlas en un mes o dos. Magre le había lanzado un caramelo al presentarle a los Bachman, y él, después de una agradable conversación nocturna, lo había convertido en una especie de banquete. Con el dinero que le ofrecía *herr* Bachman, en una semana de trabajo podría pagarse otro mes de estudio, por no mencionar un viaje gratis por todas las ruinas y fortalezas medievales de la región.

Si de camino se desarrollaba algún flirteo con *frau* Bachman, ¿qué tenía eso de malo? Siempre que nadie se lo tomase demasiado en serio, todos podrían divertirse.

—Espero que quepamos todos.

Dieter Bachman señaló a un Mercedes-Benz SSK de 1930. El vehículo era un largo descapotable lustroso de techo bajo. El guardabarros delantero parecían gigantescos trineos a ambos lados de un motor que ocupaba dos tercios del largo del automóvil. El diminuto maletero apenas tenía espacio para el equipaje de todos, pero Rahn consiguió atar el suyo al guardabarros trasero, para después encontrarse compartiendo asiento con la delicada *frau* Bachman, a la que tenía prácticamente en el regazo. *Herr* Bachman bromeó diciendo que confiaba en que Rahn fuese un verdadero cátaro, y los tres se rieron con el nerviosismo de adolescentes que se van de excursión.

A Bachman le gustaba conducir deprisa, así que Elise, *frau* Bachman, no dejaba de darse contra Rahn; al final, Rahn no podía pensar en otra cosa que no fuese ella, el elegante aroma de su lustroso pelo negro, la dulce piel almizclada tan cerca de sus labios, el delicado cuello, los ojos, oscuros y tentadores. Ella le preguntó una vez, sin insinuar de ningún modo ser consciente del efecto que tenía sobre él, si estaba molestándolo, y él respondió, valiente: «¡Claro que no!».

Se detuvieron para estirar las piernas por el camino y, antes de subirse de nuevo al coche, Bachman le preguntó con intención:

—Espero que por culpa de mi mujer no esté pasando más calor de la cuenta.

El hombre parecía divertirse.

Rahn los había dirigido al pueblo de Ussat-les-Bains, donde quería enseñarles una de las grandes cuevas de Europa. Sugirió que comiesen en el Des Marronniers antes de bajar, así que se sentaron en el exterior, a la sombra de un bosquecillo de castaños, que era lo que le daba su nombre al hotel. Disfrutaron de un pato asado y una botella de Merlot del Languedoc. Mientras comían, Rahn les describió algunas de las familias más importantes de la región en los años que precedieron a la cruzada del Vaticano en aquel territorio. Como en la mayor parte de Europa por aquel entonces, los matrimonios cruzaban fronteras, incluso idiomas y culturas. Considerar a los cátaros un solo pueblo era una equivocación, porque, en realidad, se trataba de una cultura. Les contó que, en vez de la región montañosa rural y bastante empobrecida de los años treinta, por aquel entonces el sur de Francia estaba más avanzado que el resto de Europa: tenía estabilidad política, prosperidad económica y, en general, se llevaba bien con sus vecinos. Según Rahn, era una rareza en la Europa feudal.

—Teniendo en cuenta el avanzado estado de las condiciones políticas y económicas, es natural que centraran su atención en cosas que asociamos con la civilización: la música, la poesía, las artes y los buenos modales —explicó Rahn.

Y lo que empezó aquí, sobre todo la noción de amor romántico, empezó a extenderse por las cortes de Europa..., junto con las leyendas del grial.

Durante el café, Elise le preguntó por qué se había interesado por el estudio de los cátaros.

—Para mí, todo se remonta a la historia de Perceval contada por Wolfram Eschenbach.

—¿El caballero que buscaba el grial? —le preguntó ella.

—Perceval fue el primero de muchos y el único que llegó a verlo.

—Hace mucho tiempo que leí a Eschenbach —repuso Bachman.

—Lo esencial es que Perceval encontró el camino al castillo del Rey Pescador. En un banquete fue testigo de una procesión de caballeros y damas que llevaban una lanza de marfil y un cáliz de oro por el gran salón. La punta de la lanza goteaba sangre sin parar, pero el cáliz la recogía toda. Perceval observó fascinado la imagen, por supuesto, pero le habían advertido que no hablase demasiado, ya que era muy joven, así que no se atrevió a preguntar por lo que había visto. Esa fue su perdición. De haber preguntado, el grial habría sido suyo, el Rey Pescador se habría curado de su debilidad y el reino moribundo habría renacido de nuevo. Al no hacerlo, se quedó dormido y se despertó algún tiempo después, completamente solo, en un páramo.

»Cuando me di cuenta de que la historia de Eschenbach no era un cuento que tenía lugar en una tierra lejana, sino que, en realidad, se trataba de una alegoría sobre el destino de los cátaros (que todavía no se habían extinguido cuando escribió la historia, pero estaban a punto de hacerlo), empecé a leer sobre las familias locales y descubrí que el castillo del grial del romance de Eschenbach era Montségur, la última fortaleza de los cátaros que todavía se resistía al ejército vaticano. En ese momento supe que tenía que venir aquí y verlo por mí mismo.

Después de comer, Rahn los llevó a la *Grotte de Lombrives*. La cueva, cuyas columnas de color jazmín y sus relucientes estalactitas cristalinas colgaban como los dientes de un tiburón, era uno de los grandes tesoros del sur de Francia. En lo más profundo encontraron la catedral, una bóveda subterránea más grande que las más grandiosas catedrales europeas.

—Los íberos adoraban aquí a su dios sol mucho antes de la llegada de los griegos —les contó Rahn—. Después del inicio de la cruzada en 1209, los cátaros del valle del Ariège se reunían aquí para sus oficios, ya que la Iglesia había reclamado sus iglesias y sustituido a los curas simpatizantes por dominicos, la orden que dirigió la Inquisición.

Más tarde, en una de las cámaras laterales, les enseñó una pintura desvaída de una lanza derramando sangre en una copa.

—Es la lanza ensangrentada que Perceval encontró en el castillo del grial. La imagen se hizo más popular entre los cátaros que la cruz, y por un buen motivo: representaba a los caballeros y no tenía equivalente dentro de la Iglesia, así que se convirtió en el emblema de su fe.

—Si la lanza siempre sangra —observó Elise— y la copa nunca se llena, debe simbolizar la pasión eterna y no correspondida entre los amantes.

—No se me había ocurrido —dijo Rahn, mirándola con interés—, pero sin duda da que pensar.

—Sin embargo, ¿habrían comprendido el simbolismo de lo masculino y lo femenino en la copa y la lanza? —preguntó Bachman—. Es decir, ¿no es un concepto moderno?

—Supongo que para un cátaro el poder de la imagen radicaba en la sangre en sí, no en la lanza, ni la copa. Habrían entendido la imagen como una expresión de continua renovación y potencia.

—Como sus pasiones —susurró Elise.

Los Pirineos franceses
Verano de 1931.

Entre los tres no hubo ningún entendimiento explícito, ni tampoco un pacto. Ninguno de los tres, y menos *herr* Bachman, intentó establecer los límites, ni siquiera discutir la naturaleza de lo que buscaban. Sin embargo, en los días siguientes, los tres cada vez se sentían más cómodos con el desarrollo de su relación. Los Bachman eran buenos viajeros: sentían curiosidad por las costumbres locales y del campo, incluso por el dialecto, que era particular de la región. *Herr* Bachman hizo numerosas preguntas bien fundadas sobre las fortalezas, ya que había luchado en la guerra y había alcanzado brevemente el grado de comandante antes de su licenciamiento. A Elise la afectaban más los idilios amorosos, y atendía a las historias de los matrimonios, las familias y los asuntos del corazón con el entusiasmo de una mujer adicta a las novelas francesas del siglo XIX. En vez de sentir celos por el obvio afecto de su mujer por el guía, Bachman a veces procuraba dejarlos solos. No durante mucho tiempo y rara vez en la intimidad, pero parecía darles libertad para que pudiesen hablar algunos minutos. Conforme pasaban los días, Rahn cada vez se sentía más tentado a decir algo durante aquellos momentos de soledad, a preguntarle si sería posible ir a visitarla a Sète o quizá pasarse por Berlín cuando llegase el invierno. Estaba desesperado por saber si el interés de

113

ella iba más allá de los flirteos, flirteos que incluso su marido parecía alentar. Lo cierto era que él se estaba enamorando y, aunque sabía que nunca podría convencerla para que abandonase la fortuna de su marido, estaba dispuesto a hacer todo lo posible por tener una aventura con ella.

Aun así, una sola palabra equivocada podría destruirlo todo. No tenía ni idea de si ella era consciente de los sentimientos que le inspiraba, ni tampoco de si se tomaba aquellos coqueteos en serio. Estaba claro que disfrutaba de su compañía, ¡aunque eso no era lo mismo que asegurarse de que su marido dormía para ir al encuentro de un amante! Si tenía que pasar algo, estaba decidido a esperar a una señal de Elise, pero la señal no llegaba. Ella disfrutaba con sus charlas a solas o en compañía de su marido. No le molestaba sentarse en el regazo de Rahn durante kilómetros y más kilómetros. A veces se apoyaba en él, y su encantador cabello acariciaba el rostro de Rahn. Al joven le daba la impresión de ser una fantasía para ella, y no lograba averiguar hasta qué punto Elise se lo tomaba en serio. A veces le parecía que solo necesitaba un momento más a solas para hacerla caer en sus brazos. A veces estaba seguro de que ella protestaría con vehemencia si se le ocurriese pedirle un beso.

Una noche, durante la cena, después de un día subiendo por las espléndidas ruinas de Minerve, al norte de la región, *herr* Bachman sugirió que acabasen con las formalidades. Iban a viajar juntos unos cuantos días más y era una tontería no relajarse un poco. Se habían hecho amigos y, al fin y al cabo, ¡ya no estaban en el siglo XIX! Él era Dieter y su mujer se llamaba Elise. Rahn contestó que le gustaba que lo llamasen Otto.

Como exigía la costumbre, lo celebraron con brindis por su nueva amistad... y por el agradable paso del *Sie* de los extraños al *du* de los íntimos. Lo festejaron como era debido, y Bachman perdió su rigidez habitual y su miedo casi patológico a la falta de decoro. Elise también perdió parte de su cautela y rio más que de costumbre. Al relajarse la gramática y pasar al tuteo y los nombres de pila, resultó obvio para los tres que, aunque el viaje terminara, su amistad no debía hacerlo. ¡Tenían que seguir en contacto! Una visita de vez en cuando, cartas para mantenerse al día. Era lo natural entre amigos.

A altas horas de la noche, con los camareros dando vueltas a su alrededor para animarlos a terminar la fiesta, Bachman dijo:

—Otto, si te estás enamorando de mi mujer, por mí no hay ningún problema. —Ante la sorpresa de Rahn, añadió—: ¡Lo digo en serio! ¡Pero no me hagas quedar como un imbécil! ¡No permitiré que nadie me tome por imbécil!

—Eso no hace falta ni mencionarlo —respondió Rahn, como un caballero. Después miró a Elise—. La verdadera pregunta es si Elise está interesada.

—¡Con eso no puedo ayudarte! ¡No hay quien entienda a las mujeres! ¿Estás interesada en su honroso afecto, querida?

Avergonzada por el insensible comportamiento de su marido, Elise clavó la mirada en la copa de vino.

—Estás borracho, Dieter, creo que deberíamos irnos a nuestra habitación.

Pero Bachman no estaba de humor para irse a la cama, así que siguió hablando durante un rato sobre la costumbre de los cátaros de escribir cartas a sus amadas jurando pasión eterna. En realidad no era tan mala idea, siempre que los matrimonios permaneciesen intactos. No le importaba en absoluto que estuviesen enamorados, si la relación era pura.

—Las miradas lánguidas son otra cosa —masculló con peor humor—. ¡Y vosotros lleváis así desde el principio!

Más tarde, en las escaleras, Bachman estuvo a punto de tropezar y Rahn tuvo que ayudar a Elise a subir con él los últimos escalones. Una vez dentro del dormitorio a oscuras, Rahn le preguntó si necesitaba ayuda para meterlo en la cama.

—Si no te importa... ¡Creo que ya se ha desmayado!

Estaba furiosa con Bachman, que solía comportarse mejor, y quizá también irritada con *herr* Rahn, que no había protestado cuando su marido la había ofrecido como un mercader... ¡fuesen puras las intenciones o no! Después de dejarlo en la cama, Rahn hincó una rodilla en el suelo y se puso a desatarle los zapatos. Elise pensó que era una buena acción, aunque algo servil. ¡Era su guía, no su ayuda de cámara!

—Yo me ocuparé de él —le dijo.

—No es ningún problema —repuso Rahn, levantando la vista—. Yo también he pasado por un par de noches como esta, y lo mejor es quitarse los zapatos.

A Elise le costaba respirar después de los esfuerzos por cargar con Bachman, pero de repente era como si el jadeo se debiese a la emoción que le provocaba estar por fin a solas con él.

—¡Yo lo haré! —exclamó, y le rozó el hombro con un pecho al inclinarse para quitarle a su marido el segundo zapato. No había sido intencionado, aunque, por un instante, no se retiró.

Rahn se olvidó de la presencia de Bachman y retiró el brazo, pero solo para poder tocarle el pelo y apartárselo de la cara para verla mejor... o para besarla. Elise no estaba muy segura.

La mujer soltó el pie de su marido y se levantó de golpe, como si aquellos dedos quemasen.

—Váyase a su habitación, señor Rahn.

Él se levantó, aunque no se retiró. Se enfrentó a ella mirándola a los ojos, con una sonrisa mucho menos ebria de lo que ella se había imaginado.

—¿Vienes conmigo?

—¡Váyase! ¡O le contaré a Dieter cómo se ha comportado!

—No creo que lo hagas —respondió él cogiéndole la mano. Ella sacudió la cabeza mientras él se la sujetaba, pero no logró reunir la voluntad suficiente para apartarse—. Creo que quieres venir conmigo —añadió Rahn. Se acercó más, con la intención de besarla si ella se lo permitía.

—Quizá sea cierto —respondió ella, apartando la barbilla—. Quizá lo desee más de lo que se imagina, pero lo que desee y lo que haga son dos cosas muy distintas. Ahora, váyase, por favor.

—Seguro que hay muchas personas que envidian a tu marido por su riqueza —comentó Rahn, esbozando una última sonrisa antes de dirigirse a la puerta. Se detuvo antes de salir y se apoyó en el umbral—. Sé que la gran mayoría de los hombres lo envidiarían por tener una esposa tan bella. ¿Quieres saber por qué lo envidio yo?

—No tengo ni la menor idea, ni tampoco me interesa oír sus tonterías.

—Por la lealtad que le demuestras. Si fueses mía, no me arriesgaría a...

—Pero no soy suya.

—Esta noche no.

—Ni nunca, señor Rahn.

—Es Otto, ¿o ya se te ha olvidado?

—¡Váyase! —susurró ella—. Y cierre la puerta al salir.

Una vez a solas, Elise no podía dormir, no hacía más que pensar en el joven de la habitación de al lado. Lo oyó moverse por el cuarto y desnudarse. Después oyó los muelles de su colchón y pensó: «Podría estar allí en vez de aquí. Podría tener todo lo que deseo con tan solo llamar a su puerta. Y nadie lo sabría nunca...».

Sin embargo, no lo hizo, y ni siquiera ella habría sabido decir por qué.

Hamburgo (Alemania)
Viernes, 7 de marzo de 2008.

El avión de Malloy aterrizó en Londres. Tres horas después estaba de nuevo en el aire de camino a Hamburgo. A media mañana pasó por aduanas y vio a un estadounidense fornido de pelo rubio rojizo con un cartel en el que ponía «Señor Thomas». El hombre iba camino de la cuarentena, y tenía un rostro agradable, hombros anchos, cintura delgada y un anillo de boda que parecía soldado al dedo.

—Creo que me está buscando —le dijo Malloy.

—Soy Josh Sutter, señor Thomas —Sutter le dio su tarjeta de visita y Malloy la aceptó sin ofrecerle la suya.

—Yo soy T.K. Encantado de conocerlo —respondió, dándole la mano.

—Mi compañero nos espera en el coche, en la puerta.

El coche era un todoterreno rojo chillón que habían alquilado el día anterior, y el compañero era el agente especial Jim Randal. Randal era educado, pero más suspicaz que su colega, porque pidió ver una identificación. Todos enseñaron las suyas, dos placas y el desgastado carné del Departamento de Estado que llevaba Malloy y que informaba de su puesto, técnico especialista en contabilidad.

Randal tendría la edad de Sutter, aunque parecía mayor y, sin duda, más hastiado; pesaba algunos kilos de más y estaba perdiendo el cabello. Después de intercambiar algunas frases sobre el tiempo y el vuelo de Malloy, T.K. estaba dispuesto a apostar lo que fuera a que Randal era neoyorquino de nacimiento, mientras que Sutter, cuyo acento tenía algunos toques de Nueva York, procedía originalmente del Medio Oeste, de algún lugar al norte de Chicago, probablemente. Quizá Wisconsin. Aquel hombre tenía los modales de un honrado y trabajador granjero que se ha mudado a la ciudad. A pesar de las claras diferencias entre ambos, Malloy notó que los dos llevaban tiempo de compañeros y eran buenos amigos.

—¿Le parece bien el Royal Meridien? —le preguntó Josh Sutter.

—¿Ahí se alojan ustedes? —preguntó Malloy.

—El detective alemán que trabaja con nosotros nos consiguió un descuento —respondió con una gran sonrisa. ¿A quién no le gustaba disfrutar de un hotel de cinco estrellas con la asignación diaria del Gobierno?

—¿Buenas habitaciones?

—¡Son geniales!

—Suena bien.

Como David Carlisle había pinchado el coche alquilado de los agentes del FBI pocas horas después de que llegasen a Hamburgo, sabía que les habían enviado a un tal señor Thomas del Departamento de Estado. Carlisle supuso que el señor Thomas era un alias de Thomas Malloy y procedió a seguirlos al aeropuerto para echarle un vistazo a aquel hombre. Se mantuvo a una distancia discreta cuando Malloy y Sutter salieron del interior y se reunieron con el agente Randal, que esperaba en el todoterreno. Una vez se hubo alejado el vehículo de la acera, un taxi ocupó su lugar y Carlisle se subió al asiento del copiloto, al lado de Helena Chernoff.

—¿Comprobado que se trata de Malloy? —le preguntó a la mujer.

—En carne y hueso.

Carlisle sonrió.

Una voz femenina automatizada dirigía al agente Randal en inglés británico por las calles de la ciudad.

—En Barcelona no conseguimos GPS y nos pasamos la mitad del tiempo intentando leer un puñetero mapa —comentó Randal—. Llegamos aquí y nos encontramos con la voz de esta chica... ¡A veces me equivoco a posta para que me regañe!

Avergonzado por la labia de su compañero, Josh Sutter dijo que lo bueno de perderse por Barcelona era que habían podido ver gran parte de la ciudad.

—¿Sabe algo de alemán, T.K.? —le preguntó Jim Randal.

Los padres de Malloy se habían mudado a Zúrich cuando él tenía siete años. A los catorce hablaba con fluidez alemán suizo y empezaba a comprender los matices del alto alemán, la lengua escrita de los suizos. Dos décadas de trabajo en Europa lo habían convertido prácticamente en nativo, pero, por supuesto, el FBI no tenía por qué saberlo.

—Sé pedir una cerveza o una taza de café.

—Son como... lo mismo que en inglés, ¿no? —preguntó Sutter, después de pensárselo un momento—. *Coffee* y *beer*?

Malloy respondió con, lo que esperaba, fuese una sonrisa encantadora.

—Ayer aprendimos unas cuantas cosas, bueno, lo esencial, ¿verdad? —intervino Randal—. *Servicio* es como en inglés, *cerveza* es como en inglés y *café* es como en inglés. Si averiguase cómo pedir un filete, podría quedarme a vivir aquí.

120

—Pues resulta que yo creía saber algo de español —repuso Josh Sutter—, pero, cuando llegamos a Barcelona, ¡ni siquiera los entendía cuando hablaban en inglés!

—¿Les tratan bien los polis?

—¡Son geniales!

—Unos profesionales, —corroboró Randal— sobre todo los alemanes.

—A decir verdad, me sorprendió. Bueno, ya sabe, después de todas esas pelis de guerra antiguas con los alemanes levantando el brazo y gritando *Heil Hitler*. En fin, que llegamos aquí listos para encontrarnos con las esvásticas en los brazaletes y los pasos militares, pero son como muy sonrientes y amistosos...

—¡Eficientes! —añadió Randal asintiendo—. Lo primero que notas es que sus despachos están limpios. Nada de papeles o archivos tirados por ahí, nada de manchas de café. ¡Más limpio que un quirófano! Si entra en una comisaría de la poli de Nueva York, ¿sabe lo que ve?

—Ayer nos pasamos por allí —lo cortó Sutter, para interrumpir la letanía que se avecinaba— y nos dieron los informes, porque ya los habían traducido. Y nos dan a ese tío...

—¡Hans! —exclamó Randal desde el volante. Le gustaba Hans.

—Hans, sí. ¡Aunque no le podría decir el apellido ni a punta de pistola! Pero fue al colegio en Carolina del Sur, así que tiene ese acento mezclado con el alemán. Eso sí, ¡habla inglés mejor que yo!

—¡Y mucho mejor que yo! —añadió Randal.

—Están avergonzados —comentó Malloy con total naturalidad. Tal como esperaba, los dos agentes se callaron. Al final, Sutter picó.

—¿Avergonzados por haber dejado escapar a Jack Farrell?

121

—Los alemanes nos estudian y después hacen lo mismo que nosotros, aunque esperan hacerlo mejor.

—¡Bueno, nosotros también perdimos a ese tío!

—No somos tan eficientes —repuso Malloy, encogiéndose de hombros.

Randal miró a su compañero a los ojos a través del espejo. Estaban evaluando a Malloy, no lo que les contaba. Eso estaba bien, era el primer paso para ponerlos de su lado.

—Os van a enterrar en papeleo para demostraros lo eficientes que son.

—Me da igual por qué lo hagan —respondió Sutter, soltando una carcajada—. Es mucho mejor que lo que nos encontramos en Barcelona.

—¡En Barcelona ni siquiera sabían inglés! —añadió Randal—. Nos trajeron a una traductora y ni siquiera la entendíamos a ella. ¡Y los informes! Todo en español. Tuvimos que enviarlos por fax a Nueva York para que nos los tradujeran.

—Y todavía seguimos esperando el ADN de las sábanas de allí —añadió Josh Sutter—. Los alemanes ya tenían los resultados de ADN cuando nuestro avión tomó tierra. ¡Unas doce horas después de recoger las pruebas!

—Por lo que tengo entendido, hablasteis con Irina Turner en Barcelona —preguntó Malloy.

—Nada interesante —respondió Sutter con cara de frustración—. Es una... secretaria, supongo...

—Sex-cre-taria.

Malloy miró a Randal y después a Sutter. Josh Sutter se encogió de hombros, fiel a su estilo de chico granjero.

—Novia barra secretaria. Imagino que sería para tener mamadas en la oficina, con tres o cuatro ayudantes más alrededor para hacer el papeleo y preparar las reuniones.

—¿Rusa? —preguntó Malloy.

—Lituana.

—Ah.

—Metida en algo que le quedaba grande —gruñó Randal.

—¿Todavía la retienen en Barcelona?

—En realidad, creo que no la quieren —respondió Sutter—. Estaba viajando con un pasaporte falso, pero no había hecho nada más.

—A los países no les gusta eso —repuso Malloy.

—No firmó nada, no habló con Inmigración. Farrell manejaba todos los documentos. Si consigue un buen abogado dirá que creía que el pasaporte que le dio Farrell era suyo.

—Que solo hacía lo que Farrell le pedía —dijo Randal.

—Contó que llegaron a Barcelona y que la única cadena en inglés era la CNN, así que se pasaban todo el rato en el hotel viendo la CNN. Cuando salían, Farrell se ponía a hablar en español y ella se sentía... aislada. Así que se enfrentó a él y le dijo que quería ir a un lugar en el que ella entendiese a la gente, como Rusia, pero él no hablaba ruso.

—De todos modos —siguió Randal continuando la historia—, Farrell la envía al comedor a cenar una noche, le dice que baja enseguida...

—¡Y se larga!

—Estaba cansado de que le diese la lata.

—Ella espera toda la noche —explicó Sutter— y, a la mañana siguiente, baja y se entrega. No tiene nada: ni identificación, ni dinero, solo una puñetera factura hotelera que no puede pagar.

—Y muchas preguntas en español que ni siquiera entiende.

—Muy duro —comentó Malloy.

—Le pregunté cómo creía que sería vivir en un sitio sin saber el idioma —dijo Sutter—, y ella contestó: «Así no».

123

—Una mujer guapa —aventuró Malloy.

—Le quitas el maquillaje, le pones un mono carcelario y es bastante normal, la verdad —contestó Sutter. Malloy supuso que a Josh Sutter le gustaban las mujeres arregladitas. Seguramente no habría visto a su mujer sin maquillaje hasta llevar un año casados.

—Más bien es... sumisa —explicó Randal—. Hacía todo lo que Farrell quisiera.

—Ojalá mi mujer se le pareciese un poco más en eso —comentó Josh Sutter—. En fin, es genial, pero, a veces...

—Te lo he dicho mil veces: llevas unas esposas encima, ¡úsalas!

—Y me lo dice el tío con dos divorcios y una larga lista de ex novias.

Jim Randal sonrió y se encogió de hombros. Al parecer, sus mujeres aceptaban órdenes mientras le duraban.

Desde atrás, Sutter dijo:

—Hans nos contó que muchas de estas chicas de la antigua Unión Soviética se van a Occidente como pueden y se casan con el primer tipo con dinero que se presente. Ya sabes, como un tío viejo que no quiere que lo fastidien. Hacen lo que se les dice y así consiguen vivir allí.

—Muchos alemanes odian a los rusos —respondió Malloy—. Resulta difícil de creer, pero se remonta a la Segunda Guerra Mundial. En ambos lados se cometieron atrocidades, pero, ya sabéis, cuando se trata de tu familia no lo ves de forma objetiva y no se te olvida aunque hayan pasado cincuenta o sesenta años. Nuestro enfrentamiento con los rusos fue ideológico. Los alemanes lo llevan en la sangre. Además, las tensiones de la Guerra Fría lo mantuvieron fresco. Si lo sumas todo, te encuentras con gente honrada que aprovecha la menor oportunidad para decir algo así. Ya sabéis: los hombres rusos son todos unos borrachos, las mujeres son todas unas putas. Ese tipo de cosas. Procurad no aceptar sin más esa clase de comentarios. Irina Turner podría ser cualquier cosa.

—Menos lista —repuso Randal, recuperando con fuerza su acento de Queens.

—Para que te hagas una idea de cómo fue la entrevista, le preguntamos dónde pensaba ir Farrell —añadió Sutter—. Nos respondió que quizá a Italia. Le preguntamos que si había mencionado alguna ciudad italiana, y ella va y dice: «¿Ginebra?».

—Conoció a su primer marido en San Petersburgo. Es un empresario estadounidense al que no le importaba tener una mujer guapa al lado, pero que preparó un contrato prenupcial para que no se quedase con nada (pero con nada de nada) si se divorciaban. Se cansa un poco del acento ruso y ella acaba en la calle con la ropa que lleva puesta.

—Ve un anuncio en el periódico en el que buscan chicas para fiestas y acaba en una de las juergas de Jack Farrell en Long Island —siguió Josh Sutter—. Es la reina de la orgía, así que, la semana siguiente Farrell la contrata de ayudante.

—Vale —respondió Malloy, entre risas—, puede que Hans tuviese razón sobre la rusa.

—¿Eres una especie de perito contable? —preguntó Jim Randal con su acento de Queens. Mientras hablaba, lo miraba fijamente por el espejo retrovisor. Su compañero y él habían estado especulando sobre el tema.

—La idea es que, si encontramos su dinero, solo tendremos que esperar a que Farrell vaya a recogerlo —respondió Malloy, asintiendo.

—Sí, conozco el razonamiento —respondió Randal con un poco de condescendencia—. Tenemos a tipos como tú haciendo ese trabajo a tiempo completo desde que llegamos. Te puedo decir una cosa: el dinero no está. Tenemos unas tarjetas de crédito vinculadas a cuentecitas bancarias en medio de ninguna parte.

—Pero el dinero tiene que llegar de alguna parte.

—Claro que sí, de un lugar llamado Montreal. Lo primero que hizo Farrell fue abrir una cuenta en Montreal con efectivo. Hizo lo mismo en un banco de Barcelona, cincuenta mil dólares en cada uno. Están como locos regalándole tostadoras y tarjetas de crédito. Mientras tanto, lo gordo, lo que transfirió a distintas cuentas antes de huir, se ha movido por bancos que no nos dan información. Sitios como...

—Me hago una idea.

—¿Y puedes seguirle el rastro? —preguntó Josh Sutter. Estaba dispuesto a creer que Malloy podía atravesar paredes, porque estaba deseando atrapar a Jack Farrell. La detención y la extradición de Farrell a Estados Unidos suponían un ascenso.

—Eso he venido a averiguar —respondió Malloy.

Guardaron silencio, dándole vueltas, aunque los dos pensaban que era un espía.

Chernoff y Carlisle escucharon toda la conversación entre los dos agentes y Malloy de camino a la ciudad. Cuando los tres hombres salieron del todoterreno y no hubo más audio, Carlisle siguió a los dos agentes en la pantalla de ordenador de Chernoff, gracias a las señales de sus móviles. Los dos hombres entraron en el hotel, seguramente con Malloy.

—¿Qué te parece? —preguntó Chernoff. Era una mujer bajita con ojos oscuros y piel clara. Habían sido amantes hacía unos cuantos años, aunque de los que no cierran los ojos al besarse, así que, al final, se habían limitado a la relación laboral. Al cabo de un tiempo ni siquiera se molestaban en mantener las típicas conversaciones triviales. Chernoff asesinaba gente y ganaba mucho dinero con eso. Cuando Carlisle por fin comprendió que a la asesina no le importaba lo que pensara de ella, decidió que charlar por charlar era una pérdida de tiempo. A pesar de su considerable experiencia con asesinos de todo tipo, podía asegurar que Helena Chernoff era la criatura más fría que había conocido.

Nunca parecía cansarse del juego al que se dedicaba, ni reflexionar sobre las decisiones tomadas en su juventud. Era previsora y dejaba atrás el pasado con la misma facilidad con la que se tira la ropa vieja. En resumen, en la vida de aquella mujer no existía más placer que el de los momentos íntimos en que cortaba los genitales de un hombre mientras él miraba. Comía con indiferencia. Bebía vino si se lo ponías delante. Podía sobrevivir sin comer ni beber un día entero y después tomar una cantidad modesta al final del día, sin importarle ni el sabor, ni el alivio que le proporcionaba. Vivía siempre en la sombra y había aprendido a hacer el amor como una acompañante de lujo. Lo hacía de forma competente y profesional, y después era tan cariñosa como una prostituta callejera.

David Carlisle, por otro lado, se consideraba una criatura del sol. Podía soportar el dolor y vivir sin casi nada, si debía hacerlo. Era un soldado entrenado para soportar privaciones, pero, cuando podía elegir, prefería los placeres sensuales. Era dado a gastar con generosidad; le gustaban las mujeres de todo tipo, incluso los casos más duros, como Helena Chernoff, de vez en cuando; amaba el vino y podía pasarse la noche entera hablando de los matices de sabor que ofrecía; disfrutaba viajando y viendo los colores del mundo, y adoraba la buena comida. Pasar un día con Chernoff era como estar sentado al lado de un fantasma. En respuesta a su pregunta, el primer comentario que ella le hacía desde que identificaran a su objetivo, Carlisle soltó una carcajada sarcástica.

—Creo que quizá hayamos sobrestimado a nuestro señor Malloy. No estoy seguro de que sea lo bastante listo para encontrarte.

—Encontró a Jack Farrell —respondió Chernoff, con la vista fija en la carretera que iba del hotel al lago.

—Tuvo ayuda.

—No es problema. Si no puede encontrarme, lo encontraré yo.

—Si solo quisiera verlo muerto, podría haberme encargado en Nueva York.

—Lo sé, pero, a veces, la gente muere.

—No la gente como Malloy. Si cae aquí, tiene que haber un motivo. Si no creamos uno que resulte convincente, sus amigos seguirán escarbando hasta averiguar qué hacía. De repente podríamos encontrarnos con muchos más problemas que antes.

—Es sencillo: vino a buscarme y yo lo encontré.

Carlisle no respondió. Ella tenía razón, funcionaría, pero a él le gustaba más el plan original porque estaba seguro de que Malloy llamaría a Kate y Ethan Brand para que lo ayudasen. Eso suponía un solo plan para los tres, sin preguntas molestas.

—¿Noticias de los Brand? —preguntó.

—Siguen ilocalizables. —Como habían estado desde la fiesta en la fundación, como si supiesen que iba a por ellos.

—Entonces, ¿podrían estar en Hamburgo?

—Por lo que sé, podrían estar detrás del coche —Carlisle miró pensativo por el retrovisor y después a Chernoff. ¿Estaba sonriendo?—. ¿Seguro que Malloy los meterá en esto?

—Está haciéndolo por Kate, y va a necesitar algo más que a esos dos payasos del FBI si quiere ir a por ti. No estoy seguro de que los vaya a llamar, pero sé que yo lo haría.

—¿Quieres a alguien esperando en el aeropuerto? —preguntó Chernoff.

—Concentrémonos en Malloy. Si se mueve, quiero saber dónde está. Mete a alguien en su habitación en cuanto sea seguro, vigila por si sus nuevos amigos del FBI lo llaman al móvil. Si conseguimos su número, podemos controlar las llamadas que recibe... e incluso averiguar dónde están los Brand.

Neustadt (Hamburgo).

En el Royal Meridien, Malloy reservó habitación con el descuento para policías y les dijo a los agentes Sutter y Randal que se reuniría con ellos en el bar del hotel sobre las ocho para cenar juntos.

—Ahora me gustaría darme una ducha y dormir un poco —añadió.

—Creíamos que te apetecería conocer a Hans esta tarde —respondieron ellos, después de intercambiar miradas.

—Quizá puedas echar una siestecita rápida y reunirte con nosotros dentro de un par de horas —sugirió Sutter mirando la hora.

—¿Podríais preparar una reunión para mañana por la mañana? —preguntó Malloy—. He estado despierto toda la noche, estoy reventado.

Lo peor que podía pasarle era tener que conocer a Hans.

—Suena bien —respondió Randal, sin mucho entusiasmo.

Mientras se cerraban las puertas del ascensor, Malloy observó cómo conversaban los agentes. Se preguntaban qué clase de perito contable llega y decide echarse una siesta de cinco horas. Malloy se bajó del ascensor en el entresuelo, encontró la parte de atrás del edificio y le pidió a un ayudante de conserje que le llamase un taxi. Diez minutos después estaba en medio del denso tráfico.

129

Se bajó unas cuantas manzanas al norte del puerto, en la Neustadt (la Ciudad Nueva), y reservó una habitación en un hotelito familiar. Para mayor seguridad, utilizó el nombre de Imfeld en recepción, una de sus identidades suizas, y pagó por adelantado toda la semana.

Una vez en su cuarto, Malloy deshizo la maleta, bajó las persianas y se permitió tres horas largas de sueño. Después cogió el metro hasta la estación de tren, sacó dinero de un cajero, se compró una maleta, ropa barata y un abono de viaje de tres días, e hizo un par de llamadas desde una cabina. Cuando terminó, volvió en taxi al Royal Meridien. A las ocho menos cuarto ya estaba en el hotel, en su habitación. Dejó abierta la maleta recién comprada, con la ropa y los artículos de baño esparcidos en el habitual caos de los viajeros. Llamó a recepción, les pidió que no le pasaran llamadas durante su estancia y bajó al bar del hotel, donde se bebió una cerveza y la cargó a su habitación. Vestido con vaqueros, una sudadera con capucha y chaqueta de cuero, no tenía nada que ver con el contable que los agentes del FBI habían recogido hacía algunas horas.

Como estaba en la parte oscura del bar leyendo el *Herald Tribune*, Sutter y Randal pasaron de largo cuando entraron, pocos minutos después de las ocho.

—Supongo que se habrá quedado dormido —bromeó Randal.

Malloy se levantó y se colocó detrás de ellos.

—He reservado una mesa en un restaurante chino cerca del puerto...

—¡Joder! —exclamó Randal sorprendido—. ¡No te había visto! —Se ruborizó, intentando averiguar si Malloy habría oído su comentario anterior. Los dos hombres miraban el disfraz del contable, que ya no parecía un huésped del Royal Meridien.

—Se supone que es un sitio de primera clase —siguió diciendo Malloy—. Yo invito.

—Oye, T.K. —respondió Sutter, con los modales pausados de un chico del Medio Oeste—, aquí todos tenemos una asignación diaria. No tienes que invitarnos a cenar solo por ser el nuevo.

—En el Departamento se toman con más tranquilidad lo de los gastos. Será un placer, es lo menos que puedo hacer para agradeceros que fueseis al aeropuerto a por mí.

Los dos hombres arquearon las cejas, sorprendidos, pero aceptaron. ¿Por qué no?

Randal quería programar la voz automática para que los llevase a su destino, pero Malloy le dijo que conocía el camino. Los dos agentes se sorprendieron.

—Me estudié el mapa en el vuelo —respondió él—, he memorizado la ciudad.

Con aquello logró que arquearan las cejas más todavía, pero no comentaron nada.

Mientras conducían por la orilla del Aussenalster, el más grande de los dos lagos artificiales de la ciudad, Sutter le preguntó a Malloy por su habitación.

—Es genial —respondió.

—Esta noche te pondrán una chocolatina en la almohada —comentó Sutter, emocionado como un chiquillo.

El trayecto sobre los lagos por el puente Kennedy les recompensó con una maravillosa vista del bajo y recargado horizonte nocturno de Hamburgo.

—Esta ciudad no tiene nada que ver con lo que me esperaba —comentó Josh Sutter.

—¿Qué te esperabas? —le preguntó Malloy.

—Bueno, ya sabes, Barcelona tiene su reputación, pero Hamburgo..., ¿a qué suena?

—A industria —respondió Jim Randal.

—Exacto. Así que pensaba en algo como... Newark o parecido —hizo un gesto hacia la recargada arquitectura de finales del XIX, que se entremezclaba con las líneas sencillas y limpias de los edificios de finales del XX—. No como esto.

—Hamburgo tiene más ricos per cápita que ninguna otra ciudad europea —respondió Malloy—. Y más puentes que Venecia.

—Tienen mucha agua —comentó Randal.

—¿Y por qué tantos ricos? —quiso saber Sutter, desconcertado.

—Por el puerto. Está a casi cien kilómetros del mar y lleva hasta el mismísimo corazón de Europa central. Tienes Berlín a menos de tres horas y Polonia justo después. El dinero lleva pasando por aquí tres o cuatro siglos, y a los alemanes, sobre todo a la gente de Hamburgo, se les da bien conservarlo.

—He leído que el ochenta por ciento de la ciudad quedó destruido en la guerra —respondió Randal—. Pero... ¡mira esto! —exclamó, señalando una majestuosa casa del siglo XVIII en medio de la ciudad—. ¡Hay edificios como ese por todas partes!

—Después de la guerra, los alemanes pusieron de nuevo cada piedra en su sitio y lo dejaron todo exactamente como estaba.

—¡Con dinero americano! —se quejó Randal.

—Puede que sea el único ejemplo de ayuda americana que realmente fue a donde tenía que ir —respondió Malloy ladeando la cabeza con una sonrisa irónica.

Los dos agentes se rieron; eso sí que era una novedad.

Encontraron un aparcamiento en el puerto, echaron un vistazo a los grandes barcos amarrados allí y en varios canales del Alster, a las construcciones navales y a las grúas iluminadas.

Después caminaron unas cuantas manzanas hasta el centro del barrio rojo de Hamburgo, que estaba lleno de turistas, pintorescos vecinos y una asombrosa cantidad de prostitutas de todo tipo.

Randal dejó escapar una risa nerviosa.

—¿A dónde nos llevas, T.K.?

—¿Habéis oído hablar de Reeperbahn? —preguntó Malloy, señalando el nombre de la calle. Randal sacudió la cabeza—. Es la Bourbon Street de Europa, medio kilómetro de pura decadencia.

Como si lo hubiese escuchado, un gay travestido le echó una mirada coqueta a Malloy y le preguntó en inglés qué tenía pensado hacer más tarde. Una mujer se acercó a Josh Sutter y le dijo, también en inglés: «Me alegro de que dejaras en casa a tu mujer, cielo. Podemos pasar un buen rato y ella no tiene por qué enterarse».

Sutter se detuvo, pero Malloy lo empujó para que siguiera y respondió en alemán:

—No está interesado.

—¡A mí sí me lo parece! —gritó ella en alemán.

Siguieron avanzando, absorbiendo la energía de las luces de los clubs y restaurantes, y de la multitud.

—Cuanto más hables con ellas, más difícil nos resultará movernos —le explicó Malloy a Sutter—. Si te interesas demasiado, puedes acabar soltando dinero, porque no te dejarán marchar sin montar una escena.

Otras mujeres les hablaron en alemán e inglés, e incluso una intentó dirigirse en francés a Randal, que se había calmado y parecía bastante tranquilo. Vieron a un policía de pie en medio de un puñado de prostitutas, mientras un grupo de jóvenes pasaba dando tumbos junto a ellos, bebiendo cerveza en vasos de papel y observando a las chicas de los escaparates.

—Ellas saben lo que quieres, cielo, ¡pero yo tengo lo que necesitas! —dijo un travesti que se abalanzó sobre Sutter.

Sutter siguió adelante, pero parecía un hombre al que acaban de apuntar a la cara con una pistola. Dos chicas vestidas de animadoras estadounidenses silbaron a Randal y empezaron a lanzarle besos mientras gritaban sus precios en dólares. Trabajaban juntas, según le dijeron.

—Siempre he querido hacerlo con una animadora —le dijo Randal a Malloy cuando las dejaron atrás—. ¡La única forma de superar eso es hacerlo con dos!

—Y así es como se gasta la famosa asignación diaria —comentó Malloy.

—¡Este lugar es una locura! —gritó Josh Sutter, sonriendo como si se hubiese tomado unas cuantas cervezas.

—Imagino que Hans no os traería aquí, ¿no?

—Tío, anoche Hans nos llevó a un sitio «bonito». ¡Ni una palabra de esto! ¿Cómo decías que se llamaba este sitio?

—Tengo descuentos para grupos, chicos —les anunció una alta belleza morena que podría ser hombre, mujer o ambas cosas.

—¡Lo siento, estoy casado! —le gritó Josh Sutter, volviéndose hacia ella con una sonrisa.

—¡Que se venga ella también!

—Me he dado cuenta de que a los polis no parece importarles —murmuró Randal.

—Es legal.

—¡Me tomas el pelo! —exclamó Randal, mirando a Malloy con cara de pasmo—. Creía que eso solo pasaba en Ámsterdam.

—Es así desde hace siglos. El segundo destino turístico más popular de Hamburgo.

—¿Y cuál es el primero? —preguntó Sutter.

—El puerto... o eso dicen.

Randal sacudió la cabeza. La prostitución legal hacía que se tambalearan sus ideas sobre el orden del universo.

Después de recorrer media Reeperbahn, cruzaron a la otra acera, bajaron por unos escalones que los llevaron por debajo del nivel de la calle y entraron en Yuen Tung. Malloy había llamado antes para reservar una mesa al fondo del restaurante, donde esperaba que pudiesen hablar con libertad.

Mientras los tres hombres bebían y esperaban la comida, hablaron sobre la vida callejera que acababan de descubrir. Sutter quería que su compañero se lo pasara bien, ya que era el único hombre soltero del grupo y allí no estaba prohibido, pero Randal resultó ser todo un puritano: el sexo estaba bien, pero pagar por él era pecado.

Cuando llegó la comida, Malloy fue al grano.

—¿Qué sabéis de Hans? —preguntó.

—Hemos quedado mañana a las nueve —respondió Josh Sutter alegremente—. Dice que cooperará contigo en todo lo que pueda.

—¿Tiene algo que me sirva?

—A decir verdad —respondió Sutter, después de mirar al otro agente—, tienen las pruebas físicas que sacaron de la habitación, incluidas las tarjetas de crédito y los pasaportes que dejaron Farrell y Chernoff, pero lo procesamos todo ayer. El dinero y las tarjetas salieron de bancos de Montreal y Barcelona. Los pasaportes y documentos de identidad parecen imitaciones europeas, aunque es difícil entrar en más detalle.

—¿Han encontrado al que hizo la llamada anónima?

—Buscaron huellas en la cabina y tienen a la mujer grabada, así que, si alguna vez la encuentran, podrán verificar que es ella..., si es que eso sirve para algo.

—¿Habéis oído la voz?

—Hemos visto una especie de resumen. Bueno, estaba hablando en alemán, así que tampoco nos habría servido de nada oírlo.

—¿No habéis leído una traducción de la transcripción?

Los dos se miraron y sacudieron la cabeza. ¿Qué iban a mirar? Aquella mujer solo había visto a Jack Farrell entrando en el Royal Meridien.

—Si queréis saber mi opinión, creo que esa llamada apesta —les dijo Malloy. Eso los sorprendió, aunque, antes de que pudiesen reaccionar, él siguió hablando—. La CNN comentó algo sobre vapor en el espejo del baño y toallas húmedas.

—Sí —respondió Sutter—, lo que significa que salieron justo antes de que llegara la policía.

—Pero, ¿la de la llamada los ve entrar en el hotel y corre a la cabina? —Malloy dejó que lo meditaran—. ¿Y dio tiempo a que se llenase de vapor el espejo, se vistiesen y saliesen corriendo del hotel? Según tengo entendido, los alemanes lo rodearon quince minutos después de la llamada.

—Quizá la que llamó se lo pensara antes de hacerlo —respondió Sutter.

—¿Qué intentas decir? —preguntó Jim Randal, mientras se comía un gran trozo de pollo con los palillos.

—¿Habéis visto las cintas de seguridad del hotel?

—Nos enseñaron un fotograma. Dijeron que en el resto no se veían las caras.

—La foto que vi en la CNN no decía gran cosa.

—La mujer..., bueno, podría ser mi primera esposa —respondió Randal, asintiendo.

—Pero eso no fue la noche de la llamada, ¿no? —preguntó Malloy.

—La que vimos la sacaron del día en que se registraron —respondió Sutter—. Hans dijo que seguramente era la mejor que tenían.

—Me he perdido, T.K., ¿a dónde quieres ir a parar?

—Tienen cámaras de seguridad en todas las salidas. Saben el segundo exacto en que Farrell y Chernoff entraron y salieron del hotel. Solo pregunto si os han dado esa información, aparte de todo lo demás —los dos hombres parecían sentir curiosidad—. Hans os oculta cosas por un motivo —explicó Malloy finalmente.

Los agentes se echaron hacia atrás y Sutter soltó el tenedor. Randal seguía agarrando los palillos. Les gustaba Hans y no sentían nada especial por Malloy, a pesar de la visita a Reeperbahn. Sin embargo, Hans quizá fuese excesivamente amable. Al fin y al cabo, eran polis, y todo el mundo miente a los polis, incluso otros polis.

—¿Por qué? ¿Qué consiguen mintiéndonos? —preguntó Randal.

—Si tuvieran claro lo de la llamada y la salida, ya tendríais las pruebas... perfectamente traducidas. No os las dieron porque hay algo que no encaja, algo que no pueden explicar, y temen que lo averigüéis y los hagáis quedar mal.

—¿Así que no quieren quedar mal? —preguntó Randal, volviendo a su plato—. Claro, eso no le gusta a nadie.

—¿Tenéis el número de teléfono o la situación concreta de la cabina que se utilizó?

—No nos pareció una prioridad —respondió Randal, sacudiendo la cabeza.

—Si se lo pedís, no os lo negarán. No es una conspiración, pero vais a tener que pedirlo.

—Pues lo haremos —repuso Randal, metiéndose arroz en la boca—. Problema resuelto.

—Vamos a comprobar su buena fe esta misma noche. Quiero que llaméis a Hans y averigüéis el número de la cabina telefónica que utilizó la mujer. Veamos si coopera.

—¿De qué nos va a servir eso? Es un teléfono público.

—Ya han buscado huellas —añadió Randal.

—Conseguid el número. Presionadlo un poco. Que sepa que sabemos a qué juega.

Los agentes se miraron. No les gustaba que un desconocido les dijese lo que debían hacer. Por otro lado, les habían ordenado que recogiesen a un «pez gordo del Departamento de Estado» y no era buena idea molestarlo... todavía.

Sutter sacó su móvil, un teléfono tribanda encriptado del FBI. Las voces no podían interceptarse, aunque no dejaba de ser un móvil, así que, si sabías el número y tenías acceso al software del proveedor local, era como llevar tu propio indicador para el GPS. Y lo peor era que aquellos chicos imprimían el número en las tarjetas de visita.

—¡Hola, Hans! ¡Soy Josh! Me preguntaba... —Sutter terminó la conversación en menos de un minuto—. Hans está en casa —le dijo a Malloy—. Nos conseguirá la información mañana a primera hora.

—Llámalo otra vez —insistió Malloy—. Dile que lo necesitáis esta noche.

—Con el debido respeto —intervino Randal, en un tono que, en realidad, tenía poco de respetuoso—, tú no puedes darnos órdenes.

—Creía que había venido a ayudar.

—No veo que lo estés haciendo.

—Es una llamada telefónica para ti y otra para Hans, ¿cuál es el problema?

—Que Hans ya se ha ido a casa.

—Vale… si queréis darle a Jack Farrell otras veinticuatro horas…

Los dos agentes se miraron. Al final, Sutter volvió a llamar, y aquella vez Hans dijo que le devolvería la llamada.

Sutter miró a su compañero.

—Se ha cabreado —anunció rojo de vergüenza y rabia.

—Claro que sí —repuso Malloy—, pero os conseguirá el número.

—No lo pillo —respondió Randal—, ¿de qué sirve un teléfono público?

—Es algo con lo que trabajar hasta que surja una buena pista.

Randal miró su plato; estaba enfadado porque hasta entonces se habían llevado muy bien con Hans.

El teléfono de Sutter sonó, acabando con el incómodo silencio.

—¡Sutter! —Escuchó, asintió y escribió el número de teléfono y la dirección, garabateando el nombre de la calle alemana mientras Hans se lo dictaba. Cuando terminó le dio las gracias, diciendo que había sido de gran ayuda. Todavía al teléfono, Sutter miró a Malloy, pero Malloy sacudió la cabeza—. ¡Te lo cuento mañana!

Malloy cogió la información y soltó dos billetes de cien euros en la mesa, lo bastante para tres comidas con sus bebidas correspondientes.

—Os lo agradezco, caballeros. Que lo paséis bien.

—¿Qué? ¿A dónde vas ahora?

—Intentaré encontrar a esas dos animadoras, a ver si son tan buenas como parecen —respondió Malloy, mirando la hora—. ¡No me esperéis, chicos!

Capítulo cinco

Montségur (Francia)
Verano de 1931.

A LO LEJOS, MONTSÉGUR PARECÍA UNA PIRÁMIDE QUE SE introducía en el cielo azul, con la antigua fortaleza en el pico. En las ruinas, que eran en realidad parte de un castillo posterior, Rahn les explicó que Montségur había sobrevivido a más de treinta años de guerra antes de rendirse en marzo de 1244.

—Solo pidieron una tregua de quince días para prepararse para su destino —les contó—. En vez de seguir luchando, las fuerzas del Vaticano y Francia les concedieron la tregua. Hasta ahí llegan los hechos. Me temo que el resto es pura especulación, aunque eso no ha evitado que todos hablen del tema con una certeza que resulta asombrosa para cualquier mente académica. Según cuenta la historia más famosa, cuatro sacerdotes cátaros treparon por el muro y bajaron por el acantilado, llevándose con ellos el legendario tesoro de los cátaros. El tesoro varía según quien cuente la historia: oro, el sudario de Turín, el evangelio original de Juan... o el eterno favorito, el santo grial. Tampoco se sabe a dónde llevaron el tesoro esos sacerdotes, aunque a casi todos les gusta pensar que lo entregaron a sus amigos, los caballeros templarios. Por supuesto, nadie encontró nada cuando detuvieron a todos los templarios medio siglo después, pero eso también lo explican con otra huida en el último minuto.

—¿Y cuál es tu teoría? —le preguntó Bachman.

—No la tengo, aunque un anciano que solo sabía hablar francés del Languedoc me contó una historia muy buena. Fue la primera vez que subí la montaña. Cuando descubrió que podía hablar su idioma casi con la misma fluidez que él, el anciano me dijo que los jóvenes de hoy en día no estaban interesados en las antiguas historias, pero que, cuando él era joven, los ancianos de su aldea relataban una leyenda sobre Montségur que juraban era completamente cierta. No hizo falta más que mostrarle algo de interés para que me la contara. Me dijo que los sacerdotes que protegían el grial en Montségur se lo dieron a su reina, Esclarmonde, la noche antes de la rendición. Tal era la pureza de la reina Esclarmonde que se transformó de inmediato en paloma, salió volando hacia el Monte Tabor y tiró el grial en la montaña.

—¡Pero eso es imposible! —se quejó Bachman—. ¡Prefiero la historia de los cuatro sacerdotes! ¡Te puedes imaginar las cuerdas y el temor a que los capturasen! Es..., bueno, ¡es creíble! Convertirse en paloma...

—Estoy de acuerdo, y salvo por el hecho de que es una fantasía de principio a fin, la historia de los cuatro sacerdotes es maravillosa. Sin embargo, deja que te cuente algo que sí es cierto: la mañana del 16 de marzo de 1244, doscientos once cátaros salieron de su fortaleza. Cruzaron este prado y se metieron en la hoguera que el gran inquisidor había preparado para todos aquellos que no renunciasen a su fe. Ni uno de ellos se detuvo a rezar o a pensar en el mundo que abandonaban. Ni uno de ellos dio la espalda a las llamas para renunciar a su fe. Ni uno vaciló.., ni uno. Según los testigos, ni siquiera gritaron hasta que las llamas los envolvieron. Así es como murieron y eso, os recuerdo, es lo que contaban sus enemigos.

De repente se levantó viento y Elise se estremeció.

—¿De verdad se puede morir con tanto valor, Otto?

—Creo que para enfrentarse a la muerte con tanta valentía hace falta amar algo que no sea nuestra propia carne.

—Yo daría todo lo que poseo por tener semejante coraje —respondió Elise.

—Pues será mejor que reces por no necesitarlo nunca —repuso Bachman.

Más tarde, cuando estaba sentada en la hierba, Rahn se unió a ella mientras Bachman examinaba las fortificaciones naturales que soportaban los muros del castillo.

—Le voy a pedir a Dieter que nos lleve de vuelta a Sète mañana, Otto. Te invitará a venir, por supuesto.

—Es muy amable. Me encantaría.

—Creo que no deberías aceptar su invitación.

Rahn se volvió para ver por qué, pero, por una vez, ella no fue capaz de mirarlo a los ojos.

—Cuando vuelva a Berlín me gustaría pensar en ti aquí sentado, exactamente como estás en este preciso instante —dijo Elise—. No quiero arruinar esa imagen perfecta. Quiero que en mi vida haya algo que siga siendo bueno y puro, aunque el resto se mancille con el devenir de los días. —Se inclinó sobre él, rozándole la mejilla con los labios—. Y yo estaré aquí contigo, entre estos bellos fantasmas, mientras me dure el aliento.

Barrio de St. Pauli (Hamburgo)
Viernes-sábado, 7-8 de marzo de 2008.

Malloy salió de la Reeperbahn por la Davidstrasse y recorrió tranquilamente la Herbertstrasse, donde un policía estaba cortándoles el paso a todas las mujeres respetables y a todos los chicos de menos de dieciséis años. Aquel callejón sólo era para hombres y damas de la noche. Un grupo de prostitutas se reunió cerca del poli para enseñar sus brevísimos trajes a los espectadores interesados, abriendo para ello los abrigos largos que llevaban encima. Animaban a gritos a cualquiera que las mirase dos veces. No pagaban nada por estar allí, aunque, claro, tenían habitaciones cerca. Al igual que las mujeres que esperaban en los escaparates de la Herbertstrasse, justo detrás de la barrera de acero manchada de grafiti, había prostitutas de múltiples formas y tamaños, desde bellezas despampanantes a mujeres dejadas y endurecidas: variedad para todos los gustos y precios para cualquier bolsillo. Malloy avanzó con la multitud por la calle y se encontró con una imagen de nostalgia pura, el anticuado espectáculo del que los marineros del puerto de Hamburgo llevaban siglos disfrutando. Algunas damas estaban desnudas, salvo por una liga o un collar, aunque la mayoría llevaba lo suficiente para despertar el interés de los hombres que abarrotaban la calle para ver la función. Hacían sus tratos detrás del cristal, para que todos lo vieran, pero, cuando terminaban las negociaciones, los clientes entraban y la cortina bajaba.

Después del ataque de ligas y encaje, Malloy siguió andando por un laberinto de calles laterales, que era donde se realizaban los tratos menos habituales. Allí podían encontrarse clubs de *striptease* en los que solo había una bailarina. Por supuesto, las propinas siempre eran bien recibidas, pero si alguien estaba realmente interesado en agradar a la bailarina tenía que subir con ella a la habitación. Eso dejaba el escenario libre durante quince o veinte minutos, aunque, a veces, incluso eso resultaba excitante.

Había clubs sexuales en los que tanto hombres como mujeres podían observar la actuación en vivo de los modelos. Si el espectáculo los motivaba, los clientes podían montar el suyo... siempre que fuese gratis. Dentro de los clubs sexuales no se permitía la prostitución. Allí no se veían las brillantes luces de la Reeperbahn porque la gente prefería las sombras. En una esquina había una chica fumando. Un chico se apoyaba en una pared de ladrillo. Al gusto de cada cual. Malloy se metió en un bar de *striptease*, se bebió tranquilamente una botella de cerveza y contempló a la bailarina. Después cruzó la calle y entró en otro establecimiento llamado Das Sternenlicht, la luz de las estrellas. En aquel, Dale Perry se encontraba detrás de la barra, mientras una chica de delgadez enfermiza y pelo rubio desvaído bailaba en un diminuto escenario mugriento. Cinco hombres la observaban sin mucho interés y nadie, salvo la bailarina, miró a Malloy dos veces. Dale Perry era un negro de cuarenta y tantos con rastas largas y unas cuantas cicatrices bien merecidas; también sabía esbozar una agradable sonrisa cuando le apetecía hacerlo. Su aspecto era el de un luchador libre universitario que ha ganado algunos kilos de músculo desde los buenos tiempos.

Dale le dijo en alemán a uno de los hombres:

—Encárgate un momento.

Después se dirigió a lo que parecía ser el almacén, sin mirar en ningún momento a Malloy. Este le pidió una botella de cerveza al camarero sustituto, aunque no bebió mucho. Miró a la chica y sintió lástima por ella. Después del espectáculo, dejó un billete de veinte euros en el escenario, suficiente para un chute de heroína, y se volvió para marcharse.

—¿Dónde vas, cielo? —le preguntó ella—. ¿No quieres un beso?

Él señaló su anillo de casado igual que había hecho antes Josh Sutter y se encogió de hombros con gesto afable.

—¡Si no se lo dices tú, yo tampoco!

La voz de la chica era como el cristal al romperse.

Malloy se dirigió a un espectáculo sexual y esperó en la puerta, como si vacilase, pero después siguió andando. Por si alguien miraba, se tambaleó un poco, se metió en un callejón y salió a un patio en el centro de un edificio. La luz ambiental de las ventanas iluminaba una docena de automóviles, unos cuantos cubos de basura e incluso algo de acción en la sombras, cerca de la entrada trasera de una librería de material para adultos. Se dirigió a la puerta trasera de Das Sternenlicht y esperó. Justo a medianoche, Dale Perry abrió la puerta cerrada con llave y dijo en inglés:

—¡T.K., amigo! ¡Entra! —Malloy lo hizo y los dos se dieron la mano—. ¡Cuánto tiempo!

—Demasiado. Me alegro de volver a verte, Dale.

—La verdad es que cuando Jane me llamó para decirme que venías, le dije: «¡Creía que ese viejo perro estaría ya muerto!».

—No será porque no lo hayan intentado —respondió Malloy, sonriendo y levantando un hombro.

—¡Lo he oído!

Dale llegó a Zúrich hacía veintitantos años; era un joven trotamundos que Jane había reclutado para ser uno de sus espías sin tapadera oficial, como Malloy. Lo habían entrenado en la Granja, pero su alemán era algo vacilante y no tenía credenciales en las calles de Europa. La reputación no es algo que se pueda falsificar, había que ganársela. Malloy le consiguió un trabajo de camarero en el club de *striptease* de uno de sus activos y lo envió a Hamburgo seis meses después.

Se suponía que el viaje de Dale debía durar tres años, pero Jane Harrison lo había convencido para que se quedase otros dos. Jane era persuasiva. Al cabo de cinco años, su gente solía estar tan afianzada que no quería volver a casa. Demasiado poder, demasiado dinero flotando libremente por ahí y demasiada libertad para volver a aprender a conformarse con menos. Durante su segundo periodo de servicio, Dale se había casado con una inmigrante rusa que trabajaba en un bufete de abogados del centro. Se instalaron en el barrio de St. Pauli, unas calles al norte del puerto, los turistas y las prostitutas callejeras. Era un buen barrio de clase trabajadora con familias y colegios decentes. Cinco años se convirtieron en diez, diez en veinte y, en aquellos momentos, como Malloy en sus últimos días en Zúrich, lo que más temía Dale era recibir la llamada que lo llevase de vuelta a Langley.

En Hamburgo no pasaba nada sin que Dale lo supiese o fuese capaz de averiguarlo, y lo mejor era que absolutamente nadie sospechaba de sus vínculos con la agencia, ni siquiera su mujer. De hecho, los alemanes lo habían detenido varias veces, y una vez lo habían condenado a dos años en una cárcel de mínima seguridad. El principal recurso de Dale era un activo negocio de móviles robados, aunque podía conseguir pasaportes y tarjetas de crédito falsos bastante buenos. Por supuesto, los que hacían tratos con él acudían a su bar al menos una vez. Así conseguía fotografías, huellas y grabaciones de su voz. Mejor aún, la mercancía que vendía siempre se convertía en dispositivos de rastreo; los móviles tenían una vida muy corta, pero ofrecían una información precisa sobre movimientos y contactos.

—¿Qué tal tú? ¿Te va bien en Hamburgo?

—Me hago viejo, T.K. —respondió, levantando un hombro y esbozando una sonrisa torcida—. Estoy pensando en dejar el juego en cuanto Jane se retire.

—Jane no se retirará nunca.

—Pues en cuanto la echen.

—En este momento, me temo que esa posibilidad existe —repuso Malloy, inclinando la cabeza, cansado.

—Me lo ha contado. Amigo mío, debo decirte que ahora mismo no eres su caballo favorito.

—¿Qué quieres que te diga? Jack Farrell me sorprendió.

—Se supone que esas cosas no pasan en nuestro negocio, T.K.

—Todos cometemos errores. Lo que ocurre es que en nuestro gremio nadie lo reconoce.

—¡En nuestro gremio nadie reconoce nada! Venga, te enseñaré mi cueva.

Unos escalones de madera daban a un almacén, más allá del cual se encontraba la barra. Un segundo tramo de escaleras conducía al sótano. Al llegar al final de los escalones, Dale abrió la puerta y entraron en una sala de calderas limpia con una puerta de acero empotrada en la pared de atrás. Al otro lado de aquella puerta, Malloy descubrió un apartamento que, para su sorpresa, resultaba bastante cómodo.

—Es tuyo si lo necesitas —le dijo Dale; después hizo un gesto hacia los paneles de la pared—. Insonorizado, bien provisto de comida, medicinas, ropa, equipo, armas e incluso efectivo, todo lo que necesites. —De una esquina del despacho sacó la mochila que le había preparado a Malloy—. Te he conseguido una Glock 23, como las de los federales, un cargador extra, una caja de munición, un silenciador y una pistolera. —Volvió a meter todo en la bolsa y le enseñó un teléfono con su cargador de batería—. El código de acceso es JANE. Dos números en el menú, ambos seguros. Yo soy el primero, Jane el segundo. Encriptación básica, aunque no me fiaría mucho de él. —Señaló el ordenador—. Es seguro. Cualquier cosa que tengas que enviar o recibir quedará entre la agencia, tú y Dios. La contraseña es JANE, para que no te estrujes los sesos. —Le entregó un juego de llaves—. Para las puertas y el Toyota que has visto detrás del bar. Si utilizas el coche, asegúrate de cerrar con llave la zona de aparcamiento cuando te vayas. Si no, alguien podría quitarte el sitio. El coche es de un chorizo de mala muerte que está pasando un par de meses entre rejas. Tiene huellas por todas partes, así que usa guantes y, si las cosas se ponen feas, deshazte de él. La *Polizei* buscará a los sospechosos habituales.

Malloy cogió las llaves y preguntó:

—¿Has podido bajarte el material que te envió Gil Fine?

—Iba a ello. —Sacó un par de discos de la mochila—. Dos DVD. Toneladas de material sobre Helena Chernoff.

—¿Lo has mirado?

—Le eché un vistazo para ver si había algo que me faltase, encontré bastantes cosas que no sabía e hice una copia para mi archivo. Si no la cogemos esta vez puede que encuentre algo en ese laberinto que pueda ayudarnos, pero supongo que ya lo habrán intentado mentes más preclaras que la mía. ¿Sabes que dicen que está cargándose a políticos occidentales?

—Gil me habló del avión de un senador estadounidense que se estrelló en 2004.

—Eso y un candidato a la presidencia del 2000..., otro accidente de avión. Quizá también una apoplejía en 2006 que podría haber cambiado el equilibrio de poder en el senado. Pero no son solo nuestros políticos, T.K., creen que puede estar relacionada con tres miembros de la Cámara de los Lores en los últimos diez años, dos muertes accidentales y un suicidio. También hubo un científico en Londres que clamaba que no había armas nucleares en el periodo previo a la segunda guerra de Iraq. La causa oficial de la muerte fue suicidio, porque lo habían desacreditado, pero Chernoff estaba en el Reino Unido, así que creen que... quizá.

—¿Cómo saben que estaba en el Reino Unido?

—Lo de siempre. Se cargó un alias un par de años después y ellos lo investigaron hasta relacionarlo con tres viajes distintos al Reino Unido, y todos coinciden con muertes sospechosas.

—¿Quién le paga, Dale?

—Al parecer, alguien interesado en cambiar el mapa político de Occidente... o empleado por gente que lo está —respondió, sacudiendo la cabeza.

—¿Crees que tiene un jefe?

—Esa dama no sale de su madriguera para hacer los tratos. Alguien lo prepara todo, quizá incluso le proporcione los especialistas que necesita para los distintos trabajos: mecánicos, médicos, matones... Tiene que haber una red en alguna parte. El problema es que no podemos encontrarla.

—Empezó eliminando a gente importante de la mafia rusa —dijo Malloy—. Quizá siga trabajando para ellos.

—No creo que sean los rusos. Tienen demasiados problemas internos para preocuparse por la situación global. Solo he echado un vistazo superficial, T.K., pero me parece que se encarga de gente con una ideología política concreta.

—Puede que ahora tenga conciencia.

—Claaaro —respondió Dale, entre risas.

—Bueno, ¿alguna idea sobre cómo aparece un financiero de Nueva York en Hamburgo y contrata a Helena Chernoff menos de veinticuatro horas después de aterrizar? —Dale se frotó los dedos y Malloy sacudió la cabeza—. Tuvo que llamar a alguien. Tiene que haber un contacto.

—Se hicieron amigos muy deprisa, T.K. Quizá se conocían de los viejos tiempos.

—Tuvo que llamar a alguien para llegar a ella, Dale.

—Puedo poner a algunos de nuestros analistas a investigar las llamadas realizadas la semana pasada desde Barcelona y Montreal a Alemania.

—Quizá tenga una idea mejor. Si no recuerdo mal, estabas vigilando a un empresario o abogado de la ciudad hace unos años...

—¡Vigilo a gente así continuamente!

—Este se reunía con un neonazi al que llamaban Xeno. Nadie sabía el apellido de aquel tipo...

—Recuerdo el asunto. Si te acuerdas de ese tío es que has estado leyendo mucho desde que te jubilaste.

—Tuve un encontronazo con Xeno hace unos dieciocho meses.

—Ah, fuiste tú... ¿Lo de Julian Corbeau? ¡No sabía que estabas metido!

—Soy un buen cristiano, Dale, nunca dejo que mi mano derecha sepa lo que hace la izquierda.

—Es decir, que no envías informes completos a Jane.

—Son completos, pero no siempre ciertos.

—Recuerdo al tipo. Estuve vigilando a Xeno de vez en cuando durante dos años a través de un par de yonquis, solo por conocer su red. Al principio tenía alguna gente vendiendo hachís y entrando en casas ajenas. Todo a pequeña escala, poco dinero. Eso fue justo antes de que cayese el Muro. Después contrató a matones y a tipos que hacían todo lo que les dijera..., y la competencia empezó a irse a la porra. Se estaba convirtiendo en un personaje importante, pero no conseguía acercarme. Yo diría que lo entrenó la *Stasi*. Seguramente una de esas personas a las que buscaban después de la reunificación. De todos modos, un día me puse a rastrear un móvil que había vendido y me di cuenta de que estaba en el bolsillo de Xeno.

—No hay nada como la suerte.

—Con tanta mala suerte, alguna buena tenía que tocarnos de vez en cuando. Tuvo el cacharro hasta su muerte, en 2006, así que me enteraba de todos los números a los que llamaba y podía seguirle la pista. Al cabo de unos tres meses empecé a apuntar sus movimientos en un mapa de la ciudad, y había una reunión que se repetía el cuarto lunes de cada mes al anochecer en el Stadtpark..., siempre en el mismo punto. Así que puse vigilancia en la zona cuando llegó el lunes siguiente en cuestión y ¿quién apareció en el parque? Hugo Ohlendorf.

—¡Ese es el tipo!

—Es un peso pesado de la política en Hamburgo, antiguo fiscal jefe, ahora socio de uno de los bufetes de abogados más importantes de la ciudad. Muy limpio, muy luchador contra el crimen, y muy, muy rico. Ohlendorf soltó a su perro para que corriera por el parque, mientras Xeno se hacía pasar por vagabundo en un banco. Ohlendorf le dijo algo y los dos pasearon juntos durante un par de minutos hablando sobre el perro o el tiempo. Algo así. Después, Xeno se fue. Al mes siguiente lo mismo, como si fuesen desconocidos que se ponen a hablar sobre el tiempo.

—¿Sabes de qué podrían estar hablando?

—Supuse que intercambiarían códigos, quizá coordenadas de puntos de recogida o algo por el estilo. No tengo ni idea de para qué, aunque te puedo asegurar una cosa: Hugo Ohlendorf está pringado. No creo que estuviese en la nómina de Xeno, pero quizá Xeno estuviese en la de Ohlendorf. Como mensajero, como jefe de operaciones o como lo que sea.

—Eso explicaría por qué Xeno subió como la espuma.

—Eso me parecía a mí. Acabé vigilando a Ohlendorf unos cuantos meses, conseguí su número de móvil, rastreé sus llamadas y movimientos, examiné sus cuentas, sus socios y sus amistades. No me llevó a ninguna parte y supuse que, si seguía presionando y le pedía a Jane que hablase con los alemanes, alguien le iría con el chivatazo. Ese tío tiene conexiones con los polis de cuando era fiscal, un montón de amigos en todos los escalafones de la pirámide, desde los patrulleros que patean las calles hasta los jefes, por no mencionar la gente que lo controla todo. Así que me retiré.

—Tengo que hablar con ese tipo mañana por la noche, Dale..., en privado.

Dale miró a Malloy como si intentase asegurarse de lo que le pedía.

—Puedo reactivar el seguimiento de su móvil, si eso te sirve.

—Con eso bastaría —respondió Malloy sonriendo—. Si mañana por la noche me llamas cuando se haya ido a su casa, yo me encargo del resto.

—No hay problema, T.K. Si quieres echarle un vistazo a su casa, el recorrido turístico del canal pasa justo por delante. Me lo hice unas cuantas veces para comprobar lo que se veía.

—¿Qué sabes sobre su vida privada? ¿Sobre la gente que vive en la casa, ese tipo de cosas?

—Mujer y una hija en casa. Tiene un hijo que estudia en Berlín, quizá esté ya haciendo prácticas.

—¿Servicio doméstico interno?

—No me llegué a acercar tanto.

—¿Va por ahí con guardaespaldas?

—Tiene licencia para llevar armas, pero no he visto ningún guardaespaldas.

—Otra cosa más. Es una posibilidad remota, pero merece la pena comprobarlo. Tienes a alguien en la compañía telefónica, ¿no?

—Tengo la compañía telefónica entera, T.K. —respondió Dale Perry entre risas—. ¿Qué necesitas?

—Me han dado el número de una cabina de teléfono y quiero saber qué llamadas a móviles se han hecho desde ella en los últimos siete días.

—¿De qué te va a servir eso?

—Es la cabina que se utilizó para avisar a la policía sobre Jack Farrell. La que llamó debería haber dado su nombre para reclamar la recompensa. Como no lo hizo, solo cabe suponer que formaba parte de la red de Chernoff.

—¿Una traidora?

—Podría ser. O podría ser otra cosa.

—¿Como qué?

—No lo sé, como que Chernoff le pidiese a alguien que hiciera la llamada.

—¿Chernoff quería una redada?

—¿Quién sabe? Quizá le costase controlar a su cliente; quizá quisiera más dinero. El tema es que si su gente está usando las cabinas, puede que alguno se despistase y usase ésa para llamar al móvil de Chernoff en algún momento, mientras ella estaba en el hotel.

—Y si conseguimos el móvil de Chernoff...

—Sabremos dónde está ahora.

—Suponiendo que no haya tirado el móvil después de la redada —repuso Dale sonriendo.

—Aunque lo haya hecho, si sabemos que el móvil era de Chernoff averiguaremos a dónde fue y a quién llamó. En el peor de los casos encontraremos otro alias, y puede que a alguien que esté dispuesto a hablar —Malloy levantó las manos y se encogió de hombros—. En fin, es una posibilidad remota, pero, si funciona, quizá no tengamos que interrogar a *herr* Ohlendorf.

—¿De verdad vas a secuestrar a ese tío, T.K.?

—El médico me ha dicho que necesito hacer más ejercicio.

—Supongamos que ni te matan, ni te detienen —dijo Dale después de reírle la gracia—. ¿Cómo vas a hacerlo hablar? Si sabe algo sobre Farrell o Chernoff no va a cantar solo porque tú se lo pidas.

—Lo hará si se lo pido por favor —respondió Malloy riéndose.

Neustadt (Hamburgo)
Sábado, 8 de marzo de 2008.

Malloy cogió un tranvía en la estación de Reeperbahn y regresó a la *Bahnhof*. Eran más de las doce de la noche, pero todavía había mucha gente en la calle. Muchos eran jóvenes que salían a pasarlo bien, aunque quedaba un núcleo duro en las sombras, bebiendo, fumando maría, chutándose, prostituyéndose y buscando blancos fáciles. Malloy despertó el interés de este último sector cuando utilizó uno de los teléfonos públicos cercanos a las sombras; sin embargo, al parecer, siguieron su instinto y lo dejaron en paz. Un hombre vestido como él podía llevar un arma escondida, y no había forma de saberlo hasta que te matase de un balazo.

Metió varias monedas en el teléfono y marcó un número de móvil. Cuando Kate Brand respondió, le dijo:

—Se me ha ocurrido que mañana podríamos ir a ver cómo viven los ricos y famosos. ¿Te apetece?

En su hotel, Malloy preparó té y empezó a revisar los archivos en DVD que le había dado Dale Perry. Se pasó las primeras dos horas buscando a los socios y grupos relacionados con Helena Chernoff. Cuando llegó a los resúmenes de Perry sobre Xeno, Chernoff apareció de pasada, aunque no había conexión directa ni con Jack Farrell, ni con Hugo Ohlendorf. Consultó los orígenes de Chernoff para tener una idea de a qué se enfrentaba. Los primeros trabajos de la mujer demostraban audacia e ingenio. Acababa con hombres que se rodeaban de guardaespaldas; asesinó a sus primeras tres víctimas en la cama, con una cuchilla; las dos siguientes fueron disparos con fusil y mira telescópica. Después tuvo otro encuentro cara a cara, alguien a quien cogió en un club sexual de Ámsterdam para asesinarlo en el callejón de atrás.

Un año después, aproximadamente, una cámara de seguridad de un aparcamiento subterráneo de San Petersburgo captó otro de sus trabajos. Malloy vio el vídeo después de leer la historia. El objetivo de Chernoff era un empresario estadounidense que intentaba construir un hotel en la ciudad. Le había pagado a la mafia rusa por su protección y, al parecer, se suponía que solo estaba con su chófer. Cuando Chernoff se acercó al objetivo, un equipo de guardaespaldas llegó en un coche. La cámara grabó parte del tiroteo, aunque casi todo sucedió fuera de imagen. La pelea duró unos noventa segundos, una barbaridad de tiempo para ser un tiroteo callejero. La calidad de la película de seguridad hacía que resultase difícil saber lo que pasaba, pero una cosa estaba clara: al final, Helena Chernoff era la única que seguía en pie. Gracias a aquel incidente, las autoridades por fin habían obtenido muestras de sangre y ADN fiables de la asesina.

La Interpol había logrado montar una serie de grabaciones de las cámaras de vigilancia de la finca de Julian Corbeau en las que salía Chernoff, algunas con excelentes muestras de voz y las mejores fotografías que le habían sacado en muchos años. Aunque a Malloy le resultaba inquietante ver un tiroteo en el que él mismo había participado, lo más alarmante fue ver a Chernoff hablando sobre él con Corbeau en tres encuentros distintos. No estaba muy informada, pero el contexto de los intercambios indicaba una familiaridad con Malloy de la que él nada sabía. Teniendo en cuenta los recursos de Corbeau y la forma en que había planeado la eliminación de Malloy, le daba la impresión de que Chernoff debía de haber visto fotos suyas y, por tanto, podría reconocerlo.

Malloy no fue consciente de que ella estuviera involucrada en lo de Julian Corbeau hasta que Gill Fine le mencionó las grabaciones de vídeo de la finca. No aceptaba la idea de que la aparición de Chernoff con Farrell fuese una extraña coincidencia, aunque no sabía bien qué pensar. Era tentador imaginarse que Farrell había buscado la ayuda de la asesina precisamente porque conocía a Malloy de vista y ya se había enfrentado a él antes, pero estaba relativamente seguro de que Jack Farrell no tenía ni idea de que Malloy hubiese propiciado las investigaciones de la Comisión. Eso significaba que un tercero lo había informado de la participación de Malloy e incluso que había contratado la ayuda de Chernoff. Pero, ¿qué clase de ayuda? Era una asesina, no una guardaespaldas, ni una contrabandista de fugitivos. Le faltaba demasiada información para intentar averiguar la verdad, aunque una cosa estaba clara: su tapadera no le servía de nada, ya que conocían su cara.

Se pasó un rato mirando las fotos de Chernoff que las distintas agencias habían recopilado a lo largo de los años. Tenía rasgos eslavos, aunque también la habilidad de alterar su apariencia radicalmente. Perdía y ganaba peso, cambiaba de color de pelo e incluso de edad, con lo que parecía un camaleón.

Después de ver las diapositivas, Malloy se levantó y se acercó a la ventana de la habitación del hotel para contemplar la última hora de la noche. A pesar de lo que le había contado a Jane Harrison, estaba bastante seguro de que las actividades delictivas de Jack Farrell se limitaban a algunas irregularidades financieras en el extranjero, normalmente asociadas a una de las empresas de Giancarlo Bartoli y relacionadas con fraudes de quiebra. El ejemplo más destacado de tal asociación fue la compra de una empresa de alta tecnología de Milán, que Jack Farrell y Giancarlo Bartoli habían comprado y posteriormente exprimido. La idea de aquel tipo de fraudes era recuperar mucho más dinero del invertido y después declararse en bancarrota, dejando que otros se ocuparan de las pérdidas económicas. En aquella ocasión destriparon la compañía y la vendieron a su buen amigo Robert Kenyon.

Malloy no tenía ninguna forma de saber qué le contó Jack Farrell a lord Kenyon sobre la empresa, pero, sobre el papel y visto en retrospectiva, el trato era un suicidio financiero. Por algún motivo, a Kenyon le encantó la idea de adquirir la empresa y había acabado enterrándose en deudas para financiar la adquisición. Un mes después de firmar el trato, Kenyon murió en algún lugar del Eiger y la empresa fue directa al tribunal de quiebras. La viuda de Kenyon, Kate, que había puesto diez millones de libras de su propio dinero en el negocio, lo perdió todo. El total ascendía a una deuda de setenta y cinco millones de libras y exigía liquidación inmediata a costa del patrimonio de Kenyon.

En el momento de la compra, puede que la empresa pareciese tener potencial, o que Robert Kenyon no entendiese parte de la estructura de las deudas o de los contratos con los proveedores. Para Malloy, todo aquello eran señales de alarma, sobre todo porque casi todos los contratos de suministros y servicios estaban relacionados de una u otra forma con compañías controladas por Giancarlo Bartoli. A eso se le añadía que estaba llena de personas con sueldos astronómicos y contratos laborales férreos, y todos los socios eran conocidos de Bartoli...

Kate Brand nunca había comprendido por completo la mecánica de la muerte de la empresa. En aquel momento no tenía experiencia en los negocios, y había adquirido muy poca desde entonces. Para empeorar la situación, estaba de luto y, por supuesto, seguía conmocionada por lo ocurrido en el Eiger. Con toda la ingenuidad del mundo había ido a pedirle una explicación del desastre financiero a su padrino, Giancarlo Bartoli, que, por lo visto, la había convencido de que habían perdido algunos contratos pendientes por la muerte de Kenyon y que, por esa razón, la compañía no había podido sobrevivir. La explicación de Bartoli no se aproximaba a la verdad en ningún aspecto.

Hacía poco más de un año, cuando Kate y Ethan vivían en Nueva York, Kate había ido a ver a Malloy para pedirle que investigase la muerte de Kenyon. Malloy los había conocido en Suiza, cuando los tres se habían convertido de repente en objetivo de Julian Corbeau. Con vistas a establecer activos en Europa que lo hiciesen indispensable para Jane, Malloy aceptó encantado. A petición suya, Kate le dio toda la información financiera hasta llegar a la bancarrota, un resumen sobre los amigos y socios de Kenyon, sus tratos empresariales en general, e incluso el itinerario de viaje de Kenyon durante su último año de vida. Casi toda la información procedía de los detectives privados que no habían logrado dar con una pista. Algunos eran de Giancarlo Bartoli en persona, informes recargados y profesionales del personal de seguridad de su empresa. Alguna información partía del abogado de Robert Kenyon en Londres, el caballero que había llevado la liquidación de las propiedades del lord.

A Malloy no le había costado mucho dar con el motivo del asesinato: los amigos de Kenyon le habían robado toda su fortuna y lo habían asesinado antes de que se diera cuenta de la estafa. Por lo que él veía, solo había tres sospechosos: Giancarlo Bartoli, su hijo Luca y Jack Farrell. Todos parecían haberse beneficiado de la inversión de lord Kenyon y todos corrían grave peligro si Kenyon vivía lo suficiente para comprender lo que le habían vendido.

Cuando Malloy le entregó su informe preliminar a Kate, le sorprendió su respuesta. No estaba preparada para creerlo. No es que se comportara de forma completamente irracional: sabía de qué iban Giancarlo y Luca Bartoli, reconocía sin pudor que había recuperado su solvencia económica después de la quiebra gracias a sus negocios con Luca, vendiendo cuadros robados. Sin embargo, insistía en que Robert Kenyon era como un hijo para Giancarlo. En cuanto a Jack Farrell, no solo era amigo de Kenyon, sino también primo suyo, hijos únicos de dos hermanas que habían logrado pasar juntas casi todos sus veranos durante la infancia de los niños. Un verano lo pasaban en Berlín y el siguiente en Falsbury Hall, en la campiña occidental de Inglaterra. Acamparon dos veranos en la propiedad de los Farrell, en la Gold Coast de Long Island. Y otro en París, donde, a la tierna edad de trece años, habían estudiado francés por las mañanas y deambulado por el Louvre por las tardes. Su relación continuó al entrar en la universidad, sobre todo un notable verano en Italia, ya sin sus madres. En aquel viaje se alojaron con Luca Bartoli en uno de los refugios de la familia. Para Jack Farrell, cuyo padre era amigo íntimo de Giancarlo, fue el principio de una amistad que se convertiría en una relación empresarial de por vida con la familia Bartoli. Para Kenyon fue el principio de un flirteo superficial pero constante con los bajos fondos.

La amistad entre Jack Farrell, Robert Kenyon y Luca Bartoli que empezó aquel verano continuó hasta la muerte de Kenyon. De hecho, los tres jóvenes habían heredado un asiento en el consejo de administración de una organización benéfica llamada la Orden de los Caballeros de la Lanza Sagrada. Hasta los últimos meses, Kenyon, sin duda el más pobre de los tres, siempre había mantenido sus finanzas separadas de los otros dos. ¿Por qué decidió de repente echar por la borda las aburridas inversiones seguras que habían alimentado a su familia durante años para comprar una compañía de alto riesgo en un campo de alto riesgo? Kate no tenía ni idea, solo sabía que Kenyon estaba emocionado ante la perspectiva de «darles la vuelta a las cosas» y no parecía especialmente preocupado por su habilidad para conseguirlo. No cabía duda de que, en otros aspectos de su vida, era alguien adicto al peligro. Quizá había llegado a un punto en el que quería algo más, y creía que si tenía éxito en una empresa dudosa podría obtener el respecto de sus pares. Al fin y al cabo, su fortuna solo resultaba sustanciosa para alguien que no hubiese tenido nunca demasiado. En los círculos en los que se movía lord Kenyon, él era el pariente pobre, un hombre con más sangre que dinero. Estaba empezando una nueva vida con una bella esposa; su suegro poseía una fortuna dos veces superior a la suya, ganada en el negocio más peligroso de todos. Quizá, solo quizá, Robert Kenyon se cansara de vivir con una mensualidad, por muy generosa que fuera, y cayese presa de la ambición. De ser ese el caso, sus viejos amigos habían utilizado su ambición contra él.

Kate no se tragaba la teoría, no sin pruebas. Insistió en que tanto Jack Farrell como Giancarlo Bartoli ya tenían un montón de dinero legítimo y disfrutaban de enormes ganancias en aquellos momentos… de ganancias récord, de hecho. La cantidad de dinero que se manejaba en el supuesto timo a Kenyon, setenta y cinco millones de libras, no era una gran suma para ellos, aunque representara toda la fortuna de Robert. Robert era un hombre con influencias, tenía conocidos en sitios importantes y, al ser un héroe condecorado y un par inglés, su influencia podía resultarles útil a sus amigos. Kate pensaba que eso valía más de setenta y cinco millones de libras.

Malloy nunca había conocido a nadie que no deseara más dinero, pero el argumento de Kate tenía cierta validez. Además, no entendía por qué Giancarlo había incluido a Kate en el asesinato, siendo como era su ahijada, su favorita, al parecer. Su padre y Giancarlo no eran solo socios de negocios, sino viejos amigos. Si Bartoli hubiese querido matar a Robert Kenyon por algún motivo, ¿por qué no arreglarlo sin involucrar a Kate? Aquella pregunta lo llevó a modificar su teoría. Quizá Giancarlo Bartoli fuese inocente, quizá Luca y Jack Farrell hubiesen montado la estafa y el asesinato. Luca había llevado el romance y consiguiente matrimonio de su antigua novia con una elegancia sorprendente, quizá demasiada. Puede que sintiese emociones que no quería compartir. Kate tampoco se lo creía, decía que habían vuelto brevemente a su relación después de la muerte de Kenyon, pero que entre ellos casi todo era cuestión de negocios. *Casi todo* era una expresión curiosa, aunque Malloy no había insistido. Además, había tenido varias relaciones como aquella cuando era joven... y había acabado con su matrimonio en el proceso. Luca estaba casado cuando pasó todo el asunto, y Kate le dijo que era de esos italianos que se casaban de por vida. Aseguraba que ella no había sido más que un capricho pasajero y que, cuando apareció Robert Kenyon, Luca se hizo a un lado sin problemas por el bien de su amigo. Después, en los meses que pasó viviendo en la granja de los Bartoli en Mallorca con Luca para aprender la profesión, pasaron unas cuantas «noches», pero nada serio. Malloy no lograba imaginárselo. Kate no era una mujer que pudiera disfrutarse sin más. Obviamente, por aquel entonces era más joven, poco más que una niña, y tendría algo de la típica chica juerguista con más dinero que sentido común. El Eiger era lo que la había convertido en la mujer que conocía... el Eiger y una década arriesgando la vida.

Malloy llevaba ya más de un año con aquel «favor» y no tenía nada más que piezas sueltas de un rompecabezas demasiado grande. No dejaba de caminar en círculos que siempre le llevaban al mismo móvil financiero. Era lo único que tenía sentido, y estaba seguro de que Jack Farrell podría explicarle lo que él no comprendía..., si pudiera mantener una conversación con aquel caballero. Sin embargo, aquella pista se había fastidiado como todas las demás y, de repente, se encontraba en Hamburgo intentando arreglar una situación que no había sido capaz de prever; y con Helena Chernoff en medio.

Su instinto le gritaba que se retirase, que estaba metiéndose en una trampa, pero retroceder en aquel punto quizá no bastase. Teniendo en cuenta la presencia de Chernoff en todo aquello, puede que la única salida fuese apretar los dientes y seguir hasta el final.

Altstadt (Hamburgo).

David Carlisle recibió una llamada de Helena Chernoff el sábado por la mañana para informarle de que Malloy y los dos agentes del FBI habían salido a cenar, tal como planeaban. Dentro del todoterreno, Malloy había hecho de guía turístico. Al dejar el coche habían paseado por el muelle disfrutando de las vistas, y después se habían metido en Reeperbahn y entrado en un restaurante. Durante la cena, el agente Sutter había hecho dos llamadas a su contacto en la policía y había recibido otra del mismo teléfono.

—¿Qué quería? —preguntó Carlisle.

—No pudimos saberlo en esos momentos, pero Sutter y Randal estuvieron charlando de vuelta al hotel, y resulta que Malloy quería saber desde qué cabina se hizo la llamada a la policía.

—Entonces está mordiendo el anzuelo —respondió Carlisle sonriendo.

—Al menos está apuntando en la dirección correcta. Esperemos que sea concienzudo.

Carlisle se acercó a la ventana y miró abajo, al tranquilo barrio en el que llevaba metido desde que siguiera a Malloy a su llegada al aeropuerto.

—Después de la tercera llamada, Malloy salió del restaurante y desapareció en pocos minutos entre la multitud —siguió diciendo Chernoff—. Lo único que sé con seguridad es que no volvió al hotel.

—Seguramente se reuniría con su contacto en Hamburgo.

—O con los Brand.

—¿Todavía no ha vuelto al hotel? —preguntó Carlisle, mirando la hora.

—Ni rastro de él.

—¿Qué están diciendo los agentes Sutter y Randal sobre nuestro hombre?

—Están desilusionados. Se suponía que iban a reunirse con Malloy esta mañana, pero los ha dejado plantados.

—Vale, llámame cuando aparezca.

—Lo sabrás en cuanto lo sepa yo. ¿Estás bien? ¿Puedo enviarte algo?

—Todavía estoy un poco nervioso.

—Puedo mandarte a una chica, si quieres.

—¿Y por qué no vienes tú? —repuso Carlisle, después de pensárselo un momento.

Chernoff no respondió de inmediato, aunque al final dijo:

164

—¿Crees que es buena idea?

—La verdad es que no se me ocurre ninguna idea mejor.

El Aussenalster (Hamburgo).

El día estaba nublado y borrascoso, lo peor para un crucero. Les venía bien porque, incluso siendo sábado, día en que los barcos estaban abarrotados, no había mucha gente. Malloy subió a bordo temprano, pidió una taza de café y un cruasán, y se dirigió a la cubierta superior, en la que apenas se veía un alma. Cuando la tripulación empezaba a retirar la plancha de abordaje, una pareja joven apareció corriendo por la plaza y subió al barco. Malloy los estuvo observando hasta que el joven lo vio. Después se retiró a un banco y esperó.

La pareja apareció pocos minutos después, vestidos de forma cómoda para la salida, con gorros de lana, gafas de sol, voluminosas bufandas de punto y grandes chaquetas. Se sentaron al otro lado del pasillo sin dar signos de haber visto a Malloy y contemplaron la orilla mientras el barco se alejaba del puerto.

Las pocas personas que estaban en la cubierta superior duraron pocos minutos en ella, ya que el viento frío las empujó al interior. Cuando solo quedaban Malloy y la pareja, él les preguntó en inglés:

—¿Alguna prueba de que habéis entrado en el país?

—Somos buenos —respondió Kate.

—Siento haberos avisado con tan poca antelación, pero vamos a tener que encontrar a Jack Farrell antes de que lo detenga la policía alemana.

—Ayudaremos en lo que haga falta —respondió Ethan.

—Creo que podríamos empezar secuestrando a Hugo Ohlendorf.

Ethan se puso en tensión de inmediato. El contacto de Ohlendorf con Xeno era un detalle que Malloy había eliminado de su investigación, pero a Hugo Ohlendorf lo había encontrado Ethan. Ohlendorf representaba los intereses de cuatro ancianos que se sentaban en el consejo de administración de la Orden de los Caballeros de la Lanza Sagrada. Al morir Robert Kenyon, el consejo, que se hacía llamar el Consejo de los Paladines, lo formaban Ohlendorf, Jack Farrell, el padre de Farrell, Luca Bartoli, Giancarlo Bartoli y Robert Kenyon. Después de la muerte de Kenyon, David Carlisle y Christine Foulkes habían reemplazado al lord y al padre de Jack Farréll. Al contar con el voto de cuatro paladines, Hugo Ohlendorf era, al parecer, una fuerza considerable en vez de una minoría, como cuando vivía Kenyon.

Los Caballeros de la Lanza Sagrada se habían formado en los días posteriores a la construcción del Muro de Berlín, en el verano de 1961. En aquel momento, el único objetivo de la Orden era alertar a las conciencias occidentales sobre la desesperada situación de Berlín Occidental. Conforme se redujo el peligro inmediato, los Caballeros de la Lanza Sagrada se dedicaron a intentar eliminar las restricciones para viajar a la Alemania del Este y, finalmente, a luchar por una Alemania unida. Por el camino, si es que no fue así desde el principio, los paladines también colaboraron en secreto con varias agencias de inteligencia occidentales para desestabilizar distintos regímenes al otro lado del Telón de Acero.

Después de la caída del Muro, la Orden se centró en apoyar causas humanitarias en países destrozados por la guerra, empezando por los distintos conflictos de los Balcanes de principios y mediados de los noventa. Ethan y Malloy creían que los trabajos humanitarios de los paladines podían haberles ofrecido una tapadera excelente para una actividad encubierta continua. Sin duda contaban con unas redes en el viejo bloque del Este que los hacían útiles, pero no quedaba muy claro qué era lo que hacían exactamente, ni para quién lo hacían.

Como todas las partes involucradas en la bancarrota de lord Kenyon también eran paladines, Ethan sostenía desde hacía tiempo que el asesinato había tenido motivos políticos, una especie de golpe. A primera vista, la teoría tenía sentido: suponiendo que existiese un cisma, la facción Farrell-Bartoli podría haber actuado contra Kenyon. Lo que no tenía sentido era que Kenyon no viese el problema. Si había tensiones con sus antiguos aliados, ¿por qué arriesgar su fortuna en un negocio con ellos?

Después de la rotunda afirmación de Malloy sobre Hugo Ohlendorf, Kate sonrió alegremente y respondió:

—¿Quieres secuestrar al fiscal local?

—Antiguo fiscal local —la corrigió él.

—¿Crees que podría decirnos algo sobre Farrell?

—Eso es lo que necesito averiguar. Está relacionado con los bajos fondos de Hamburgo, así que puede ser el vínculo entre Jack Farrell y Helena Chernoff. Pero no tengo pruebas que apoyen la teoría.

—Si hablamos con Ohlendorf quizá podamos olvidarnos de Farrell —sugirió Ethan—. Es decir, la idea es descubrir lo que le pasó a Kenyon.

—Podemos preguntarle —respondió Malloy—, aunque la situación ha cambiado. Tengo que encontrar a Farrell antes de que lo hagan los alemanes, así que el primer punto de la agenda es averiguar si Ohlendorf puede decirnos cómo encontró Farrell a Chernoff.

—¿Cómo quieres hacerlo? —preguntó Kate.

—En cuanto sepamos que Ohlendorf está en casa, nos meteremos dentro y lo sacaremos. Os dejaré a vosotros dos la organización. Tengo un sitio preparado en el barrio de St. Pauli para interrogarlo durante todo el tiempo que queramos, pero lo difícil va a ser llevarlo hasta allí.

Ethan sacó un GPS portátil y le pidió a Malloy la dirección de Ohlendorf y del piso franco. Malloy le dio la información. Mientras Ethan estaba con ello, Malloy les dijo en qué hotel de la Neustadt se alojaba y el número de habitación, y le entregó una llave a Kate.

—¿Qué vamos a hacer con la mujer y los hijos? —preguntó Ethan, sin dejar de mirar la pantalla. A Malloy le parecía algo alterado por la idea de secuestrar a alguien como Ohlendorf, aunque intentaba no demostrarlo.

—Dímelo tú. Lo que sé es que su mujer y su hija estarán en casa. Si tenemos mala suerte, su hijo de veintitantos, que estudia en Berlín, podría estar pasando el fin de semana con ellos. Y podría haber servicio doméstico interno.

—Mala cosa —repuso Ethan, mirando a Kate para ver cómo se lo tomaba—. Son demasiadas variables, ni siquiera conocemos su rutina.

—Tendremos que enfrentarnos a lo que surja —dijo Kate.

Ethan asintió, pero no estaba contento.

Después de un par de paradas, el barco salió del lago y siguió un canal hacia los enclaves más ricos de Hamburgo. Las mansiones de distintos tamaños y estilos se alineaban junto al agua. Casi todos los hogares tenían algún tipo de muelle en el canal, y algunos contaban con barcos adecuados para el Aussenalster, que era relativamente poco profundo, aunque la mayoría se trataba de lanchas motoras que también podrían navegar por el Elba. Poco después de entrar en los canales, Malloy señaló con la cabeza un palacio blanco bien colocado en medio de un jardín de estilo español. Una alta verja de hierro forjado rodeaba la propiedad, y un yate Bayliner de diez metros esperaba anclado en el muelle.

—La casa de Ohlendorf —aclaró.

Ni Kate ni Ethan respondieron. Se limitaron a observar la propiedad mientras el barco avanzaba en paralelo a ella. Después, Malloy quiso saber qué pensaban.

—Tiene un perro, quizá dos —respondió Kate—, una cámara en el muelle, probablemente otra en la puerta principal. Por lo demás, seguridad básica. La forma más segura de entrar, teniendo en cuenta el tiempo del que disponemos para organizarlo, es no hacer caso de la alarma, y entrar y salir antes de que la policía pueda reaccionar.

—Con una casa de ese tamaño —añadió Ethan— es muy posible que haya una doncella interna. Si es una pareja, el hombre se encargaría de la propiedad y quizá sirviese también de guarda de seguridad.

—Lo que no podemos permitirnos es perder tiempo dentro asegurando el lugar —dijo Kate—. Tendremos un problema bien gordo si el hijo está dentro o si Ohlendorf cuenta con alguien entrenado para enfrentarse a allanamientos.

—¿Y una habitación del pánico? —preguntó Malloy.

—En cuanto entremos en la propiedad saltará el aviso de la alarma. Si no introducimos un código en pocos segundos, la alarma se disparará —le dijo Kate—. Digamos que nos enfrentamos a un macho alfa ex fiscal y a un guardaespaldas que no quiere parecer cobarde delante de su jefe. Me parece que, si tienen una habitación del pánico, la mujer y la chica entrarán, y los chicos irán a por sus pistolas.

—Probablemente se daría la misma situación si Ohlendorf está solo —añadió Ethan—. Por lo que sé de él, es un loco de las armas, pertenece a un par de campos de tiro. También es una especie de *groupie* de la policía, así que no querrá que sus colegas lo saquen de una habitación del pánico. Como estamos tan lejos, los polis tardarán un poco en responder. —Fijó la vista en el mapa virtual del navegador—. Diría que tenemos de ocho a quince minutos desde que suene la alarma hasta que lleguen.

—No es mucho tiempo para neutralizar a un hombre con un arma dentro de su propia casa —respondió Malloy.

—El problema no es ese —le aseguró Kate—, sino salir.

—Las carreteras no son buenas —dijo Ethan, asintiendo, sin levantar la mirada del mapa—. Se puede avanzar bastante, pero al final te quedas atrapado entre puentes y canales. Solo hay unos cuantos puntos de huida, y seguro que los polis los conocen. Vamos, que les pagan para proteger a esta gente.

—¿Podemos sacarlo por el agua? —preguntó Malloy.

—Tendremos barcos de policía que vendrán por el lago —respondió Kate—. Si nos ven (y seguramente seremos los únicos que estemos en el lago) podría ser mucho peor que las carreteras.

—Tienes un máximo de seis minutos para salir de la casa y llegar al primer muelle —le dijo Ethan, sin apartar la vista en ningún momento del GPS—. Digamos... cuatro minutos dentro de la casa..., podríamos salir del lago antes de que oyesen la alarma.

—Si nos vamos por agua no quiero utilizar el primer muelle —dijo Kate—. Quiero estar más cerca del centro, con un coche esperando para poder perdernos entre el tráfico. Y tenemos que estar en el lado oeste del lago, así no habrá que usar los puentes. ¿El barrio de St. Pauli, decías?

Malloy asintió.

—Aquí, el muelle en la Alte Rabenstrasse —sugirió Ethan, dando un golpecito en la pantalla.

—Debería estar bien por la noche —respondió Kate, mirando la pantalla—. Aunque todavía podríamos enfrentarnos a un barco de policía rápido. Si sucede, todos los polis de Hamburgo sabrían nuestra posición.

Guardaron silencio, pensándoselo. Finalmente, Ethan dijo:

—Creo que puedo engañar a un barco de policía para que vaya en otra dirección.

—¿Cómo? —preguntó Malloy.

—Yo me encargo —repuso el otro, sonriendo—, pero vamos a necesitar un coche limpio que pueda sacarnos del muelle y meternos en la ciudad.

—Tengo algo que podríamos usar —dijo Malloy.

—Pues pon un coche en el muelle esta tarde, y yo me encargo de la policía del lago —le aseguró Ethan.

—¿Cómo vamos de equipo? —preguntó Malloy.

—Me parece que no habrá problema —respondió Kate.

—¿Y el barco?

—Si nos consigues el coche para la huida, nosotros nos encargamos de llegar al lago y encontrar un barco —dijo Kate—. Los barcos son fáciles.

—¿Nos encontramos en el hotel de la Neustadt sobre las diez?

—Seguramente lleguemos a las cuatro o así, si no te importa —repuso Kate—. Quiero intentar comer algo y quizá dormir un par de horas antes de salir. Ya sabes, por si resulta ser una noche larga.

Berlín (Alemania)
Otoño de 1931.

Rahn le escribía cartas a Elise casi todos los días. Le hablaba sobre el Languedoc, el cielo y las montañas; describía las vidas que había desenterrado en alguna biblioteca polvorienta; le decía los nombres de las ruinas que antes fueran ciudades, muchas más de las que había podido enseñarle; a veces hablaba de los amantes de los que quedaba constancia, casados con terceros y siempre deseando lo imposible, aunque fieles en todo momento a su promesa hasta el final de sus días. Le decía que, hasta conocerla a ella, el dolor que describían le había parecido un artificio poético, un suntuoso vacío que se hacía pasar por amor verdadero. Sin embargo, ahora sabía que lo que escribían era auténtico, y le preguntaba si había algo más bello que despertar cada día con la esperanza de recibir una carta suya. ¿Había algo más puro que el recuerdo de aquel beso en Montségur que, según él, permanecería grabado para siempre en su alma? Sin embargo, con aquellos sentimientos llegaba la atroz necesidad del deseo insatisfecho, la sensación de haber sido amenazado, apaleado y dado por muerto. ¿Cabía la posibilidad de volver a verse en un futuro? ¿Podía esperar al menos eso?

No le parecía posible vivir sin ella y, sin embargo (escribía), los días seguían pasando. Cuando exploraba una cueva, se imaginaba cómo sonreiría ella ante su labor, y eso le daba fuerzas. Cuando leía o releía las narraciones sobre batallas, o cuando un anciano le contaba otra historia más que nadie había registrado, algo que el anciano le había oído a los ancianos de hacía cincuenta años, Rahn ya no se paraba a pensar en cómo plasmarlo en su libro, sino que calculaba su valor por un solo parámetro: ¿le gustaría a Elise?

Le dijo que había hecho lo correcto al rechazarlo aquella noche, aunque sin referirse concretamente a la noche en cuestión. No debió pedirle que traicionase su juramento de fidelidad, pero, si ella supiera lo mucho que la había deseado, quizá lograse perdonarlo. Ella respondía a las cartas asegurándole que no había nada que perdonar, sino todo lo contrario, ya que se pasaba los días arrepintiéndose de lo que le había dicho.

Solo quería hacerlo feliz, y sabía que había fallado, con lo fácil que le habría resultado concederles a ambos lo que sus corazones tanto anhelaban, aunque fuese solo una vez. Quizá ardiera en el infierno por pensarlo, pero desearía haber ido a su habitación, tal como él le había pedido.

Él respondía alabando su virtud, diciendo que ella había sabido sobreponerse al deseo. Aunque querría ser como ella, el mundo y la carne lo desgarraban y necesitaba más que una fantasía en la cumbre de una colina. Sabía que el mundo habría objetado de haber cedido a la tentación, ¡siempre ocurría! A pesar de haber hecho bien en rechazarlo, él soportaría cualquier cosa a cambio de sus caricias, sus besos, su rendición. Y el sentimiento no se aliviaba con el paso del tiempo. Era justo como ella había dicho: ¡la lanza nunca dejaba de sangrar, la copa nunca se llenaba!

Una vez le escribió sobre los amantes de Dante, los que se entregaron a la tentación y pasaron la eternidad persiguiéndose en círculos sin llegar a tocarse nunca. ¡Los que habían resistido a la tentación, los verdaderos amantes, encontraron su recompensa en la eternidad! Sin embargo, por una hora con ella, daría esta vida y la otra, siempre que supiera que Elise no sufriría la ira divina...

Las cartas se convirtieron en una conversación interminable de deseo embriagador y extraña teología. Podían ser triviales, desesperadas o llenas de afecto. «¡No soy un cátaro! —exclamaba Rahn en una de ellas—. ¡Soy un hombre del siglo XX!». En la siguiente le decía a Elise que ella era Esclarmonde, la luz del mundo, la portadora del grial, la Reina de los Puros. Si alguna vez encontraba el grial, se lo llevaría a ella y lo pondría a sus pies...

A Elise se le aceleraba el corazón cada vez que veía sus cartas. Se rendía al deseo cuando terminaba de leer sus palabras y pensaba que era lo mismo que sentiría si recibiese un beso de buenas noches después de una noche de cortejo. Era la emoción de una joven que se da cuenta de que él la ama. No podía evitar responder las cartas en cuanto tenía ocasión. En ellas describía su jardín de la ciudad, sus sueños de la noche anterior, sobre todo si en ellos Rahn estaba sentado a su lado en las ruinas de Montségur. Escribía sobre el libro de Rahn y le prometía que el mundo se volvería loco por él cuando lo publicasen.

En una carta le decía que en Berlín empezaba a llover y que se sentía desgraciada. La ciudad le resultaba insoportable, con tantas revueltas, tiroteos y anarquía. No creía que ninguna otra ciudad del mundo tuviese tantos periódicos; y todos estaban tan seguros de la facción política a la que apoyaban que algo iba mal, muy mal en Alemania. Preferiría subir a una montaña en el soleado sur para buscar el grial perdido de los cátaros. Con aquel estado de ánimo, sin la oportunidad de estar con él allí, su único solaz consistía en sacar sus cartas para releerlas.

Ni una sola vez en su correspondencia mencionaron a Bachman, que, a veces, le entregaba las cartas en mano a Elise. Nunca preguntaba por su contenido, y ella las guardaba bajo llave. A su marido le habría resultado fácil forzar la caja en la que las tenía, pero después ella lo habría sabido, así que, gracias a una disciplina férrea inimaginable, resistía la tentación. Sin embargo, la observaba, estudiaba sus cambios de humor. Una vez, ya entrada la noche, después de ingerir demasiado vino, Bachman le preguntó si lo iba a dejar para irse con Rahn. Ella contestó: «Eres mi marido, Dieter. No te dejaré nunca». Otras veces le preguntaba por sus charlas privadas, ¿acaso Rahn le había llegado a pedir que se acostase con él?

—Nunca —respondió ella, y la mentira la hacía ruborizar.

—¿Te habrías sentido tentada?

—Mis sentimientos son privados, Dieter.

—Pero, ¿lo amas? —insistió él.

—No es algo que se pueda elegir —respondió ella—. No es como estar casado con alguien, sin duda. Escogemos casarnos y hacemos un voto sagrado ante Dios.

Aquella única mentira a Bachman manchaba la pureza de lo que sentía por su amante, así que odió a su marido por preguntárselo y por insistir en saber palabra por palabra lo que Rahn hablara con ella. Al parecer, había estado pendiente, ¡incluso había tomado notas! Ella contestó con sinceridad que no recordaba algunas de las conversaciones. En cualquier caso, ¿qué más le daba? ¡No había pasado nada!

—¿Te decepciona que ni siquiera lo intentase?

¿Cómo podía confesarle algo así a su marido? ¿Cómo iba ella a disfrutar con sus recuerdos si Bachman no dejaba de analizarlos? Todavía no había sentido el éxtasis espiritual, si es que tal era el objetivo de aventuras como aquella, pero sí sabía una cosa: la desesperación se había convertido en una vieja conocida.

A veces, Bachman hablaba con gran afecto de su belleza y bondad. Decía que tenía suerte de contar con una esposa como ella. Conocía a algunos hombres que no estaban casados y, al envejecer, ¡no les quedaba nada! ¡Él no quería ser así! Una vez se metió en su cama después de un ataque de adoración, aunque llevaban años sin hacer el amor. Las relaciones habían llegado a su fin de manera tan vacilante que Elise ni siquiera recordaba la última vez. En vez de besos y el cortejo de los amantes, Bachman le dijo que podía pensar en «él»; no dio nombres. Resultó deprimente.

—¿Sabe Otto...? —empezaban muchas de las conversaciones de aquel invierno. Y ella contestaba que no estaba segura o que no lo sabía. Él le pedía que le preguntase sobre el asunto, que normalmente se trataba de algo político, pero Elise estaba segura de que Rahn no lo entendería. En una ocasión, Bachman apareció con una nueva teoría que había encontrado sobre los cátaros (de repente era un voraz lector de historias sobre el tema), una información curiosa que pensaba que le gustaría a Rahn.

Elise encontró consuelo una noche, al darse cuenta de que solo Rahn comprendía por lo que estaba pasando, porque él también lo soportaba. No vivía en el mundo de Bachman cuando escribía a su amante o leía sus cartas. En aquellos momentos no estaba casada, ni era rica, ni se sentía sola, ni entendía de virtudes. En las cartas, la sonrisa deslumbrante y el bello rostro bronceado de Rahn eran suyos para siempre, estaban tan cerca que casi podía besarlos. En aquel estado podía perder el miedo y ser libre durante un rato. Se imaginaba sus intimidades con todo detalle. Después, al salir de la habitación, solía tener el aspecto fresco y ruborizado de una recién casada.

Rahn volvió a Alemania aquella primavera y le envío una nota informándola de que estaría unas semanas en la ciudad. Quería verla. Ella respondió enviándole una nota a su hotel, negándose a verlo, suplicándole que se mantuviese alejado. A pesar de todo, Rahn fue a su casa. Ella pidió a la doncella que le dijese que no podía atenderlo, pero él lo intentó dos veces más, exigiéndole que se lo dijese a la cara. Sola, esperando la reacción a su negativa, Elise lloró. Ningún hombre soportaría un insulto semejante, todo había acabado.

No hubo más cartas después de aquello. Seguir adelante sin sus palabras, vivir sin escribir cartas en respuesta a sus locos arrebatos de pasión y fantasía era como estar muerta. Antes de que Otto Rahn apareciese en su vida, Elise estaba más o menos satisfecha y consideraba que eso era ser feliz, por llamarlo de alguna forma. El deseo dormía en lo más profundo de su interior mientras ella se dedicaba a los quehaceres diarios. Después de conocerlo se sentía aislada, y el mundo le resultaba de una crueldad insoportable. Solo cuando se sentaba con él en las montañas de su imaginación podía encontrar algo similar a la paz, pero, al dejar de llegar las cartas, cada vez le resultaba más difícil verlo en su mente en aquel glorioso día en Montségur.

Poco después, todo su verano en Francia empezó a desvanecerse.

Una noche, durante la cena, Bachman le dijo:

—Otto me ha escrito. ¿Te lo ha dicho?

—¿Qué quería? —preguntó Elise, con el pulso acelerado, aunque no por el deseo, sino por el miedo, por mucho que no entendiese por qué una carta a Bachman pudiese atemorizarla. Quizá no fuese la carta, sino la expresión petulante de su marido.

—Le he ofrecido una oportunidad empresarial y él quería agradecérmelo.

—¿Qué clase de oportunidad?

—He convencido a algunos de mis socios para que firmen un contrato de arrendamiento por diez años del Des Marronniers. ¿Recuerdas el lugar? —Claro que lo recordaba, era el hotel en el que habían comido antes de descender a la *Grotte de Lombrives*—. Lo he arreglado todo para que Otto sea el propietario registrado, y él ha escrito para decirme que estaba encantado de poder dirigir la propiedad.

—¡Pero es escritor, no hotelero!

—Está muy emocionado, Elise. Creo que tú también deberías estarlo.

—¿Y por qué iba a alegrarme viendo cómo destruyes la vida de un hombre con un negocio dudoso?

—¡Porque vamos a pasar el verano en el nuevo hotel de Otto!

—No lo dirás en serio.

—¡Creía que la idea te haría feliz!

El Royal Meridien (Hamburgo)
Sábado, 8 de marzo de 2008.

Malloy salió del barco en el muelle de Alte Rabenstrasse y, con la ayuda de un mapa de la ciudad, encontró una estación de metro a menos de medio kilómetro. Desde allí volvió al Royal Meridien y durmió un par de horas. Por la tarde fue al patio trasero de Das Sternenlicht y recogió el Toyota que Dale había preparado para él. El sol se ponía, pero había luz de sobra para ver bien la zona. Como la única bailarina de Dale, el aparcamiento tenía mal aspecto; detrás de él solo había hoteles de mala muerte, clubs sexuales, tres bares de taburetes, clubs de *striptease* y librerías de material para adultos. Sin embargo, los edificios estaban bien hechos. Justo frente a la parte de atrás del Sternenlicht, por ejemplo, los pisos superiores estaban fabricados con unos lujosos bloques de piedra que llegaban hasta el tejado. En cualquier otra parte de la ciudad, aquellos pisos y oficinas habrían llamado la atención de los más adinerados.

Había dos callejones que daban al patio; uno estaba pegado al Das Sternenlicht y no era más que una acera, aunque podía pasar un coche pequeño; el otro era lo bastante grande para que entrasen camiones de reparto. En el centro de la plaza se veían algunos espacios vacíos, pero la mayoría de las plazas de aparcamiento estaban pegadas a los edificios.

Malloy fue hacia el norte por una serie de calles laterales y atravesó el barrio de clase obrera de St. Pauli. Desde allí avanzó hasta el Aussenalster y aparcó el Toyota en una calle secundaria cerca del muelle de Alte Rabenstrasse, desde donde caminó diez minutos hasta la estación de metro. A las ocho ya estaba en el Royal Meridien.

Jim Randal y Josh Sutter estaban en el bar del hotel tomándose un par de cervezas de grifo. Se mostraron fríos, sin ocultar su decepción con el contable del Departamento de Estado.

—Te hemos echado de menos esta mañana —le dijo Josh Sutter sin mirarlo a los ojos.

—Me acosté tarde.

—Lo que tú digas.

—¿Algún problema, chicos?

—No entendemos a qué te dedicas —respondió Randal, dejando salir su duro acento de Queens—. No quieres hablar con los investigadores. No nos cuentas lo que haces. Pides un número de teléfono y después, cuando lo consigues, ¡te vas por ahí a montarte un trío! —Se notaba que Randal llevaba el discurso ensayado.

Sutter, el poli bueno que servía de contrapunto al poli malo de Randal, se inclinó con los codos en las rodillas y se frotó las manos.

—Mira, T.K. —empezó, en tono conciliador—, el tema es que tenemos muchas preguntas que no podemos responder.

—¿De los alemanes?

—De nuestro supervisor de Nueva York. Es como si..., ¿de verdad estás aquí, trabajando en esto? Es decir, ¿qué está pasando?

—Jack Farrell se ha puesto en manos de Helena Chernoff.

—Dinos algo que no sepamos —gruñó Randal.

—Cuando averigüe cómo se puso en contacto con ella, tendré a Farrell y a Chernoff, pero os garantizo una cosa: Hans no va a poder ayudarme.

—¿Y el dinero? —preguntó Randal, no muy satisfecho—. Creía que era tu especialidad. Perito contable, ¿no?

—¿Y si os dijera que tengo la oportunidad de encontrar a Farrell esta noche, incluso de detenerlo?

La expresión de Josh Sutter se relajó, aunque Jim Randal no estaba tan convencido.

—No puedes jugar esa baza sin darnos algo tangible. Dinos lo que estás haciendo. ¿Tienes algo o es otra cena china?

—Es extraoficial, caballeros —respondió Malloy, sacudiendo la cabeza. Esperó a que los agentes se mirasen entre ellos, pero esta vez lo decepcionaron. Se quedaron mirándolo como si acabase de proferir una blasfemia; en su mundo todo era oficial.

—¿Crees que puedes encontrar a Jack Farrell esta noche? —preguntó Sutter, y una vena empezó a latirle en el cuello. El espía tenía algo y eso le encantaba. Malloy asintió, pero no dijo nada más.

—¿Dónde está la pega? —preguntó Randal.

—La pega es que no quiero involucrar a los alemanes.

—Teniendo en cuenta que estamos en medio de Alemania, ¡puede que resulte difícil! —exclamó Sutter riéndose.

—¿Queréis llevaros a ese tipo a casa o iros sin él? —preguntó Malloy.

—¿Para quién trabajas, T.K.? —preguntó Randal, después de examinar la habitación—. ¡Porque no me trago esa tontería del contable!

—Escuchadme, los alemanes no van a entregaros a Jack Farrell. Si lo detienen, se quedarán con él. —Era una mentira descarada, pero Randal y Sutter no lo sabían. Desde su punto de vista, perder a Jack Farrell en manos alemanas podía considerarse un desastre.

—Oye —respondió Randal, que de repente parecía cabreado con alguien más aparte de Malloy—, ¡Farrell es nuestro!

180

—Si los alemanes se involucran, será suyo.

—Hans nos dijo... —empezó a decir Josh Sutter, sacudiendo la cabeza.

—En cuanto detengan a Jack Farrell, Hans desaparecerá. Os reuniréis con tíos que no hablarán inglés. Resumiendo una larga y triste historia, volveréis a casa sin Farrell, y el ministro de Justicia de los EE.UU. tendrá que escuchar todas las leyes alemanas que rompió el fugado al entrar en el país con un alias.

—¿Para qué iban a querer a ese tío? —preguntó Josh Sutter.

—Os podría dar un millón de razones —respondió Malloy, sonriendo—, pero la respuesta corta es: porque pueden. Ya ha pasado antes, y los dos lo sabéis.

—Pero Hans dijo...

—Hans os dice lo que sus jefes le piden que os diga.

Los dos se enfadaron, pero lo creyeron. Aunque no querían creerlo, lo creían, y también sabían que no podrían hacer nada al respecto si los alemanes decidían llevar a Jack Farrell ante un tribunal de justicia alemán.

—Por otro lado —siguió Malloy—, si arrimáis el hombro con la detención cuando ocurra, si es que ocurre, yo tendré a vuestro hombre en suelo americano antes de que los alemanes descubran que lo hemos cogido.

—¿Cómo? —preguntó Josh Sutter—. ¿Cómo vas a hacerlo, T.K.? ¿Vas a metértelo en la maleta?

—Tenemos más de una docena de bases militares estadounidenses a unas cuantas horas al sur de aquí. Suelo americano, caballeros. Si metemos a Jack Farrell en una, es nuestro.

—¿Esta noche? —preguntó Sutter.

—Puede que esta noche, puede que al alba. Puede que mañana por la mañana. Ahora mismo estoy a un paso de distancia y no hay nada seguro. Pero, si surge algo, será después de medianoche y necesito saber si puedo contar con vosotros.

—¿De qué estás hablando? —preguntó Randal—. Quiero decir, ¿qué quieres que hagamos exactamente?

—Voy a usar a dos personas para la extracción y tengo a otra cubriéndonos las espaldas. No estoy seguro de que sea suficiente una sola persona, me preocupa que entremos a por él y Chernoff saque una segunda línea de defensa detrás de nosotros. Os necesito en el perímetro para que nos informéis de lo que pasa y de la pinta que tiene. Nosotros nos encargaremos de lo que llegue, no necesito más armas, pero sí saber con antelación si viene alguien más. Y ese será vuestro trabajo.

—¿Es sólida tu pista? —preguntó Jim Randal después de mirar a su compañero.

—Es prometedora. En el peor de los casos no nos dará nada, pero, si sacamos algo, y creo que podríamos hacerlo, no voy a tener tiempo de explicarme. Os necesitaré a los dos... o tendré que hacerlo solo y rezar por no meterme en una trampa. Si es mi única opción, que así sea, aunque no os llevaréis el mérito por la detención. Por otro lado, si aceptáis, yo volveré a mi cueva y os dejaré la gloria a vosotros.

—Te agradezco que te sinceres con nosotros —dijo Randal, después de volver a mirar a su compañero y a Malloy.

—Y yo me alegro, porque acabo de meteros en medio de una conspiración criminal —fue como si los dos hombres recibieran un puñetazo en la mandíbula—. Si queréis dejarlo, será mejor que llaméis a Hans para decirle lo que os acabo de contar. Si no, formáis parte de esto, hagáis lo que hagáis esta noche.

—Nadie va a llamar a Hans —respondió Sutter.

—Si cogemos a Farrell —le dijo Malloy— y los alemanes descubren lo sucedido, cosa que harán en cuanto puedan ana-

182

lizar la situación, pedirán que os extraditen a los dos para juzgaros aquí. Por supuesto, en Nueva York seréis unos héroes y no habrá nadie dispuesto a entregaros a los alemanes.

Intercambiaron miradas, sopesando los riesgos y las recompensas. Era un trabajo peligroso, y Malloy no quería que se metieran en el fregado sin darse cuenta antes de que se trataba de algo ilegal.

—¿Qué harán los alemanes si nos pillan? —preguntó Sutter.

—Os amenazarán, ya sabéis cómo son los polis, pero, si les dais lo que quieren, os dejarán volver a casa. Obviamente, no os permitirán volver por aquí...

—Puedo vivir con eso —respondió Randal—. ¿Qué van a querer?

—A mí. No pasa nada, si la policía acaba metida en esto, será culpa mía. Podéis contarles a los alemanes todo lo que sepáis, sin rencores.

—¿Y qué te van a hacer a ti?

—No os preocupéis por mí, es mi trabajo.

Volvieron a intercambiar miradas. No se acobardarían ni de broma, sobre todo si podían volver a Nueva York con Farrell esposado.

—Cuenta con nosotros —afirmó Randal.

—Lo que necesito es que esta noche estéis preparados para recibir una llamada. En algún momento entre medianoche y el alba. Estad vestidos y listos para moveros en cuanto oigáis mi voz. —Le entregó a Randal un trozo de papel con una dirección y un número de móvil—. Id a esta dirección. Es un bar. Uno entra y se sienta a tomar algo. El otro se queda en el coche y deja el motor en marcha. ¿Estáis los dos armados?

—Tenemos una licencia provisional —respondió Randal—, pero Hans nos dijo que nos jugábamos el pellejo si sacá-

bamos de verdad las armas, a no ser que se tratara de una situación de vida o muerte.

—Si nos metemos en líos, no se lo vamos a explicar a los
alemanes. Nos ocuparemos de nuestros asuntos, nos esconde-
remos y esperaremos a la caballería. Y si me pasa algo... —Malloy dio unos golpecitos en el número de teléfono que había
escrito en el papel—, llamad a este número. La persona que
responda os sacará del país.

—¿Tiene nombre? —preguntó Randal.

—Claro que sí, pero no tenéis por qué saberlo. Limitaos a
llamarla si os quedáis solos, y haced exactamente lo que os diga.
Por ahora, id a comer algo e intentad dormir un poco antes de
las doce... y estad listos para dejarlo todo atrás, llegado el caso.

—¿Te refieres al equipaje? —preguntó Sutter, preocupado.

—Os reembolsaré todo o haré que alguien lo recoja, si es
posible, pero, si tenéis algo que no queráis perder, metedlo
ahora en el coche. Y... quizá sea buena idea cambiar las matrí-
culas por las de otro coche del aparcamiento.

—Eso es un delito grave —repuso Randal. Aunque no lo
decía en broma, Malloy sonrió.

—Vaya, ¿crees que te extraditarán por eso?

Neustadt (Hamburgo).

Malloy se sirvió espaguetis dos veces en un restaurante italiano
familiar y se bebió un par de copas de vino tinto para tranqui-
lizarse. No se molestó en tomar café. De camino a su hotel de
la Neustadt, Dale Perry lo llamó.

—El abogado ha estado en la ciudad esta tarde, en su
oficina, durante unas cuantas horas —le dijo—. Lleva toda la
noche en casa.

—Genial. Me pasaré a verlo dentro de un par de horas. ¿Encontraste algo sobre esos números de teléfono que te pasé?

—Estoy esperando la respuesta de mis contactos.

El cartel de «No molestar» seguía colgado en la puerta de Malloy, tal como él lo había dejado, aunque habían doblado una esquina, así que llamó. Un momento después, Ethan le abrió la puerta. Kate estaba sentada en la cama; no cabía duda de que había estado durmiendo e intentaba espabilarse. Ethan tenía aspecto de no haber dormido en un par de días.

Vestían vaqueros negros y jerséis de color oscuro. Malloy le echó un vistazo a una de las dos bolsas de lona negra que habían tirado en el suelo y vio tres AKS-74, el modelo aerotransportado de la clásica Kalashnikov con la culata metálica triangular plegada a un lado, tres granadas de mano, la culata de una Colt del ejército y un surtido de munición y cargadores, chalecos antibalas, gafas de visión nocturna y herramientas.

—¿De dónde has sacado todo esto? —le preguntó a Kate.

—Tengo un amigo en Zúrich —respondió ella, bostezando.

—Probablemente lo conozca —comentó Malloy, que era amigo íntimo del jefe del crimen de Zúrich, un hombre llamado Hans Barzani. De hecho, había ayudado a poner a Barzani en lo alto de la pirámide. No conocía a otra persona en Zúrich capaz de tener aquel tipo de armamento en *stock*.

—Dudo que conozcas a mi chico —dijo Kate, sonriendo.

—Seguro que conozco a su fuente.

—Es probable, pero a mi chico no. Mi chico es... especial.

—Siempre que Giancarlo y Luca Bartoli no lo conozcan...

—Llevo mucho tiempo sin tratar con ellos —respondió ella; se inclinó para ponerse los zapatos—. Y, obviamente, para esto menos todavía.

Ethan se movía por la habitación mientras hablaban, limpiando las huellas de todas las superficies. Una vez hubo terminado, abrió una de las bolsas de lona y empezó a repartir el equipo. Lo primero que sacó fueron los guantes y las gafas de visión nocturna. Después los pasamontañas, los chalecos Cobra y unos impermeables sueltos para ponérselos encima. Finalmente repartió pistolas eléctricas, esposas, unos cuantos metros de cuerda e intercomunicadores. Los intercomunicadores tenían un alcance de tres o cuatro metros como máximo. Eran de alta calidad y captaban incluso susurros y respiraciones; podían apagarse o encenderse tocando un botón.

—¿Habéis conseguido un coche? —preguntó Malloy.

—Hay un aparcamiento a la vuelta de la esquina —le respondió Ethan mientras cogía las dos bolsas—. No debería resultar un problema.

La entrada del hotel estaba oscura cuando salieron. Eran poco más de las diez y la calle estaba tranquila. En un aparcamiento público un par de edificios más allá, Ethan encontró un coche aparcado en las sombras, y metió una hoja plana y larga entre la ventana del conductor y el lateral de la puerta. Enganchó un cable del interior y dio un suave tirón, lo que hizo que el cierre saltara y pudiese abrir la puerta. Kate y Malloy entraron, mientras él sacaba algunos cables del salpicadero, cortaba la funda de goma de un par de ellos y unía los extremos pelados. El motor gruñó y entró en funcionamiento, todo ello en un impresionante plazo de treinta segundos.

Desde atrás, Malloy comentó:

—Diría que no es la primera vez.

—Odio robar coches —respondió Ethan—. Pueden salir mal un montón de cosas. —Mientras lo decía, un coche de policía pasó junto al aparcamiento.

—Ya veo a qué te refieres —repuso Malloy.

Se dirigieron al norte a través de los barrios. No lejos del puente Krugkoppel, en el extremo norte del Aussenalster, Ethan entró en un pequeño aparcamiento. En el muelle, Malloy vio varios barcos en el agua.

—Poneos las máscaras —dijo Kate—. A partir de aquí podría haber cámaras.

—¿Qué barco? —preguntó Malloy mientras bajaban por la pasarela.

Kate señaló uno anclado a unos treinta metros de la orilla.

—El bonito.

CAPÍTULO SEIS

El Aussenalster (Hamburgo)
Sábado-domingo, 8-9 de marzo de 2008.

EL BARCO ERA UNA LANCHA DE SEIS METROS CHRIS CRAFT de los años treinta, larga y baja. Como solo contaba con unas cuantas luces de navegación fáciles de desactivar, era prácticamente imposible verla en el lago.

Ethan cogió unas cizallas de una de las bolsas y soltó un pequeño bote neumático de su anclaje a la orilla. Remó hasta el Chris Craft, cortó el cable que lo sujetaba, le hizo un puente al motor Chrysler y llevó el barco al muelle. Malloy y Kate echaron a bordo el equipo y subieron con él.

La lancha estaba hecha con madera de caoba y adornos de cromo. Una vez en el agua, Kate apagó las luces de navegación, Ethan sacó el GPS y llevó la lancha río arriba hacia los canales.

Eran casi las once cuando llegaron a la casa de Hugo Ohlendorf. Salvo por una sola luz de seguridad en el muelle, la propiedad estaba a oscuras. Antes de hacer nada, Kate dejó el barco oculto en las sombras, frente a la casa.

—Parece en silencio —susurró.

Ethan se metió el GPS en el bolsillo, se bajó del asiento y abrió uno de los sacos de lona. Después le entregó a Malloy uno de los Kalashnikov y cogió otro para él.

—Cuando estemos en la propiedad, yo me encargaré del perro —les dijo Ethan mientras se colocaban las armas—. T.K., tú te encargas del centro del patio hasta que te llame. Cuando tengamos la puerta de atrás, quiero que entres haciendo ruido.

—Vosotros dos sois la distracción —explicó Kate, cogiendo el segundo fusil de dardos tranquilizadores—. Yo me encargaré de la detención.

—A partir de ahora, nada de nombres —añadió Ethan, después de sacar un mazo y algunas cizallas.

Kate aceleró y giró bruscamente a la izquierda. La lancha se movió en un lento arco de ciento ochenta grados hasta llegar al lado de babor del Bayliner amarrado al muelle de Ohlendorf.

En cuanto los dos botes chocaron, el panel de la alarma de la cancela dejó escapar una alarma.

—¡Vamos! —ordenó Kate.

Malloy salió del Chris Craft y se subió al barco de Ohlendorf. Kate lo siguió fácilmente. Ethan le tiró el mazo y las cizallas, y empezó a atar los dos barcos juntos, de proa a popa.

Estaba con el segundo nudo cuando se encendieron las luces de la propiedad y la alarma rompió el silencio. Diez segundos. Malloy notó una breve punzada de pánico. Seguían en el canal, a unos cuarenta metros de la casa, con una verja de hierro entre Ohlendorf y ellos. A pesar de todo, Ethan terminó de atar los barcos, mientras Kate observaba pacientemente.

Cuanto terminó, pasó al mayor de los dos barcos, cogió el mazo y bajó al muelle de un salto. Malloy bajó con más cuidado, en deferencia a sus viejas rodillas. Kate dejó las cizallas al lado del cable que ataba el Bayliner al muelle; Ethan se dirigió a la verja y blandió el mazo.

El candado se rompió al primer golpe, y los tres corrieron hacia la casa.

El pastor alemán de Ohlendorf salió de entre las sombras sin hacer ruido. Era un perro guardián entrenado, no la mascota de la familia, así que Ethan lo derribó con un dardo tranquilizador, dejó caer el fusil y sacó un cuchillo de combate. El perro dio un respingo al recibir el dardo, pero siguió avanzando con los colmillos fuera. Ethan levantó el antebrazo izquierdo en posición defensiva. Cuando el animal se lanzó a por él, le dio un gancho de derecha en la mandíbula. El perro, pillado por sorpresa, aulló y cayó al suelo. Pasó unos segundos intentando levantarse, pero después pareció perder todo interés y se quedó tumbado en la hierba, medio dormido.

Ethan salió corriendo hacia la casa y se detuvo antes de llegar al muro, momento en el que se volvió para mirar a Kate, que trotaba detrás de él como una saltadora de altura antes de dar el brinco final para superar la barra. Pisó el muslo extendido de Ethan con el pie derecho y su hombro con el izquierdo, y, sin perder el impulso ascendente, saltó como si nada hacia el segundo piso. Ethan ordenó a Malloy que entrase mientras Kate escalaba por el tejado.

Malloy llegó a la casa justo cuando Ethan abría la puerta de una patada.

Hugo Ohlendorf y su mujer estaban leyendo en la cama cuando oyeron la alarma y vieron que los focos del exterior se encendían. Su mujer dijo una palabrota en voz baja y preguntó qué sucedía.

—Quédate aquí —le contestó Ohlendorf—. Lo averiguaré.

Puso el punto de lectura en su sitio y dejó el libro en la mesita de noche al sentarse. Cogió su Beretta 92FS de acero inoxidable y le puso el cargador que guardaba en la mesita. Tras meter una bala en la recámara, se puso las zapatillas y se levantó.

—¿Llamamos a la policía? —preguntó su mujer.

—Están de camino.

Ohlendorf había disfrutado de un largo idilio con las pistolas y solía disparar en competiciones un par de veces al mes. Aunque a sus cincuenta y tres años ya no aspiraba a las marcas más altas, sí que se consideraba un participante sólido. De hecho, había estado en su campo de tiro favorito la tarde anterior y había quedado el sexto de unos treinta seis tiradores. Un buen resultado, teniendo en cuenta a los competidores, aunque no fuese el mejor.

A pesar de todo, notaba la pistola rara en la mano y una extraña sensación de temor en la garganta. «Son chavales», pensó. Intentó imaginarse a un grupo de quinceañeros pasando con el coche y tirando algo a la cancela, pero su cuerpo le decía que se trataba de algo distinto.

Había hablado con algunos policías sobre momentos como aquel. Le contaban que la primera emoción era el miedo en estado puro. Después se negaban a creérselo. Por el momento, él seguía el mismo patrón. Al abrir la puerta del dormitorio, Ohlendorf vio que su hija de diecisiete años estaba en el pasillo mirándolo con curiosidad.

—Vuelve a entrar, Michelle —le dijo, pero ella se quedó mirando la pistola—. ¡Vuelve a tu cuarto!

—¿Qué está pasando? —preguntó ella, parpadeando.

—Seguro que son unos chavales armando follón, pero voy a asegurarme.

—He oído cristales rotos.

—¡Vuelve a tu cuarto! —le ordenó él, sin preguntarle dónde había oído el ruido.

Cuando se cerró la puerta, avanzó por el pasillo a oscuras. Empezó a sonar el teléfono; la empresa de seguridad. Si no respondía de inmediato, llamarían a la policía. «Pues que llamen», pensó. Tenía las manos sudorosas por culpa del miedo y notaba un nudo en el pecho. Cristales rotos, eso quería decir que habían entrado en la propiedad. El sabor metálico de la adrenalina era cada vez más intenso, y la casa a oscuras, su retiro privado del mundo, le parecía un lugar aterrador. Quería que llegase la policía y, sobre todo, deseaba que un profesional tranquilo le dijese que todo iba bien. Sin embargo, estaría solo durante los diez o quince minutos siguientes.

Susurró de nuevo la palabra que lo tranquilizaba, *chavales*, aunque los chicos imaginarios habían crecido, y eran más grandes y mucho más peligrosos. Recordó lo que le habían dicho sus amigos policías: después de asustarte y negar la evidencia, empezabas a pensar en lo que sucedería si disparases a alguien que no va armado... o te preguntabas si se te paralizarían los músculos. Le dijeron que, a veces, el mero hecho de intentar levantar el arma o dar un paso adelante era más de lo que podían soportar.

Ohlendorf nunca había sentido un temor semejante y no tenía ni idea de si sería capaz de superarlo. Acababa de dejar atrás el dormitorio de su hija y, de repente, llegar a las escaleras le parecía imposible. Le dolía el pecho y apestaba a miedo. Entonces, al oír cómo se hacía añicos la puerta trasera, ocurrió algo extraño: pasó a la siguiente emoción, la rabia. Según le contaron, a veces te paralizabas, pero, otras veces, perdías el miedo y seguías adelante, ¡porque no te gustaba que alguien entrase en tu propia casa!

Aunque no lograba recordar cómo había llegado hasta las escaleras, hincó una rodilla en el suelo, se apoyó en la pared enyesada y se asomó a la barandilla. Oyó cristales que se rompían en el comedor y una silla que caía al suelo. Esperó a que subieran a por él y pensó en sus prácticas de tiro al blanco. Entonces, un miedo nuevo perforó su dura coraza emocional, un miedo extraño, teniendo en cuenta la situación: ¡iba a matar a alguien! Resultaba curioso cómo reaccionaba su cuerpo ante la idea. No era como encargar la muerte de una persona, cosa que siempre le hacía sentir un poder con tintes eróticos. Solo había que decir una palabra, transferir el dinero a una cuenta, y una vida se extinguía… ¡a veces una vida muy importante! No había nada parecido, pero aquella vez pasaría delante de él, él tendría que apretar el gatillo y ver la sangre, explicárselo a la policía, y ver cómo su mujer y su hija se enfrentaban al suceso. Nada de anonimato. Ocurriera lo que ocurriera en los siguientes segundos, él respondería por ello.

Más ruidos de cosas rotas abajo. Dos hombres como mínimo, a juzgar por el estrépito. Pudo ver a uno de ellos, una figura negra de pies a cabeza. Llevaba máscara y un Kalashnikov. Al ver el fusil, Ohlendorf vaciló, porque un Kalashnikov era capaz de disparar diez balas por segundo. Si el otro hombre también tenía uno, en cuanto él utilizase la Beretta abrirían fuego contra su posición. Diez balas por segundo durante tres o cuatro segundos reventarían la pared… y a él con ella. Mientras esperaba, deseando poder derribar a los dos antes de que respondiesen, Ohlendorf notó que algo le pinchaba la espalda. Intentó volverse para ver qué había pasado, pero se mareó. Al intentar espantar lo que le hubiese picado, empezó a caer hacia delante.

Ya estaba soñando cuando se golpeó contra el primer escalón, y completamente inconsciente antes de llegar al segundo.

Ethan vio que Ohlendorf caía hacia el rellano de las escaleras y corrió para frenar el golpe. Comprobó el pulso de su objetivo y se lo echó a la espalda.

—Tú delante, hombre —susurró Kate al bajar las escaleras.

Malloy salió por donde habían entrado. Siguiendo órdenes de Kate, se detuvo en medio del patio y se volvió para cubrir la retirada, aunque no se veía que nadie los siguiera. Tampoco se habían encendido más luces dentro de la casa. Kate lo llamó por el intercomunicador desde el muelle.

—¡A las lanchas! ¡Ahora!

Malloy corrió hacia el muelle. Kate cubrió su retirada, pero no hacía falta: aunque las luces seguían encendidas y la alarma sonaba, nadie los perseguía. Kate cortó el cable que amarraba el Bayliner y saltó a bordo. Ethan esperó en el lado de babor con Ohlendorf encima.

—Ayúdame a subirlo —pidió.

Kate saltó al Chris Craft y Malloy fue detrás de ella. Juntos recogieron el cuerpo de Ohlendorf para meterlo en la lancha pequeña. Ella se sentó al timón, mientras Malloy colocaba el cuerpo inconsciente del alemán en el suelo.

—¿Todo bien? —preguntó Kate.

—Lo tengo —respondió Ethan por el intercomunicador. Seguía dentro del Bayliner. Los motores gemelos arrancaron y las dos lanchas se alejaron del muelle juntas, con las luces del Bayliner encendidas.

Una vez en el lago, Ethan ató el timón y dejó que el Bayliner siguiera rumbo sudeste, lo que lo haría recorrer todo el largo del lago antes de chocar contra la orilla. Después saltó al Chris Craft y lo soltó del yate de Ohlendorf. El Chris Craft viró a la izquierda, detrás del Bayliner, para después girar a la derecha y atravesar la estela como una sombra oscura en el agua.

Siete minutos después de que sonara la alarma, oyeron las primeras sirenas de la policía en dirección norte por la carretera. Un minuto después vieron una lancha de la policía cruzando a toda velocidad el Aussenalster detrás del iluminado

Bayliner. Tres minutos después, los policías alcanzaban el barco, mientras el Chris Craft llegaba en silencio al muelle de Alte Rabenstrasse. Kate y Ethan desembarcaron a Ohlendorf, y Ethan lo cargó hasta el aparcamiento. Malloy corrió delante de ellos y arrancó el coche.

Trece minutos después de que sonara la alarma recorrían las calles con el coche.

Barrio de St. Pauli (Hamburgo)
Sábado-domingo, 8-9 de marzo de 2008.

Se metieron en una calle tranquila y vieron un coche de policía que avanzaba en dirección opuesta. Se movía a toda velocidad, aunque sin luces ni sirena. Malloy llevó el coche hacia la acera y, cuando observó que el policía no estaba interesado en ellos, volvió al centro de la calzada y observó al poli por el retrovisor.

—Están cerrando las carreteras —dijo Ethan. Llegaron a un semáforo y vieron otro coche de policía que avanzaba despacio por el cruce, aunque después aceleró, también sin encender luces ni sirena. Se metieron en una arteria y se toparon con el tráfico de la noche del sábado. Cerca de Reeperbahn, el tráfico se ralentizaba, así que Malloy cogió varias calles laterales para llegar a la zona de aparcamientos del patio trasero del bar de Dale Perry.

Kate cogió sus dos bolsas de lona. Ethan sacó a Ohlendorf del asiento de atrás y se lo echó al hombro. Malloy los condujo a la parte trasera del bar y bajó con ellos las escaleras.

Ethan dejó a Ohlendorf en una silla de madera de respaldo recto que estaba en el centro de la habitación y empezó a atarlo a ella por las muñecas y los tobillos. Kate encontró una cafetera en la cocina y preparó café, mientras Malloy encendía su móvil y leía un mensaje de Dale Perry.

—¿Conseguiste a tu abogado? —preguntó Dale cuando Malloy lo llamó.

—Acabamos de regresar. ¿Por qué? ¿Has descubierto algo?

—Creo que sí. ¿Dónde estáis?

—En tu bar, abajo.

—Estaré en la puerta de atrás dentro de un par de minutos.

Malloy le dijo a Kate y Ethan que quizá tuviese algo, y después salió. Al cabo de unos cinco minutos apareció un Land Rover en el aparcamiento del patio; Dale aparcó detrás del Toyota y se quedó dentro del vehículo.

—Mi contacto me llamó después de cenar —le contó a Malloy—. Llevo unas cuatro horas siguiéndoles la pista a varios móviles, uno a uno.

—¿Has encontrado a Helena Chernoff?

—La verdad es que no saqué nada del teléfono que me diste, pero encontré algo interesante cuando miré las llamadas de las otras cabinas de la zona. Resulta que, dos días antes del asalto policial al Royal Meridien, alguien llamó a un móvil que estaba dentro del hotel. Ese mismo móvil entró y salió del hotel varias veces antes del asalto, pero, después, no se ha movido de un piso de la Altstadt. —Le entregó a Malloy un papel—. Esta es la dirección.

—¿Qué sabemos del teléfono? —preguntó Malloy mientras se guardaba el papel en el bolsillo.

—Ahí es donde la cosa se pone interesante, T.K. El teléfono recibe una llamada al día, normalmente a la misma hora y siempre desde una cabina del interior de la ciudad, aunque nunca se trate de la misma. El móvil no sale nunca del edificio.

—¿Crees que Chernoff y Farrell están escondidos y que alguien les hace los recados hasta que consigan pasaportes nuevos?

—Eso me parece.

—¿Qué sabes sobre la cuenta del teléfono?

—Se activó localmente mientras Farrell seguía en Barcelona. Está registrado a nombre de H. Langer, con fondos de un banco de Zúrich. Jane ha puesto a alguien a investigar el alias y el banco, por si no la cogemos esta noche.

—¿Le has echado un vistazo al lugar?

—Acabo de pasar en coche. Es un edificio de viviendas semiadosado con seis plantas y, me parece, dos pisos por planta. Hay una entrada en el lado sur. Es la única forma de entrar o salir, aparte de una de las ventanas o balcones.

—¿Podemos averiguar en qué piso está?

—No con el *software* que localiza móviles. Solo tengo una precisión de treinta metros y no vale para ubicaciones en vertical. El teléfono podría estar en la primera planta o en la sexta, y yo no notaría la diferencia, pero me pasaré por la casa y captaré una imagen térmica. Así no entraremos a ciegas.

—Voy a necesitar que te encargues del equipo del perímetro para que nadie nos ataque por detrás. ¿Te supone un problema?

—Puedo hacer lo que quieras —respondió Dale.

—Los agentes del FBI se han presentado voluntarios para ayudarnos a echar un ojo para no tener sorpresas. ¿Cuánto tiempo necesitas para examinarlo todo bien?

—¿Por qué no nos reunimos allí dentro de treinta minutos?

—Me parece bien. Te llamaré cuando salgamos.

Malloy marcó el teléfono de la recepción del Royal Meridien mientras Dale le daba la vuelta al Land Rover para salir por donde había llegado. Preguntó por la habitación de Jim Randal y, cuando Randal cogió, le dijo:

—Tenéis que moveros ahora.

David Carlisle estaba dormido cuando sonó el teléfono.

—¿Sí? —contestó, intentando despertarse mientras se incorporaba.

—Alguien ha secuestrado a Hugo Ohlendorf.

—¿Cuándo? —preguntó, después de lanzar un improperio y mirar al techo.

—Poco después de medianoche.

—¿Malloy?

—La policía aún está intentando aclararse. No tengo ningún detalle, salvo que Ohlendorf ha desaparecido y nadie tiene ni idea de dónde está. Por otro lado, Malloy acaba de llamar a Randal. No sé qué le habrá contado, pero Randal ha llamado a Sutter para decirle que tenían que ponerse en marcha.

—Entonces, ¿ya vienen? —preguntó Carlisle, sonriendo.

—Te llamaré cuando lo sepa seguro.

Malloy le hizo una señal a Ethan y Kate para que lo siguieran al dormitorio. Después de cerrar la puerta, les dijo:

—Puede que hayamos encontrado a Chernoff y Farrell.

Sacó el papel y Ethan usó el GPS para encontrar la dirección.

—La Altstadt —dijo enseñándoles el mapa electrónico a Kate y Malloy. Los tres dedicaron un momento a observar la disposición de las calles. Dependiendo del tráfico, que todavía era constante pero pronto empezaría a dispersarse, estaba a menos de diez minutos de ellos.

—Entonces, ¿qué hacemos con Hugo? —preguntó Kate.

—Tenemos entre quince y veinte minutos. Vamos a averiguar a cuánta gente tiene Chernoff trabajando para ella.

—No es mucho tiempo —repuso Ethan.

—No hace falta llevarlo al límite, solo necesitamos lo básico. Escuchad, si necesito llamar su atención, Ethan, tú le darás un manotazo en la parte de atrás de la cabeza o le golpearás la frente con la palma de la mano. No le hagas daño, solo quiero que se centre en su situación. Que comprenda que te encantaría hacer más, pero que te contengo. —Malloy señaló a Kate—. Tú eres el factor desconocido. Cuando no te guste algo, empieza a pasearte por la habitación. Muéstrate impaciente. Estás deseando una oportunidad... porque sabes cómo sacarle la información. —Kate asintió—. Que te vea, después ponte detrás de él. Vestida como estás, con el pasamontañas, ni siquiera estará seguro de si eres hombre o mujer, así que no digas nada a no ser que haga falta. Deja que se preocupe, que se pregunte cuál es tu papel en la película. Cuando yo te diga que hagas algo, no vaciles. Que parezca que lo que te pido es justo lo que querías hacer desde el principio.

En la habitación principal, Malloy se sentó en una silla de respaldo recto como la de Ohlendorf. Sus rodillas casi tocaban las del secuestrado, y utilizó una toalla húmeda para limpiarle la cara.

—¿Qué queréis? —preguntó Ohlendorf en alemán. Estaba bronceado, empezaba a escasearle el pelo en la coronilla y se le veían algunas canas en las sienes. Tenía cincuenta y tantos, pero estaba en forma. En otras circunstancias, Malloy estaba bastante seguro de que era un tipo encantador y bastante sofisticado. En pijama y zapatillas de casa, con las pupilas dilatadas y el pelo revuelto, parecía salido del psiquiátrico.

—¿Quiere un café? —le preguntó Malloy en alto alemán.

Utilizó un dialecto de Berlín mezclado con una entonación rusa. Quería que Ohlendorf se imaginase lo peor.

—¡Lo que quiero es saber qué pasa!

—No suba la voz —le pidió Malloy con mucha educación, aunque la verdad era que no le importaba el ruido.

Ohlendorf lo insultó en voz alta, y Malloy le lanzó una mirada a Ethan, que se movió y le dio una palmada al cautivo en la cabeza. Después cerró el puño, por si Ohlendorf necesitaba una persuasión menos sutil. Malloy lo apartó con un gesto. El alemán se quedó mirando con aire desafiante la figura enmascarada de Ethan, aunque no dijo nada más. Su respuesta había sido muy instructiva, no era un hombre acostumbrado a aceptar órdenes y no se asustaba fácilmente. Después de pasarse toda su carrera profesional en los juzgados criminales y conspirando con gente como Xeno y Helena Chernoff, sin duda se consideraba capaz de tratar con delincuentes y, por supuesto, la primera regla de esa jungla era no demostrar miedo.

—¿Quiere un café? —insistió Malloy.

—Sí —respondió Ohlendorf, después de pensárselo un momento.

Malloy le hizo un gesto a Ethan, que fue a por una taza. Mientras esperaba, Ohlendorf examinó la habitación: la iluminación consistía en una sola lámpara, así que gran parte del lugar estaba a oscuras, aunque resultaba fácil adivinar que no era una vivienda normal, la decoración era demasiado espartana. Había un sofá y un sillón en una esquina, con una mesa de centro entre los dos. En otra área había un escritorio con un ordenador y, al lado, una estantería con novelas, libros y revistas en distintos idiomas.

—Quiero que entienda que no queremos hacerle daño, pero necesitamos información y haremos lo que sea necesario para conseguirla —dijo Malloy.

La curiosidad hizo que a Ohlendorf se le iluminasen los ojos, aunque se resistió a la tentación de preguntar de qué información se trataba y también al impulso de afirmar que no sabía nada. Por el momento, su experiencia como abogado le daba bastante confianza. Ethan volvió con una taza de café y la sostuvo para que el alemán bebiera.

—¿Más? —preguntó Malloy. Ohlendorf asintió y dio otro trago. Ethan se apartó y dejó la taza, mientras el cautivo miraba a Kate, dejando patente su desconcierto por primera vez.

—Queremos información sobre Helena Chernoff —dijo Malloy.

Durante un segundo, Ohlendorf clavó la vista en Malloy.

—¿De qué estás hablando? —preguntó.

—No sea estúpido, nadie quiere hacerle daño. Nuestro objetivo es Chernoff, no usted.

—¿Quién os envía?

—Un viejo amigo de una de las víctimas de Chernoff.

La alusión de Malloy a la mafia rusa tuvo el efecto deseado. La voz de Hugo Ohlendorf cambió de registro y empezó a hablar más deprisa.

—¡No conozco a esa persona! ¡No sé de qué me habla!

—Dale más café —dijo Malloy.

Ohlendorf observó a Ethan, como si esperase que lo achicharrara con la bebida. Cuando vio que Ethan le ofrecía la taza, preguntó:

—¿Qué lleva? ¿Por qué me hacéis beber esto?

Malloy le hizo un gesto a Ethan para que apartase la taza.

—Tenemos que cambiar de actitud, *herr* Ohlendorf. Tengo un plazo de tiempo muy limitado, después... —miró a posta a Kate—... intentaremos un método diferente. Ahora, dígame lo que sepa sobre Helena Chernoff.

—¡Lo único que sé es que os habéis equivocado de hombre!

—Hábleme de Jack Farrell.

—¿El americano?

La mención de Farrell pareció aturdirlo.

—Lleguemos a un punto medio. Sé que sabe quién es Farrell. Solo quiero saber cómo consiguió que Helena Chernoff trabajase para él. No es mucho pedir, ¿no?

—¿Cómo iba yo a saber algo sobre ese hombre?

—Mire, nadie quiere leer en los periódicos la noticia de la tortura y el asesinato de un importante abogado de Hamburgo. Nos haría la vida más difícil a todos.

—No conozco a Farrell, ni a esa otra persona. ¿Cómo se llamaba? —Como Malloy no respondía, añadió, en tono serio—: ya se lo he dicho, me han confundido con otro.

Kate, que estaba apoyada en la pared más cercana a la cocina con los brazos cruzados, empezó a dar vueltas por la habitación. Ohlendorf la miró, asustado por la máscara, el silencio y el mal genio.

—Esto no funciona —dijo Ethan; hablaba alemán lo bastante bien como para no sonar estadounidense—. ¡Nos está mintiendo!

Malloy levantó la mano derecha, como si pidiese paciencia.

—Dale otra oportunidad —dijo.

Kate volvió a cruzarse de brazos.

—¡No sé qué queréis de mí! —protestó Ohlendorf—. ¡Os digo que os equivocáis de hombre!

—Dime con qué frecuencia se reúne con Xeno.

El abogado puso cara de sorpresa y no dijo nada durante unos segundos. Era como si la mención de aquel hombre lo hiciese volver a calibrar la situación. Finalmente dijo, muy tranquilo:

—No conozco a nadie con ese nombre.

—Le he preguntado con qué frecuencia se reúne con él —Ohlendorf miró a Kate, intentando averiguar cuál era su papel en la operación: ¿la dirigía ella o Malloy?—. Sabemos lo de las reuniones en el Stadtpark —siguió diciendo Malloy.

—¡No sé de qué me hablas! —exclamó el abogado, pálido y sorprendido.

—Sabemos que es socio de Jack Farrell desde hace años.

—¡No conozco a Farrell!

—¡Se sienta en un consejo de administración con ese hombre!

—No, no lo conozco.

—Hábleme de Helena Chernoff.

—¡No la conozco!

Malloy se puso de pie con cara de resignación y miró a Kate.

—Tenías razón. Adelante, córtale la nariz —le pidió, en tono tranquilo, como un hombre que ha hecho todo lo que ha podido.

—¡Espera!

—¿Cómo funciona? —preguntó Malloy, levantando la mano como si pretendiese detener a Kate—. ¿Cómo entro en contacto con Chernoff si quiero contratarla para un trabajo? —Ohlendorf no respondió de inmediato, estaba usando el tiempo para calcular sus opciones—. No sabrá quién nos lo dijo, créame. Si nos ayuda, la borraremos de la faz de la tierra y usted volverá a ser un hombre libre.

Ohlendorf no se lo creía.

Kate se puso detrás de él y sacó su cuchillo de combate para que pudiera oír cómo la hoja salía de la funda y ver el reflejo de la luz en el acero durante un instante. Una vez fuera del campo de visión del prisionero, Malloy levantó la mano como si quisiera detenerla.

204

—Dale otra oportunidad, quiere contárnoslo —dijo. Ohlendorf intentó mirar a Kate, pero sus ataduras se lo impedían. Respiraba más deprisa y había perdido toda confianza—. ¿Cómo entro en contacto con ella?

Kate puso el filo con forma de diamante bajo la nariz del prisionero y apretó un poco. La sangre brotó al instante, y cayó sobre la hoja y sobre la barbilla de Ohlendorf.

—¡Es ella la que entra en contacto conmigo!

—Miente. ¡Usted le organiza los trabajos!

—¡No! —gritó Ohlendorf, apartando la barbilla para escapar del cuchillo—. Ella me pide que organice una reunión y yo me encargo.

Intentó mirar a Kate para ver cómo se tomaba la información.

—¿Cómo se pone en contacto con usted?

—El *Zeitung* de Hamburgo, en los anuncios personales. Si quiere ponerse en contacto me da un número de teléfono. El número cambia, pero siempre se encuentra en la sección de hombres que buscan mujeres. Pone tres anuncios idénticos y siempre usa las palabras clave *regordeta*, *enérgica* y *discreta*. Los últimos dos dígitos del número están al revés, para evitar llamadas no deseadas.

Malloy se levantó y miró la hora en su reloj; se quedaba sin tiempo.

—Entonces, ¿qué pasa cuando llama a ese número?

—Me dice lo que necesita.

—¡Córtale la nariz!

—¡Estoy diciendo la verdad!

Malloy levantó la mano, pidiéndole a Kate que esperase. Ohlendorf tenía la respiración acelerada; los ojos se le salían de las órbitas y movía la cabeza adelante y atrás. Kate le había puesto el cuchillo delante de la cara, mientras sujetaba la parte de atrás de la cabeza de Ohlendorf con el cuerpo, de modo que no pudiera apartarse de ella.

—Última oportunidad —le dijo Malloy—. Si quiere que su hija lo vea sin nariz, no tiene más que volver a mentirme.

—¡No estoy mintiendo!

—¿Le pidió Farrell que se pusiera en contacto con Chernoff?

—¡No! ¡No sé qué pretende!

—Así que lo conoce.

—Lo he visto varias veces, pero tampoco es que lo conozca.

—¿Cuándo fue la última vez que Chernoff requirió sus servicios?

—A finales del año pasado. No sé..., finales de diciembre, creo.

—Cuéntemelo.

—Necesito agua —parpadeó, pensativo, intentando ganar tiempo.

—¿Conoce a un buen cirujano plástico?

Ohlendorf bajó la mirada. Malloy le hizo una señal a Kate para que diese un paso atrás, y ella le dio una palmada en la cabeza antes de apartarse. Malloy le cogió el cuchillo, bloqueó la cabeza del hombre con su torso y apoyó el cuchillo en su nariz.

—¡Lo haré yo mismo, si no me da algo!

—Estaba preparando un asesinato múltiple. ¡Necesitaba especialistas! Me puse en contacto con algunas personas siguiendo los protocolos.

—¿Múltiple? ¿Quiénes eran las víctimas?

—No me lo dijo. Yo solo le proporciono la gente que necesita para cada trabajo, ¡no me involucro en el resto!

—No le creo —respondió Malloy, soltándole la cabeza y poniéndose frente a él.

—No puedo hacer nada para convencerlo. ¡Es la verdad!

—¿Conoce el alias de Langer?

—A veces me transfiere dinero bajo ese nombre —respondió él, sorprendido, después de tomarse su tiempo.

—¿Es ella la que paga, no usted?

—Le organizo las cosas, ¡me paga por eso!

—¿Qué banco usa?

—Sardis and Thurgau, en Zúrich.

—¿Qué relación tenía Xeno con Chernoff?

—Xeno trabajaba para mí, me proporcionaba gente cuando ella lo necesitaba, gestionaba algunos de sus pisos francos, suministraba equipo, armas, teléfonos.

—¿Eran amantes?

—¡Ella se mueve en mejores ambientes! —exclamó Ohlendorf riéndose.

—¿En los suyos, Hugo? —Como no respondía, apretó la punta del cuchillo contra su entrepierna.

—¡A veces! ¡De vez en cuando!

—¿Cuánta gente necesitó Chernoff en diciembre? —le preguntó Malloy, después de darle una bofetada para que no se despistase.

—No lo sé. Depende del trabajo...

—¿Cuánta gente para el trabajo de diciembre, Hugo?

—Ocho personas..., ¡nueve! Ocho en la ciudad y... el otro.

—¿El otro?

—El especialista. El resto era gente normal, de la calle.

—¿Le buscó pasaportes? —preguntó Malloy, poniéndose detrás de él y devolviéndole el cuchillo a Kate.

—No —respondió Ohlendorf, sorprendido—. Eso... no lo hago.

—¿Quién lo hace?

—No lo sé.

—¡Miente! —le gritó Malloy, poniéndose de nuevo frente a él.

—Tiene contactos en España. ¡No toco ni documentos de identidad, ni pasaportes! Me encargo..., me pongo en contacto con gente que le consigue lo que quiere.

—¿Qué le pagó por los asesinatos de diciembre?

—No me ha pagado.

—¿Por qué no?

—Todavía no ha concluido el negocio. Mira, te he dicho lo que querías. Dijiste que si te contaba lo que sabía sobre Chernoff me dejarías marchar.

—No me ha contado lo que sabe, ¡me oculta cosas, Hugo! ¡Miente más que habla!

—¡No! ¡Te lo he contado todo!

Malloy salió del cuarto para buscar en las bolsas el fusil de dardos de Kate y un dardo extra. Cuando regresó a la habitación, Ohlendorf abrió los ojos como platos.

—¿Qué estás haciendo? —preguntó—. Te lo he dicho..., no, espera. ¡Espera!

Se encogió al recibir el disparo del dardo. Intentó hablar, tembló y se le cayeron los párpados. Unos segundos después perdió la conciencia.

—Ponedle algo en la cabeza —dijo Malloy— y llevad el equipo al Toyota. Estaré en la calle, delante del bar, cuando estéis listos.

—¿Qué tienes, T.K.? —le preguntó Josh Sutter a Malloy cuando entró en el bar.

—Una posible ubicación de Jack Farrell.

—¡Me tomas el pelo!

—La verdad es que no, todo lo contrario. Venga, vámonos.

208

Encontraron a Randal aparcado en doble fila junto al bar. Una prostituta estaba de pie en su puerta, intentando hacer un trato. Malloy le dio cincuenta euros y le dijo que se largase. Cincuenta era el precio correcto, porque desapareció entre la multitud.

—Creía que solo te gustaban las animadoras —comentó Malloy, de pie junto a la ventanilla del conductor.

—¿Qué puedo decir? —respondió Randal sonriendo mientras alzaba un hombro—. Estaba sentado tan tranquilo cuando, de repente, me encuentro con el especial de medianoche.

—Creemos que Chernoff tiene a Jack Farrell en un edificio de viviendas cerca de aquí. —El Toyota salió del callejón, se metió en su calle y paró al lado de Malloy—. Tenemos que estar allí en diez minutos, ¡no nos perdáis!

Malloy se acomodó en el asiento de atrás del Toyota y marcó un número de la memoria al tiempo que Kate aceleraba. Dale Perry cogió al segundo timbrazo.

—Sí.

—Ya vamos.

—Tres manzanas al norte del objetivo hay una gasolinera BP que está cerrada de noche —respondió Dale.

Malloy le dio la dirección a Ethan y miró por la ventanilla trasera para asegurarse de que Sutter y Randal los seguían. Las calles estaban abarrotadas de peatones y coches, aunque empezaron a escasear conforme se alejaban del barrio del sexo.

—¿Qué te parece Ohlendorf? —preguntó Kate.

—Creo que sigue escogiendo lo que quiere contarnos.

—¿De verdad crees que Chernoff tiene a nueve personas trabajando para ella?

—Necesita a gente para que le haga los recados, vigile, y quizá un par de guardaespaldas —respondió Malloy—. Y eso veinticuatro horas al día... Podrían ser nueve, sí. Lo que me preocupa es lo del especialista. ¿Cuál será su trabajo?

—Yo también le estaba dando vueltas —respondió Ethan, que miraba el GPS y le decía a Kate dónde girar.

—¿Qué hace un tío como Ohlendorf mezclándose con asesinos? —preguntó Kate.

—Me da la impresión de que tiene una agencia de talentos.

—¿Crees que trabaja para alguien? —preguntó Ethan.

—Quizá... o puede que se trate de una liga de ayuda mutua. Ohlendorf suministra personal *freelance* a Chernoff por un precio. Si necesitan pasaportes, van a su amigo de España...

—¿Luca? —sugirió Ethan.

—Sabemos que Luca trafica con pasaportes. Sabemos que Giancarlo y Jack Farrell blanquean dinero. Si Ohlendorf se encarga de los recursos humanos...

—Todo tiene que ver con los paladines, T.K. —repuso Ethan—. Es lo único que tiene sentido.

—Creo que tienes razón, pero todavía me quedan muchas preguntas por hacerles a Farrell y Ohlendorf.

—Supongo que a Robert Kenyon no le gustaba el cariz que tomaba la cosa y los demás decidieron que perderían demasiado dinero si lo dejaban marchar.

—Lo que me cuesta entender es el timo de los setenta y cinco millones de dólares —dijo Malloy—. Si tenían problemas, ¿por qué metería Kenyon todo su dinero en una inversión dudosa?

—Yo también me lo pregunto —respondió Ethan.

—Háblanos de la gente con la que vamos a trabajar —intervino Kate, porque estaban cerca del lugar en cuestión—. Quiero decir..., ¿saben lo que están haciendo?

—El hombre que encontró a Chernoff es de la Compañía. Lleva en Hamburgo unos veinte años y no nos dará ningún problema; eso sí, si os pregunta algo sobre vosotros aseguraos de no contarle la verdad.

—¿Y los tipos que llevamos detrás?

—Son los dos agentes del departamento de personas desaparecidas del FBI que están buscando a Jack Farrell. Esto les viene un poco grande, pero son polis entrenados, así que imagino que sabrán montar guardia.

—¿Tienen idea de cuántas leyes estamos infringiendo? —preguntó Ethan.

—No tuve ocasión de mencionarles que habíamos secuestrado a un político local, si te refieres a eso.

Ussat-les-Baind (Francia)
Verano de 1932.

El hotel recibió a una buena cantidad de visitantes aquel verano, incluido un flujo constante de turistas alemanes que se beneficiaban de tarifas reducidas en el Des Marronniers, y recorrían el lugar en busca del santo grial y el oro de los cátaros. Bachman, como accionista mayoritario, se quedó gratis con la mejor habitación del hotel, y pasaba mucho tiempo con los demás alemanes. Rahn se unía a ellos de vez en cuando para enseñarles las distintas cuevas y ruinas de los alrededores, pero la mayor parte del tiempo la pasaba cerca del hotel, supervisando al personal.

Elise lo veía con frecuencia, aunque entre ellos no quedaba ni rastro de cordialidad. Eran como escolares que se juran amor eterno en primavera y en verano descubren que se han convertido en desconocidos.

—¿Cómo va tu libro? —le preguntó ella en una de las ocasiones en las que se vieron obligados a hablar.

—Va bien. Algunos problemas, por supuesto, pero nada que no pueda resolverse.

Normalmente, cuando se encontraban preferían mirar hacia otro lado antes que saludarse. No hubo más cartas por debajo de la puerta, ni siquiera cuando Bachman se iba de viaje. No hubo paseos, aunque él la veía salir sola del hotel muchas veces. Ni tampoco hubo conversaciones a última hora de la noche que pudieran haber curado la herida abierta entre los dos. Solo encuentros fortuitos, que siempre les resultaban incómodos.

Bachman le preguntaba a Elise por Rahn siempre que ella lo veía, así que ella era consciente de que su marido tenía espías observándola. Empezó a temer los encuentros con Rahn, ya que sabía que después su marido querría saber sobre ellos. Una noche bajó al bar y se encontró a Rahn hablando con el camarero norteafricano sobre un viaje a España que había hecho unos años antes. Bachman estaba en otra de sus excursiones de día completo. Elise se colocó en el otro extremo de la barra y pidió un brandy cuando el camarero se acercó a ella arrastrando los pies. Mientras se bebía la copa, Rahn terminó su whisky con soda de un trago y salió del bar sin ni siquiera dar señales de haberla visto.

Allí no había nadie más, pero, aun así, Bachman también le preguntó por aquella noche.

—Las cosas no van bien en Berlín —masculló Bachman una mañana, después de regresar de un paseo con otro alemán recién llegado.

—¿Más revueltas?

—No han contado con Hitler —respondió él sacudiendo la cabeza—. No será el nuevo canciller, ¡ni siquiera será alguien relevante!

A Elise no le importaba la noticia, ¿qué más daba quién era canciller? Estaba harta de tanta política.

—Tengo que volar a Berchtesgaden —anunció Bachman dos noches después—. He hablado con Otto, y me ha asegurado que cuidará de ti.

—¡Puedo cuidarme solita!

—¡Ya sabes a qué me refiero! En cuanto los hombres ven sola a una mujer como tú...

—¿A una mujer como yo? Dime, Dieter, ¿qué clase de mujer soy?

—No quería decir eso. Escucha, solo serán unas semanas.

—¿Semanas?

—Hindenburg ha... bueno, hemos tenido otro contratiempo. Voy a reunirme con algunas personas para hablar sobre el tema.

—Quiero volver a Berlín, estoy harta de Francia, Dieter. Llévame contigo.

—Cuando las cosas se calmen y sepa cómo proceder te llevaré a casa, te lo prometo. Por ahora, no es seguro.

—¿Estáis planeando otro golpe?

—No sé lo que haremos.

La semana siguiente a la partida de Bachman todo siguió igual. Después del desayuno, Elise daba un paseo; también le gustaba leer al calor de la tarde. Normalmente tomaba una copa con algunos de los turistas alemanes antes de la cena y, en la cena, siempre se sentaba con una o dos parejas, lo que la obligaba a escuchar historias sobre Hitler y su círculo. Después de la cena ponía la radio un rato y leía un libro. Como Bachman se había ido a organizar Dios sabe qué en Alemania, estaba intranquila. Una noche salió a respirar aire fresco antes de rendirse de nuevo al insomnio y vio a Rahn acercándose por la carretera. Cargaba con bastante equipo, incluidos piolets y cuerdas de alpinismo, un farol y una mochila.

—¿Has estado escalando? —le preguntó.

—No, en Lombrives hay una sima que siempre he querido examinar —respondió, mirando atrás, hacia la oscuridad—, y por fin he reunido el valor suficiente para hacerlo.

—¿Y has encontrado algo?

—Muchos huesos —respondió él, sonriendo—. ¿Va todo bien? —añadió, después de pensárselo un instante.

—¿Por qué no iba a ir bien?

—Me refiero en Alemania. He oído que Hindenburg le niega un puesto en el gobierno a Hitler.

—¡Hitler me trae sin cuidado! —«Al igual que mi marido», pensó.

Él vaciló, deseando hablar, pero ya no quedaba ni rastro de la reluciente confianza que Elise había reconocido en su sonrisa el año anterior.

—Lo decía porque Dieter parecía inquieto cuando se fue.

—¿Y qué más te da a ti cómo se sienta Dieter?

—Estaba pensando en Alemania. Tal como están las cosas... ¡no puedo evitar preocuparme!

—¡Pues más preocupante es verte dirigir un hotel! —exclamó ella, volviéndose para regresar a la seguridad de su habitación.

Mucho después, alguien llamó a la puerta. Era él, sabía que era él, así que gritó:

—¡Vete! Bachman tiene espías por todas partes.

Él también debía de saberlo, pero se quedó detrás de la puerta cerrada sin moverse. Finalmente, volvió a llamar y ella fue a abrirle. En vez de hablar con ella, se quedó mirando su camisón; de repente, Elise se dio cuenta de que la pálida luz de la lámpara de la mesita de noche hacía que se transparentara.

Cruzó los brazos para taparse el pecho y vio que él bajaba la mirada hasta su vientre. Sintiéndose desnuda, se volvió y fue en busca de una bata. Él entró en el cuarto y cerró la puerta, mientras ella se abrigaba.

—¿Qué quieres? —le preguntó Elise; la sorprendió el temor que reflejaba su voz.

—Quería decirte que he dejado de escribir —respondió él, con los hombros hundidos y una expresión menos dura.

—¿Que lo has... dejado? ¿Cuándo?

—El año pasado. Desde que te vi, en realidad. —Sacudió la cabeza con pesar—. Continuar no tenía mucho sentido. Lo que había plasmado en el papel sonaba como algo escrito por otra persona. Escribía para ganarme la aprobación de mis profesores, ¡unos viejos formales y acartonados!

—Tu prosa es muy bella, Otto.

—Escribir un libro no es como redactar una carta.

—¿Por qué no?

—¡Porque no!

—Eres libre para hacer lo que quieras, ¿por qué no escribir una carta larga y preciosa sobre tus cátaros? ¡Sabes que son tuyos! ¡Nadie los ama como tú! No escribas para tus profesores. ¡Sus profesores son los mismos ancianos marchitos que se rieron de la Troya de Schliemann hasta que vieron el oro que sacó de sus ruinas! ¡Escribe para la gente que sigue enamorándose! Escribe sobre tus caballeros trovadores y las damas a las que amaban, haz que cobren vida, como solías hacer cuando me contabas sus historias.

—No puedo seguir escribiendo —masculló él—, pero esto... —añadió, haciendo un gesto de tristeza para abarcar la habitación, aunque, en realidad, se refería al hotel—. ¡Esto me está matando! No soy un hombre de negocios, Elise.

—¡Dile a Dieter que quieres dejarlo!

—¡No puedo! Él cree... cree que es un éxito, cosa que no es cierta, y tengo un contrato de arrendamiento a mi nombre durante diez años... —Se quedó mirando a un terrible futuro cercano lleno de preocupaciones laborales—. Es el trabajo más horrendo que he tenido en mi vida, ¡y he tenido todo tipo de trabajos!

—Pero cerrarás en invierno y puedes permitirte quedarte aquí, ¿no? ¡Eso te dará tiempo para escribir! ¡Estarás solo, sin molestias!

Él dejó caer la cabeza, como un hombre al que le hubiesen dicho que le quedaban pocos meses de vida.

—Supongo que sabes que Maurice Magre ha publicado otro libro.

—Dieter comentó algo. ¿Y qué?

—¿Lo has visto? —ella sacudió la cabeza—. Es sobre la influencia budista en los cátaros. Pura basura, por supuesto, como todo lo que hace...

—¡Tienes que escribir tu libro!

—No cambiará nada —respondió Rahn, sacudiendo la cabeza—. Eran budistas, ¡lo ha dicho el francés! A nadie le importará lo que yo diga.

—No tienes que decir nada. ¡Eres un trovador! ¡Tienes que cantar la historia! Y, si la cantas, los demás nos olvidaremos de nuestros problemas durante unas horas y soñaremos con otros tiempos, con todas esas historias de amor tan arrolladoras que no necesitaban de caricias ni de besos.

—¡Pero quiero que la gente sepa lo que pasó! ¡La cruzada del Vaticano fue un crimen, Elise!

—Fue un crimen hace setecientos años, Otto. Ahora no es más que una historia. Escribe sobre la gente... y sobre la tierra. Eso es lo que amas. Me acuerdo de las primeras cartas que me escribiste cuando regresé a Berlín...

—¿Te acuerdas? —preguntó él sonriendo.

—¿Y tú?

—Intenté describirte el cielo... porque sabía lo terribles que pueden llegar a ser los inviernos en Berlín, lo diferente que se respira en la ciudad. Quería que pensaras en el sol y en el color de este paisaje.

—Es lo más maravilloso que he leído. Podrías empezar un libro con esas palabras. Seamos sinceros, Otto, para ti soy una fantasía.

—¡No!

—¡Lo soy! Lo que amas es este lugar. Si lo amas cuando escribes, tu lenguaje no tendrá nada de acartonado. Escribe igual que lo hiciste el invierno pasado, en tus cartas, ¡y serás el único dueño de Montségur para siempre!

—No eres una fantasía, Elise. Nací para amarte. No puedo dejar de soñar contigo, por mucho que lo intente. Y verte..., solo puedo pensar en tenerte entre mis brazos. ¡Es como si me hubieses hechizado!

—Será mejor que te vayas.

—Antes quiero verte —respondió él, con una sombra de sonrisa en la que resucitó brevemente su confianza de antaño.

—Ya me has visto. ¡Vete! Mañana me enseñarás dónde asesinaron a algún sacerdote cátaro o el lugar en el que un caballero no besó a la mujer que amaba.

—Quítate la bata, deja caer el camisón. Permíteme mirarte, aunque no me dejes tocarte. Llevo amándote un año entero, ¡me lo merezco!

—Sabes que no puedo hacerlo. Soy...

Él se acercó para soltarle la bata e interrumpir su discurso; fue como si activase un interruptor. Una vez abierta la bata, se la bajó por los hombros y cayó junto a sus pies descalzos. Rahn tocó uno de los finos tirantes del camisón, levantándolo con mucha delicadeza por encima de su hombro.

—Es lo más fácil del mundo. ¿Por qué no puedes hacerlo?

Elise quería decirle que porque así lo había decidido, pero, cuando intentó hablar, se dio cuenta de que no podía.

El tirante cayó sobre el brazo. Después, Rahn soltó el otro. Ella se llevó las manos al camisón para sujetárselo.

—No —susurró él, con la voz ronca de deseo—. No hagas eso. Enséñame lo que nunca tendré. Enséñamelo una sola vez y te dejaré en paz para siempre.

Ella empezó a llorar.

Rahn la abrazó y le dijo que lo sentía, que se había portado de manera vergonzosa, que era un monstruo, ¡un auténtico monstruo!

Ella respondió que no lloraba por eso, que lloraba porque aquel momento lo cambiaría todo, porque los dos eran unos auténticos monstruos.

Altstadt (Hamburgo)
Sábado-domingo, 8-9 de marzo de 2008.

—Ya vienen —dijo Chernoff con voz fría, aunque Carlisle sabía que estaba entusiasmada—. Malloy va con dos personas, una de ellas es mujer. Los agentes van detrás.

—¿Y Ohlendorf? —preguntó Carlisle, acercándose a la ventana para mirar las calles a oscuras.

—Si todavía lo tienen, seguro que podemos encontrarlo después.

Kate acercó el morro del coche a una pared al borde del aparcamiento de la BP. Randal puso su todoterreno al lado. Dale Perry había aparcado el Land Rover al otro lado de la calle, así que se acercó andando a ellos cuando empezaron a salir de los vehículos. Dale llevaba chaleco y una automática escondida debajo de un abrigo largo, además de una pistolera con la típica Glock del gobierno.

—¿Somos todos americanos? —preguntó Jim Randal. Seguramente se trataba de una broma, pero le salió como un ladrido.

—Lo bastante para trabajar para el Gobierno —respondió Malloy, mirando a Kate. Los presentó de manera informal, dando los nombres de pila de los dos agentes y de Dale. Ethan y Kate eran el Chico y la Chica. Después de los apretones de manos, Malloy le preguntó a Dale:

—¿Averiguaste en qué piso están?

—Hay cinco personas dentro del edificio, al parecer todos en la cama.

Malloy miró la hora: era casi la una.

—¿Dónde están el resto de los inquilinos?

—La gente duerme en sitios como estos de lunes a jueves, T.K. Tienen casas de verdad en otros lugares. De todos modos, de las cinco personas que hay dentro, solo dos están en el mismo piso, un hombre y una mujer.

—¿Farrell y Chernoff?

—Eso parece. Están en el lado este del edificio, primera planta. El piso de enfrente está vacío. Tienes dos personas más en la cuarta planta, en distintos pisos, y otra en la planta superior. La mayoría de estos edificios no tienen ascensor, así que, si controlamos las escaleras, podemos aislar a la pareja.

—¿Y el vigía? —preguntó Malloy. Estaba pensando que un vigía podría avisar a Chernoff y llamar a cinco personas armadas más que estuviesen fuera del perímetro.

—Esas son las malas noticias: hay unos cuantos edificios de viviendas que dan a la entrada y la iluminación es bastante buena. Así que estáis expuestos a un tiroteo tanto al entrar como al salir.

—¿Alguna forma de entrar al edificio por detrás? —preguntó Ethan.

—Es la mejor opción, siempre que podáis subir a la primera planta. La planta baja está cerrada, no hay ni puertas ni ventanas, pero después hay balcones que dan acceso a todos los pisos. La calle está cerca, aunque está tranquila a estas horas y hay muchas sombras.

—Tú decides —dijo Malloy, mirando a Kate.

—Podemos entrar por una de los balcones de atrás. Si cogemos a Farrell, saldremos por la puerta principal y que un coche nos espere en la acera. Si tenemos que abandonar, saldremos por donde entramos y cogeremos el otro coche.

—Necesitamos que alguien vigile la cuerda al balcón —añadió Ethan—, es nuestra ruta de huida.

—Yo me encargo de la cuerda —les dijo Dale, y señaló a los agentes del FBI—. Vosotros decidís cómo organizaros en los coches.

—Quiero ser el primero en darle la mano a Farrell —respondió Jim Randal—, así que me quedo delante.

Josh Sutter parecía lamentar no haberse pedido antes la parte de delante, pero no discutió. Sabía jugar en equipo.

Sacaron el equipo que necesitaban de las bolsas del asiento de atrás del Toyota y guardaron el resto en el maletero. Sutter y Randal, armados con un par de pistolas automáticas que les había prestado Dale, le echaron un buen vistazo al sistema de navegación portátil de Ethan y se dirigieron a sus puestos. Si veían venir a alguien, tenían que llamar al móvil de Dale, y Dale se pondría en contacto con Malloy.

Dale y Malloy siguieron caminando por una calle, mientras Ethan y Kate se metían por otra.

—¿Cuál es la historia de la británica, T.K.?

—No hay ninguna historia.

—¿Es de los tuyos o un préstamo?

—Chico y Chica pertenecen a Jane. Al menos, eso me pareció, aunque no lo pregunté. Solo sé que no acaban de salir de la Granja, llevan dando vueltas por ahí unos cuantos años.

—Si fueran buenos, seguramente habría oído hablar de ellos.

—Seguramente..., a no ser que fueran muy buenos.

—Sería típico de Jane —respondió Dale entre risas.

—Eso estaba pensando yo.

Se reunieron bajo el balcón del piso vacío. Kate, Ethan y Malloy se pusieron las gafas de visión nocturna y se echaron los AKS-74 al hombro, con la primera bala metida en la recámara. Encendieron los intercomunicadores y Ethan lanzó un gancho cubierto de goma al balcón.

Kate trepó la primera por la cuerda, utilizando las manos sin apoyarse en la pared, y recorrió los diez metros en un par de segundos. Ethan la siguió con la misma agilidad, lo que hacía que la escalada pareciese tan sencilla que avergonzaba a los demás.

—Por ahora, estoy impresionado —susurró Dale.

Malloy utilizó las piernas para sostenerse y trepó por la cuerda impulso a impulso. Al llegar debajo del balcón, mientras le daba vueltas a la idea de intentar subir hasta la barandilla (lo que quizá le supusiera resbalar, caer de espaldas y matarse), Ethan y Kate lo cogieron por el chaleco y lo ayudaron a subir. Al menos lo dejaron trepar solo por la barandilla, manteniendo algo de su dignidad. Mientras lo hacía, Kate recogió la cuerda y la escondió.

El balcón daba a la cocina y era lo suficientemente largo para poner la basura, el compost y unos cuantos utensilios. La puerta estaba hecha de madera y cristal, cerrada con un pestillo. Ethan usó una palanca y reventó el cierre con un solo golpe de muñeca.

Sin encender las luces, examinaron la planta del piso con las gafas de visión nocturna puestas. No les costó comprender la distribución del piso adyacente: había dos habitaciones, un baño y una cocina. Desde el vestíbulo de la puerta principal tendrían acceso visual a la mayor parte del salón y el dormitorio. Las puertas de la cocina y el baño estaban frente al dormitorio, junto a la puerta de entrada.

Después de echar un vistazo, Kate les hizo una señal para que regresaran a la cocina.

—Tú entras primero, deprisa y metiendo caña —le dijo a Ethan—. Yo iré detrás y me ocuparé de la puerta del dormitorio. T.K. puede vigilar las escaleras.

—Quiero encargarme de la puerta del dormitorio —repuso Malloy.

—Es el punto más peligroso, T.K.

—¿Alguna vez has visto a Helena Chernoff en una foto?

—La verdad es que no.

—Anoche estuve viendo unas cuantas. Yo me ocupo del dormitorio. Tú vigila las escaleras.

La puerta principal del piso al que habían entrado solo podía cerrarse con una llave maestra, pero la llave en sí no estaba. En vez de perder el tiempo buscándola, Ethan se arrodilló y empezó a trastearla con unas ganzúas. Era una cerradura muy normalita, así que, en pocos segundos, los seguros encajaron y el cierre se abrió. Como cuando se rompió la madera de la puerta del balcón, el chasquido del metal sonó como un disparo en el piso a oscuras. Aquel tipo de ruidos no solía despertar a la gente de la ciudad, acostumbrada a todo tipo de molestias nocturnas, pero siempre había excepciones. Y Helena Chernoff, fugitiva desde hacía dos décadas, tenía que ser una de ellas, así que entraron deprisa.

Kate se quedó cerca de la puerta, al pie de las escaleras. Ethan cruzó el rellano justo detrás de ella y abrió la puerta exterior de una patada. Malloy lo siguió. Mientras avanzaba, empezó a orientarse: a la izquierda vio la puerta de la cocina abierta y la puerta del baño cerrada. Frente a la puerta principal estaba el salón. De cara a la cocina se encontraba la puerta cerrada del dormitorio. Sin detenerse en ningún momento, Malloy disparó cinco veces con el Kalashnikov contra ella.

Dale oyó el taconeo en la acera del otro lado de la calle, mientras Malloy seguía intentando subir por la cuerda. Le echó un primer vistazo a la pálida piel y la melena rubio pajizo de la prostituta cuando ésta encendió un cigarrillo. La mujer estaba pensándose si cruzar o no la calle cuando lo vio entre las sombras.

Aquello habría bastado para que cualquier civil se quedase donde estaba, pero ella era una criatura de la noche, así que fue directa a por él. Dale había perdido hacía tiempo el interés por las mujeres que vendían su cuerpo; al estar tan cerca del negocio, no veía ningún romanticismo ni misterio en la profesión más vieja del mundo, sino pereza y falta de autoestima. A veces, bajo la máscara de servilismo, se escondía el odio; y otras veces se trataba de las drogas o la esclavitud. Lo mirara por donde lo mirara, las personas que se prostituían, daba igual su género, eran mala cosa. Aquella prostituta en concreto estaba en medio de la calle cuando Dale se dio cuenta de que no llevaba nada debajo del abrigo, salvo un liguero y unas medias.

Insensible o no, Dale Perry no dejaba de ser un hombre, así que apartó la mirada del oscuro pubis e intentó examinar su cara. Solo obtuvo algunos rasgos imprecisos. A veces, las prostitutas callejeras de Hamburgo eran como las del resto del mundo, demasiado jóvenes para poder imponer sus condiciones o demasiado viejas y escarmentadas para permitirse circunstancias mejores, pero de vez en cuando se encontraban mujeres bellas. La de la calle no era joven, aunque tampoco de las de toda la vida.

El movimiento de sus manos recordaba vagamente al de una equilibrista, pero, al acercarse a unos diez metros, a Dale le llegó el olor a alcohol.

—¿Quieres pasar un buen rato, cielo? —mientras lo decía, se abrió el abrigo, por si no se había percatado de la piel desnuda a la luz de la farola. Tenía un cuerpo prieto y tentador, y lo sabía—. Treinta euros normal. Veinte si solo quieres mamada —hablaba con un deje de *Plattdeutsch*, como si proviniese de la zona rural que rodeaba Hamburgo—. Podemos hacerlo aquí mismo, si quieres. No soy exigente.

—Piérdete —le respondió Dale.

—¿Qué haces aquí atrás? —preguntó ella, acercándose más. Los tacones se le clavaron en la tierra húmeda y estuvo a punto de caer—. ¿Estás con alguien? —miró a su alrededor mientras recuperaba el equilibrio—. ¿Con un tío? —dejó escapar una risilla y dio un traspiés cuando el otro tacón se clavó en la tierra—. Os lo hago a los dos por cuarenta —recuperó el equilibrio, pero parecía a punto de desmayarse o vomitar.

Dale dijo una palabrota y dio un paso hacia ella. Iba a tener que sacarla de allí, y no estaba seguro de lo fácil que sería.

—Treinta euros normal —masculló ella. Cuando la cogió del brazo no se resistió, pero aquel brazo y el resto de su cuerpo no parecían conectados. El abrigo le olía a tabaco, y el hedor a alcohol que le salía de la boca y la piel resultaba insoportable—. Veinte por... lo que tú quieras.

Parecía floja e inestable, como un saco lleno de agua. ¿Cómo podía alguien emborracharse tanto?

Al oír los disparos del Kalashnikov dentro del edificio, Dale se volvió instintivamente. Seguía tocando el brazo de la prostituta, pero se había olvidado de ella. Entonces oyó dispararse dos escopetas y más fuego de automática.

Los músculos de la mujer no se tensaron al moverse, simplemente alzó el brazo hacia el cuello de Dale mientras el resto de su cuerpo parecía a punto de derrumbarse. Todavía sin terminar de procesar el ruido de los disparos, Dale notó que algo le pinchaba el cuello.

No, no era un pinchazo: ¡la mujer le había cortado!

Su primera reacción fue la rabia, y apartó a la prostituta de un empujón. En vez de caer al suelo, ella se tensó, se mantuvo pegada y le cogió la muñeca con la mano libre. Fue entonces cuando Dale se dio cuenta de que no era en absoluto lo que parecía. Intentó mover la muñeca para dispararle con la Uzi en el costado, pero la mano de la mujer parecía de hierro. Lo sostuvo y lo miró a la cara, disfrutaba viéndolo morir desangrado. Al ver cómo le brillaban los ojos, Dale comprendió que la camisa y el chaleco se le llenaban de sangre.

Intentó recordar su nombre, el nombre de la mujer que acababa de matarlo, pero, en aquel momento de pánico, lo único que le venía a la mente era la palabra *Stasi*. La policía de la Alemania del Este había desaparecido del país hacía casi dos décadas, pero la palabra en sí era sinónimo de redadas a medianoche, torturas, terror y asesinatos. Hija adoptiva de la Gestapo y la KGB, era tan implacable como la segunda, y tan eficaz y falta de escrúpulos como la primera. Y aquella mujer, pensaba Dale mientras se le doblaban las rodillas, era la última de la saga. Sin embargo, tenía la mente embotada y el nombre lo eludía. De haber tenido sangre suficiente para un último pensamiento, quizá se habría preguntado cómo reaccionarían su mujer y sus hijos..., pasar una vida en la clandestinidad y acabar así, sin que pudiesen llegar a saber que no era más que una tapadera, que, en realidad, era alguien mucho más honorable y decente de lo que se pudieran haber imaginado...

En cualquier caso, no tuvo tiempo para arrepentirse, ni siquiera un instante que dedicar a su familia. Tampoco un recuerdo fugaz de su patria. Nada en absoluto logró imponerse a aquella sobrecogedora idea de la fría, eficaz y mortífera *Stasi*.

La escopeta resonó en el interior de la cocina y le dio a Malloy en la espalda, justo cuando él disparaba sobre la puerta del dormitorio. Ethan se volvió hacia la abertura con el AKS-74 en automático. Vio al hombre que había disparado a Malloy. El tirador estaba metiendo otra bala en la recámara; llevaba chaleco, pero no iba a servirle de nada.

Antes de que Ethan pudiese apretar el gatillo, alguien le dio en la espalda con un disparo de escopeta. Solo entendió lo ocurrido después de caer de boca al suelo; había recibido el impacto en la espalda, protegida por el chaleco, y en el brazo derecho desnudo.

El tirador al que había estado a punto de disparar pasó por encima de él, y Ethan se retorció para mirarlo. Como no tenía el arma, fue a coger su cuchillo, pensando que podría sacarlo de la funda. Durante un segundo no entendió que el caótico tableteo que sonaba por encima de los disparos de escopeta pertenecía al arma de Kate. Vio las astillas de mampostería y madera dentro de la cocina, y después el estallido de los armarios detrás del hombre que estaba a punto de matarlo. Y, a continuación, vio cómo reventaba la cara del mismo hombre.

Ethan rodó para ponerse en pie y vio a Malloy todavía en el suelo. ¿Herido? ¿Muerto? No lo sabía. Kate había matado a la mujer que se escondía en el salón (la que había disparado a Ethan por la espalda) y, en aquel momento, estaba abriendo la puerta del dormitorio de una patada. Malloy se puso como pudo a cuatro patas. Kate salió del dormitorio.

—¡Vacío! —les dijo—. ¿T.K.? —Malloy intentó levantar la cabeza, pero no lo logró—. ¿Estás herido?

Malloy se movía despacio, con la chaqueta destrozada a la altura de los riñones.

—Creo que estoy bien —respondió. Kate miró a Ethan; como su marido estaba de pie, no se había dado cuenta de que lo habían herido. Al percatarse, fue hacia él—. ¡Te han dado!

Ethan se miró el brazo, pero las gafas de visión nocturna limitaban su visión periférica.

—¿Puedes mover el brazo? —le preguntó Kate, acercando la cara para intentar ver algo a través de las gafas.

Ethan levantó el brazo, que no estaba roto, pero dolía. Malloy por fin logró ponerse en pie, aunque se tambaleaba. Le habían dado un puñetazo de plomo.

—Estoy bien —les aseguró Ethan—, pero tengo algunas postas en el brazo.

—¡Tenemos que salir de aquí ahora mismo! —les dijo Kate—. ¿T.K.? ¿Puedes trepar?

Malloy se tambaleó y miró a Kate, Ethan y los dos muertos.

—¡Farrell! —masculló.

—Olvídate de él, tenemos que salir de aquí ya. ¿Puedes trepar?

Se inclinó como un anciano para recuperar el arma y, cuando se levantaba, respondió:

—Estoy bien —no le quedó muy convincente.

—¿Chico?

—Estoy bien —respondió Ethan.

Salieron al vestíbulo, sin perder de vista las escaleras, y volvieron al piso del otro lado del pasillo.

Al oír los tiros, Jim Randal telefoneó a Sutter.
—¿Has oído eso?
—Lo oigo.
—No pinta bien.
—¡Quédate donde estás!
—No me muevo, pero no pinta bien.
Randal colgó y miró a su alrededor. Lo habían dejado a media manzana de distancia, en las sombras, pero podía estar en la acera delante de la entrada en cuestión de segundos. La calle seguía vacía, aunque los disparos hicieron que se encendiese una luz en la ventana de un piso al otro lado de la calle en la que estaba. Entonces vio movimiento por el espejo retrovisor: una mujer con un largo abrigo de piel y tacones altos corría aterrada por el centro de la calle. Randal examinó de nuevo la zona; estaba sola y miraba hacia el edificio mientras corría. Llevaba el abrigo abierto y Randal vio, sin poder creérselo, que sus únicas prendas de ropa eran los tacones altos, un ligero y unas medias. Dedicó una palabrota entre dientes a la imagen y a los alemanes en general, aunque no pudo resistir la tentación de observar el espectáculo con atención durante los pocos segundos que la mujer tardó en acercarse a su vehículo, al parecer sin darse cuenta de su presencia. Finalmente apartó la mirada y examinó la calle. Entonces la oyó llamarlo en alemán. Como vio que no respondía, se tambaleó hacia él y señaló hacia los disparos, gritando más cosas en alemán... algo sobre *sheezie* o *shitzi*. Tenía el abrigo completamente abierto, como si fuese la cosa más natural del mundo.
Randal no sabía bien qué hacer, así que lo primero que se le ocurrió fue abrir la ventana.

—¿Hablas inglés?

Decidió que, si hablaba inglés, podía decirle que se largara, y, si no, sacaría el arma reglamentaria y le diría que se largara. Sin embargo, mientras pensaba en cómo encargarse de ella, notó algo caliente en el cuello. Después empezó a marearse.

Ethan fue el primero en bajar del balcón. Aquella vez utilizó las piernas, ya que no podía cargar peso en el brazo derecho. Cuando llegó al suelo, vio una sombra y supo que era Dale.

—¡Hemos perdido a un hombre! —susurró, sacando el arma para prepararse.

—¿Qué? ¿Qué ha pasado? —preguntó Malloy.

Ethan corrió hacia el cuerpo y le volvió el hombro.

—Es Dale. Le han cortado el cuello.

Observó la oscuridad con las gafas y vio unas huellas de zapatos de mujer acercándose y alejándose. Las de ida parecían serpentear, mientras que las de vuelta iban en línea recta. Ethan retrocedió y apoyó el arma en el hombro para cubrir el edificio mientras Malloy bajaba lentamente por la cuerda. Estaba herido, quizá de gravedad. Kate vigilaba los balcones superiores desde su posición en el balcón de la primera planta. Por el momento estaba atrapada y no podía hacer demasiado desde allí. Una vez Malloy tocó el suelo, ella bajó del balcón y descendió rápidamente con las manos. Cuando estaba a punto de terminar, algo se movió en uno de los balcones de arriba, así que Ethan miró hacia allí, vio un arma y disparó. Oyó a Josh llegar con el todoterreno. Kate corrió, dejando atrás a Ethan, y se volvió, disparando varias veces hacia el edificio.

Ethan vio que Malloy intentaba llevarse a Dale a rastras.

—Yo lo llevaré, T.K. —le susurró—. Tú cubre el edificio.

Dio un paso adelante y se echó a Dale al hombro; el peso, unido al dolor del hombro, estuvieron a punto de tirarlo. Kate y Malloy siguieron disparando al edificio, mientras Kate retrocedía de espaldas hacia la acera. Josh esperaba en el todoterreno, que estaba recibiendo disparos.

Kate vació su arma y se lanzó al asiento trasero. Unos cuantos disparos más alcanzaron el vehículo cuando Ethan metió el cadáver de Dale atrás y se metió detrás de él. Malloy vació el cargador y se lanzó de cabeza por la ventana abierta del asiento del copiloto.

—¡Vamos! —gritó Ethan, aunque Josh ya estaba quemando neumático.

Josh giró bruscamente a la derecha al final de la manzana y giró de nuevo para llegar a la parte delantera del edificio. Frenó, perplejo, al no ver el Land Rover de Dale. Un disparo dio en la ventanilla, rompiendo el hechizo. Josh giró ciento ochenta grados, dándole con la parte de atrás a un coche aparcado al terminar, pero los sacó de la zona caliente. Kate le dio instrucciones desde el asiento de atrás mientras volaban por la calle, y pronto entraron patinando en la gasolinera BP. Por el momento nadie los seguía y las calles estaban en calma, lo que les daba tiempo para pasarse al Toyota; Malloy y Ethan metieron el cadáver de Perry en el maletero, y Malloy tomó el volante. Dejó despacio del aparcamiento, como si no tuviera ninguna preocupación en el mundo, justo cuando el primer coche de policía salía con la sirena puesta de la calle que tenían enfrente.

—Llama a Jim —le dijo Malloy a Sutter, mientras él también marcaba un número en su móvil.

En los Estados Unidos era primera hora de la noche, y Jane dejó sonar el teléfono varias veces antes de contestar.

—Sí —respondió al fin. Sabía que era Malloy y, por el tono, estaba seguro de que esperaba buenas noticias.

—Dale está muerto —le dijo Malloy.

—¿Cómo? —preguntó Jane tranquila y fría.

Malloy se imaginaba que había alguien con ella, que no podía hablar con libertad, pero lo cierto era que siempre se comportaba así. Cuanto peor se ponían las cosas, más fría se volvía.

—Alguien se acercó y utilizó un cuchillo —respondió, mirando a Sutter, que no obtenía respuesta de Jim—. También tenemos un desaparecido en combate..., uno de los agentes del FBI en el caso.

—¿Cuál de los dos?

—El agente especial James Randal.

—Se lo haré saber a su gente. ¿Puedes darme la última ubicación?

Malloy le dio la dirección del edificio y le dijo que Randal había estado conduciendo el Land Rover de Dale. Ethan le dio la matricula del Land Rover desde el asiento de atrás y Malloy la repitió, preguntándose cómo Ethan podía recordar algo así en un momento como aquél.

—Yo me encargo —respondió Jane.

—He sacado el cadáver de Dale del lugar. Lo dejaré en su piso franco bajo el Das Sternenlicht.

—¿Dónde está el segundo agente, T.K.?

—Conmigo —respondió, mirando a Josh Sutter, que parecía desolado y perdido.

—Tenemos que sacarlo del país esta noche.

—Ahora mismo estoy ocupado con otro problema.

—¿Me lo puedes contar?

—La verdad es que no.

—Puedo enviarte dos equipos: uno para limpiar lo de Dale y otro para llevar al agente Sutter a Ramstein. ¿Y tú? ¿Estarás bien?

—Estoy bien. —«Dolorido, quizá incluso herido», pensó, pero ella no tenía por qué saberlo. Al menos, no de momento.

—Quiero que vayas a por Chernoff, T.K. Ahora ella es la prioridad. Con un agente federal muerto en la persecución, el señor Farrell acaba de perder toda la simpatía que pudiera despertar en los medios. ¿Está claro?

—Hemos derribado a una mujer. Puede que fuera Chernoff, aunque, si no, créeme, es mía.

Cuando Sutter vio que Malloy colgaba, le preguntó:

—¿Qué posibilidades hay de que Randal siga con vida? —Probaba a llamarlo al móvil cada par de manzanas y miraba por la ventana como si creyese poder encontrarlo en alguna parte de la calle. Como Malloy no respondía, Sutter añadió—: ¿Crees que está muerto?

En realidad no era una pregunta, así que Malloy la dejó en el aire antes de responder:

—Creo que lo mejor es prepararse para lo peor.

—Tengo que llamar a mi supervisor —dijo Sutter, empezando a marcar otro número.

—Ya está arreglado —repuso Malloy. Como eso no lo detenía, lo cogió de la muñeca—. No tienes que hacer nada ahora mismo, Josh. Está todo arreglado.

—¿Y Jim? ¡Ha desaparecido, T.K.! ¡No podemos suponer que ha muerto y ya está!

—Los polis de Hamburgo estarán buscándonos por todas partes. Ya tienen la escena de crimen y la matrícula del Land Rover.

—¡Tengo que llamar a Hans!

—Llámalo... y te pasarás veinte años como mínimo en la cárcel por cómplice de asesinato.

La palabra *asesinato* hizo que Sutter se detuviese en seco.

—¿De qué estás hablando?

—Si matas a alguien mientras cometes un delito en los Estados Unidos, te acusan de homicidio premeditado, ¿no? —dijo Ethan. Como Sutter no respondía, Ethan siguió hablando—.

Aquí es lo mismo. La única diferencia es que aquí no hay pena de muerte.

—Hans no es tu amigo, Josh —añadió Malloy—. Ya no.

—Te equivocas, T.K.: tú no eres mi amigo.

—Ahora mismo —repuso Ethan—, te guste o no, tienes tres amigos en este país: las personas de este coche. Todos los demás van detrás de tu pellejo.

Altstadt (Hamburgo).

—¿Es malo? —preguntó Carlisle. Jim Randal estaba atado y amordazado en la habitación contigua, consciente, pero atontado. Helena Chernoff se había cambiado de ropa y estaba colocándose un chaleco antibalas.

—No responde nadie en los pisos —dijo—. Los otros tres salieron antes de que apareciese la policía.

—Entonces, ¿podemos coger a Ohlendorf?

—No creo que sea problema —respondió ella, mirando a Randal con curiosidad—. Solo tenemos que convencer al agente Randal para que haga una llamada.

Barrio de St. Pauli (Hamburgo).

—Será mejor que le cuentes a Josh lo de Ohlendorf —dijo Kate mientras Ethan salía del coche y abría la verja del aparcamiento trasero del Das Sternenlicht.

—Estaba a punto de hacerlo —respondió Malloy mirando a Josh, que se había callado al darse cuenta de que no tenía ningún amigo—. El tipo que nos dio la información está ahí dentro.

—¿Todavía confías en él? —le preguntó Sutter. Sonaba como una broma, pero nadie se reía.

—Nunca lo he hecho —respondió Malloy, y metió el coche en el aparcamiento—. Cuando entres, quiero que vayas a la habitación de atrás. Que no te oiga decir nada. Vamos a tener que dejarlo marchar después y no quiero que tenga información que la policía pueda utilizar para encontrarnos.

Malloy entró primero para asegurarse de que nadie entraba al almacén desde el bar y los encontraba. Ethan y Josh Sutter sacaron el cadáver de Dale del maletero del Toyota y lo metieron en el sótano. Kate cogió las bolsas de lona.

Malloy condujo a los tres al dormitorio. Después de dejar el cadáver de Dale Perry apoyado en la pared, Sutter dijo:

—No podemos dejarlo así.

—Un equipo vendrá antes de que amanezca. Ellos se encargarán.

Malloy quería decir que soltarían el cadáver en alguna otra parte y dejarían que otros lo encontraran. Sutter examinaba el dormitorio, de aspecto estéril.

—¿Vivía aquí?

—No, es uno de sus pisos francos. Tenía mujer e hijos, una casa..., una vida real.

Sintió que la tristeza amenazaba con hacerse con él, así que la empujó de nuevo hacia dentro.

Kate se quitó la chaqueta y las armas.

—¿Tienes un botiquín de algún tipo?

—En el baño.

—Pues vamos, quiero echarle un vistazo a tu espalda.

—Encárgate de Ethan, tengo que limpiar el ordenador antes que nada —cuando se fueron, le dijo a Sutter—: puedes ponerte cómodo, Josh, tenemos que esperar tres o cuatro horas para llevarte a casa. —Consultó la hora—. La buena

234

noticia es que estarás en un avión a Nueva York antes de ocho horas.

—No me voy de aquí hasta saber qué le ha pasado a mi compañero.

—Josh, no tienes elección. Si la policía te encuentra, te acusará de varios asesinatos y un secuestro.

—Entonces, ¿estás diciendo que si la policía encuentra vivo a Jim...? —preguntó Sutter, pálido de miedo, aunque todavía pensando en Randal.

—De cualquier modo, no será bueno, pero, al menos, si lo encuentran los polis seguirá vivo y podremos negociar con los alemanes. Quizá conseguir una reducción de su pena.

—Joder, ¿en qué nos has metido, T.K.?

—No lo sé, Josh —respondió Malloy, mirando a Dale y sintiendo que se le revolvía el estómago—. De verdad que no tengo ni idea.

Malloy encendió el ordenador. Tenía todos los archivos relevantes sobre Chernoff en su hotel de la Neustadt, pero le pareció buena idea buscar pistas sobre los Caballeros de la Lanza antes de limpiar el cacharro. Probó con *caballeros*, *lanza* y *paladines*. Como no encontró nada, buscó a Ohlendorf y encontró un nido de ficheros, incluidos sus socios conocidos. Se bajó el material a un lápiz de memoria de dos gigas y se guardó el dispositivo en el bolsillo. Después activó el software de autodestrucción. Una ventanita emergente le pidió su código, así que introdujo JANE, y los archivos empezaron a desaparecer. Mientras el programa estaba funcionando, registró los cajones y encontró una caja de DVD con material de la agencia. También había otro lápiz de memoria con dos gigas, aunque no tenía tiempo para leerlo. Se lo llevó todo a la cocina y empezó a romperlo. Una vez limpio el ordenador, sacó el disco duro, se lo llevó a la cocina y lo hizo pedazos. Después metió el disco roto, los DVD y el segundo lápiz de memoria en un cuenco de cristal y los roció con líquido desatascador de tuberías..., solo para asegurarse de que no sobrevivía nada.

Cuando llamó a la puerta del baño, Kate le dijo que entrara. Ethan estaba desnudo de cintura para arriba y sentado en el borde de la bañera. Kate estaba a su lado, a horcajadas sobre el borde, cosiéndole la herida con una aguja e hilo quirúrgico.

—¿Es malo? —preguntó Malloy.

—Tres postas le atravesaron la parte de arriba del brazo. He hecho lo que he podido para limpiar las heridas, pero va a necesitar un médico para sacarlas. De esto —añadió, señalando el trozo de piel suelta— hay que encargarse ahora mismo.

—¿Qué ha hecho para aliviar el dolor? —preguntó Malloy, hurgando en el botiquín.

Kate apartó la mirada brevemente de su sangrienta costura, miró a Malloy a los ojos y respondió:

—Echarle narices.

—¿Te duele? —le preguntó Malloy a Ethan.

—Un poquito —consiguió decir Ethan, aunque en su rostro, blanco como el de un fantasma, no se veía expresión alguna.

Kate terminó de coser la herida y buscó vendas en el botiquín. Después se volvió hacia Malloy.

—Te toca, T.K. Quítate la ropa.

Una vez libre de los pinchazos de la aguja, Ethan logró sonreír para comentar:

—¿Recuerdas aquellos tiempos en los que oírle decir eso a una mujer era algo estupendo?

Malloy se quitó el chaleco y la camisa. Le dolía, era un dolor profundo y sordo, como si se hubiese estrellado contra un muro unas cuantas veces.

—Quítate los pantalones también —le dijo Kate.

—¿Ni siquiera piensas invitarme a cenar?

—¡Joder, tío! —exclamó Ethan cuando Malloy se apartó educadamente de Kate—. ¿Qué te ha pasado en el pecho?

—Me lo hicieron en el Líbano —respondió Malloy, mirándose el pecho mientras se bajaba los pantalones—. Mi primer día de servicio.

—Pues podría haber sido el último.

—La gente que me encontró después me dijo que no creían que tuviese ninguna oportunidad —respondió Malloy, con una mueca.

Kate empezó a tantear la zona de los riñones de Malloy, y este hizo un gesto de dolor; no pudo evitar las lágrimas. Era como si su amiga estuviese utilizando la aguja.

—Estás bastante magullado por aquí, pero no sé si hay daño interno. Tienes que estar pendiente de la sangre. No es bueno tontear con los riñones.

—¿Y las heridas de la escopeta?

—Es una porquería sanguinolenta, pero limpiaré la zona y la vendaré. ¿Qué prefieres, sal o alcohol?

—¿Demerol?

—Pues alcohol.

Limpiar las heridas dolió más que el disparo, pero no tuvo que soportar agujas e hilo, así que lo aceptó sin quejarse demasiado.

—¿Crees que mi mujer se imaginará lo que ha pasado? —preguntó.

—No sé —respondió Ethan—, ¿es muy estúpida?

Josh Sutter llamó a la puerta del baño y la abrió, con la cara pálida. Le pasó su móvil a Malloy.

—Hay una mujer al teléfono. Dice que solo hablará contigo.

Malloy miró a Kate y a Ethan antes de aceptar el móvil y decir en alemán:

—¿Quién es?

—Estoy dispuesta a hacer un intercambio —respondió en alemán la mujer—. ¿Y tú?

Reconoció la voz de las grabaciones de vídeo que había visto la noche antes.

—¿Qué vamos a intercambiar, Helena?

—Un agente del FBI por un abogado de Hamburgo.

—Necesito una prueba de que...

—¡T.K.! —se oyó gritar a Jim Randal—. ¡Por amor de Dios, ayúdame!

—¿Te vale? —preguntó la mujer.

—Deja que hable con él.

—Hay un aparcamiento al final de Alsterchausseestrasse, cerca del Aussenalster. Podrás hablar con él allí, si traes al abogado.

—Lo encontraré —dijo Malloy, después de repetir en voz alta el nombre de la calle.

—Bien, porque tienes veinticinco minutos para llegar. Después... considera al agente especial Randal hombre muerto.

CAPÍTULO SIETE

Barrio de St. Pauli (Hamburgo)
Domingo, 9 de marzo de 2008.

—HELENA CHERNOFF TIENE A JIM —LES DIJO Malloy—. Quiere hacer un intercambio.

—¿Cuándo? —preguntó Kate.

—Ahora.

—¿Crees que dice la verdad?

—Está claro que Ohlendorf sabe mucho sobre ella —respondió Malloy. No estaba seguro de que fuese sincera, pero el intercambio tenía sentido—. Supongo que estará desesperada por recuperarlo.

—¿Cómo sabe que secuestraste a Ohlendorf? —preguntó Ethan.

—Contactos dentro de la policía, un cómplice con un escáner de la policía, quizá haya salido ya en la tele y la radio. ¿Quién sabe? El tema es que lo sabe y quiere recuperarlo. —Miró a Sutter—. ¿Estás en esto con nosotros, Josh?

—No podrías librarte de mí ni con una espátula.

Malloy asintió. Miró a Kate, que miraba a su marido.

—Cuenta con nosotros —respondió Ethan sin vacilar, y eso que ellos no sacaban nada del asunto, tan solo los problemas que les pudiera presentar Helena Chernoff.

—Creo que la mejor forma de llevar esto es hacer el intercambio y largarnos —les dijo Malloy—. El problema es que no puedo hacerlo. Necesito cargarme a esa mujer.

—Tendrá respaldo —respondió Kate.

—Pues nos los cargaremos también.

—Escuchad, esta noche ha perdido gente y está recomponiendo la situación sobre la marcha —intervino Ethan—. Puede que tenga a un par de personas más, quizá tres. No será como enfrentarse a un ejército.

—Siempre que no nos arriesguemos a perder a Jim —dijo Josh, que estaba ansioso por empezar a moverse.

—Dejaré al Chico y a la Chica a kilómetro y medio del intercambio; tú te quedarás conmigo —respondió Malloy—. Cuando hagamos el intercambio, ellos probarán suerte con Chernoff —añadió, señalando a Kate y Ethan con la cabeza.

—Eso significa perder a Jack Farrell —repuso Kate.

—Farrell da igual. Lo importante ahora, después de acabar con Chernoff, es recuperar a Ohlendorf. Creo que él puede decirnos lo que necesitamos.

Encontraron unas gafas de visión nocturna para Josh. Mientras le buscaban un chaleco, Ethan sacó de su arsenal las tres granadas de mano y toda la munición extra que tenían para los Kalashnikovs. Recargaron las armas y se las guardaron debajo de los chubasqueros.

Una vez hecho eso, soltaron a Ohlendorf, lo enrollaron en un abrigo y lo esposaron. Seguía llevando una capucha, aunque no era problema, ya que, salvo por las luces ambientales de algunas ventanas, el patio estaba a oscuras. Además, en aquel barrio, un hombre con capucha y esposas casi parecía parte del paisaje.

240

Malloy, Kate y Ethan cogieron sus intercomunicadores, pero no se los pusieron. En aquel momento tenían que pensar en conservar las baterías.

—¿Todos listos? —preguntó Malloy. Después de que todos comprobaran el equipo y asintieran, señaló a Josh—. Tú te encargas de la distracción y te aseguras de que nadie entre por el almacén.

—¿Y cómo lo hago? ¿Qué digo?

—Enseña la placa y di: *«Raus»*. Si eso no funciona, dispara. Cuando salgamos del aparcamiento, cierra detrás de nosotros, puede que tengamos que volver —le dio la llave—. Kate, tú vas delante, asegúrate de que nadie venga por el callejón mientras estemos metiéndolo en el coche. Ethan, os quiero a Kate y a ti en el asiento de atrás. Mantened a Ohlendorf oculto.

Cuando Josh aseguró las escaleras, Ethan y Kate lo siguieron, y Malloy salió detrás, guiando a Ohlendorf mediante su voz. En el exterior avanzaron rápidamente hacia el coche. Kate ya estaba en el lado opuesto del Toyota, cubriendo el callejón. Ethan abrió la puerta trasera del Toyota para Malloy y Ohlendorf. Sutter, tal como le habían dicho, salió por la parte de atrás del edificio y se puso en la parte delantera del coche esperando a que Malloy saliese para poder cerrar la verja.

Al ver que Ohlendorf vacilaba, Malloy pensó que el abogado no quería meterse en el coche. Obviamente, no tenía ni idea de dónde estaba y quizá creyese que montando una escena podría obtener ayuda. Entonces, Ohlendorf cayó al suelo y Malloy notó que unos proyectiles le impactaban en el chaleco. No se oyó nada; mientras caía, tres proyectiles más dieron a pocos centímetros del primero.

—¡¡Francotirador!! —gritó mientras caía.

Kate estaba en el lado opuesto del Toyota cuando Malloy gritó. Junto a ella estaba la segunda plaza de aparcamiento de Dale Perry, vacía. Más allá había un estrecho callejón que daba a la calle. Oyó que las balas alcanzaban carne y chaleco cuando Malloy cayó con Ohlendorf..., herido o en busca de protección, no lo sabía. Vio que Ethan daba un bote sorprendido y movía el brazo izquierdo, como si acabasen de darle. Después varios proyectiles le dieron en el chaleco y cayó al suelo. Kate se lanzó hacia el edificio, pero estaba expuesta y tres balas la alcanzaron en la espalda. Una cuarta le atravesó el muslo derecho.

Con el Kalashnikov atrapado bajo la chaqueta, su única alternativa era sacar la calibre 45. Oyó pisadas en el callejón y se dio cuenta de que se disponían a rematarlos. Al primero le dio en el pecho y oyó el ruido en el chaleco antibalas. El hombre dio un respingo y se giró. El segundo estaba apuntando cuando ella rodó por el suelo y disparó tres veces más, bajo el fuego de la escopeta.

El último recibió un tiro en la cabeza. Kate dejó de rodar y quedó debajo del primer atacante, que estaba bajando el arma para dispararle. Antes de poder apretar el gatillo, Kate le vació la pistola en la entrepierna.

Ethan vio que un hombre corría hacia él desde el centro del patio. Con su AKS-74 todavía guardado bajo el chubasquero y la muñeca izquierda entumecida por el dolor, sacó la Colt que llevaba en la pistolera.

Oyó cómo la calibre 45 con silenciador de Kate disparaba, pero el hombre siguió acercándose; después oyó una escopeta disparar cerca de ella. Ethan rodó cuando el tirador que se acercaba a su posición disparó la escopeta. Notó las postas en las piernas y oyó cómo su arma y la del otro arrancaban ecos en la plaza. Disparó una vez, pero a ciegas. Disparó una segunda vez y acertó en el chaleco del tirador, pero no lo derribó.

El tirador metió un cargador nuevo en la escopeta y estaba a punto de disparar cuando Ethan le apuntó a la cabeza y disparó por tercera vez. La escopeta saltó hacia arriba y no causó daños. El hombre cayó al suelo.

Chernoff acertó a Ohlendorf y a Malloy con dos ráfagas rápidas de su M-4 con silenciador, dibujando un delicado ocho. Cuando los dos hombres cayeron, bajó la mira para apuntar a Brand y volvió a disparar, moviendo el cañón del arma hacia su esposa. Vació el cargador sobre el agente del FBI, metió otro nuevo y cambió el selector a disparo único.

Todos estaban en el suelo: heridos, a cubierto o muertos. Chernoff había advertido a los suyos que fuesen primero a por Kate Brand y su marido, así que se acercaron cuando ella estaba acabando el primer cargador. Ethan Brand derribó al hombre que tenía delante con tres disparos. Chernoff estaba levantando el arma para dar el tiro de gracia cuando se dio cuenta de que el segundo equipo también había sido abatido. Apuntó a Kate, pero, en aquel momento, los trocitos de mampostería se le clavaron en la cara; mientras intentaba procesarlo, una segunda bala le pasó rozando, para después dar contra una rejilla de ventilación que tenía justo detrás. Ethan Brand la había encontrado.

Se retiró antes de que acertase y se movió por el tejado, avanzando con cautela. Oyó a Kate Brand gritar:

—Voy a por ella, ¡cubridme!

Chernoff apuntó a Kate justo cuando Ethan abría fuego sobre su nueva posición. Oyó un proyectil pasar junto a ella, y la segunda bala le dio en el chaleco e hizo que rodara por el suelo para ponerse a cubierto.

Malloy se sentó, rodeado por el sonido de las escopetas. Todavía estaba intentando sacar el Kalashnikov cuando Kate soltó el primer cargador vacío, recargó la calibre 45 y empezó a correr por el aparcamiento. Mientras lo hacía, les pedía que la cubriesen.

Al observarla moverse, Malloy se dio cuenta de que le habían dado. La mujer se puso a cubierto en el centro del aparcamiento y después siguió moviéndose mientras Ethan descargaba su calibre 45 sobre el tejado. Malloy utilizó aquella distracción para echarle un vistazo a Ohlendorf; el abogado estaba muerto. Se acercó a rastras a la parte delantera del coche y encontró a Josh Sutter en el suelo, respirando con dificultad y, obviamente, aterrado.

—Me han dado —dijo el agente.

Kate pasó por encima del maletero y el techo de un coche deportivo, saltó hacia un adorno gótico a unos cuatro metros del suelo y se agarró a un saliente de la piedra con las dos manos, dándose contra la pared de yeso con las botas. Sobre el adorno, el edificio tenía bloques hasta llegar al tejado. El único problema era que la herida le ardía. El dolor empezaba a quitarle las fuerzas. Metió los dedos en el borde del primer bloque y se impulsó hacia el siguiente, poniendo los pies en el adorno.

Se obligó a olvidar las náuseas a base de pura rabia. Subió y metió los dedos en una unión de argamasa entre dos grandes piedras. Después subió la pierna buena hasta tener el dedo gordo metido en otra unión y se dirigió al bloque siguiente. Se impulsaba con rapidez, porque Chernoff no iba a quedarse por allí, esperando a que la poli la cogiera, y Kate no quería darle la oportunidad de volver a intentar matarlos. Justo bajo el tejado, se agarró a la canaleta. Aquel tipo de cosas eran famosas por su fragilidad, podía romperse o combarse sin previo aviso, pero no tenía elección. Debía confiar o huir. Tiró con fuerza de ella, para probar, y parecía sólida. Los alemanes eran buenos reparándolo todo, incluso en el barrio rojo de la ciudad. Al menos, eso se decía mientras se apartaba de la pared para quedar colgada durante un instante en el aire, a veinte metros del suelo.

La canaleta gruñó, pero resistió. Kate sacó su pesado cuchillo de combate de la bota y se lo puso entre los dientes. Después subió la barbilla hasta el borde de la canaleta y se sostuvo con una mano. Cogió el cuchillo y probó suerte con él en las tejas; se clavó en una pieza sólida de duro contrachapado.

Cuatro plantas más abajo oyó acercarse las sirenas de la policía desde distintos puntos del barrio. Con el cuchillo, se impulsó por la canaleta y consiguió ponerse en pie. Tenía las gafas de visión nocturna puestas y sacó el calibre 45, pero Chernoff, tal como esperaba, ya se había retirado del tejado.

—¿T.K.? —preguntó Ethan.

—Josh está herido.

—¿Es grave?

—Sigue consciente.

Ethan volvió y encontró a T.K. sosteniendo a Josh.

—¡Me ha atravesado el chaleco! —exclamó Josh asustado.

—A veces pasa —respondió Malloy—. La buena noticia es que quizá no sea muy profunda. ¿Puedes andar?

—No sé.

Cuando Malloy lo estaba poniendo en pie apareció el primer coche de policía por el callejón más grande: al otro lado del patio en el que se encontraban.

—¡Adentro! —susurró Malloy.

Estaban en la puerta de atrás del Das Sternenlicht cuando do un segundo coche entró en la plaza, justo detrás del primero.

—¡Chica! —llamó Ethan por el intercomunicador.

Kate no respondió, y ya no la veían.

Una vez dentro, Malloy señaló al almacén.

—¡A través del bar! —les dijo.

Josh estaba apoyado en el hombro de Malloy para sostenerse, pero al menos movía las piernas y cargaba con casi todo su peso. Ethan mantuvo baja la pistola al pasar junto a la poco agraciada bailarina esquelética. Había dos hombres en el público y otro detrás de la barra. Todos miraron a Malloy y Josh avanzar con dificultad por el bar, pero ninguno dijo nada, ni intentó llamar por teléfono. Cuando salieron, Ethan vio un coche de policía entrando en el estrecho callejón... y bloqueando el patio.

—¡Chica! —volvió a decir, de nuevo sin respuesta.

Adelantó a Josh y Malloy, y salió a la calle delante de un BMW que se había detenido para dejar pasar al coche patrulla.

—¡¡Alto!! —gritó Ethan, apuntando con el arma a la ventanilla, a la cabeza del conductor, que levantó las manos. Sin dejar de apuntarlo, Ethan se acercó a la puerta—. ¡¡Fuera!!

Malloy se subió detrás con Josh. Ethan dejó que el conductor se alejara y después ocupó su asiento. Se oyeron gritos en la acera y el coche de policía salió del callejón del patio marcha atrás.

Ethan metió el acelerador y golpeó el guardabarros trasero del coche patrulla al retroceder. Le dio también de rebote a un coche aparcado y consiguió salir por un hueco. Desde atrás, Malloy hablaba casi como si no pasara nada:

—Todavía nos ven, pero nadie nos sigue.

Ethan dio un par de giros bruscos.

—¡Tiene buena pinta! —comentó Malloy.

Ethan supuso que «buena pinta» era tener unos diez segundos de ventaja. Frenó de golpe y patinó hacia la siguiente calle lateral sin ver policía. Encontró lo que buscaba a media manzana de distancia: un viejo Mercedes de veinte años que parecía bien cuidado. Los modelos antiguos de Mercedes tenían menos plástico y más acero…, potencia de ariete, en otras palabras.

Ethan le pegó un tiro a la ventanilla del conductor y metió su cuchillo de combate bajo el salpicadero a la vez que entraba en el coche. Malloy y Josh se metieron como pudieron en el asiento de atrás, tan despacio que, cuando por fin estuvieron dentro y cerraron la puerta, Ethan ya había arrancado el motor y empezaba a apartarse de la acera.

—¡Sigue despejado! —dijo Malloy algo más animado. Ya casi estaban fuera.

Ethan se metió en la primera calle a la derecha y se encontró de frente con un coche de policía que bajaba por la calle sin sirenas. Se apartó educadamente del centro de la calle y lo observó pasar. Un segundo después, aceleró. Tres, cuatro, cinco segundos...

—¡Despejado! —anunció Malloy.

Dio la vuelta, bajando a velocidad legal.

—¿Seguimos bien?

—Sí.

Ethan intentó orientarse. Seguían en el barrio, pero, en aquel momento, estaban solos, y estar solos no era bueno. Necesitaban perderse en el tráfico, de lo contrario, algún poli los descubriría.

—Tenemos que llevar a Josh a un hospital —comentó Malloy.

—¡No! —gritó Josh, que estaba asustado, aunque no parecía desvariar.

—No sé si la herida es grave —respondió Malloy.

—Da igual. Si voy a un hospital, acabaré en la cárcel.

—Al menos estarás vivo —repuso Ethan. Decidió que sabía dónde estaba y se metió en otra calle. Todavía por debajo del límite de velocidad, empezó a pensar (o por lo menos a esperar) que lo habían conseguido.

—¡Os lo suplico, chicos, nada de hospitales!

—Podrías estar desangrándote —le dijo Malloy—, ¡y no me daría ni cuenta!

—¡Me da igual! No quiero ir a la cárcel, ¡aquí no! ¡Ni siquiera conozco el idioma!

La puerta de acceso al tejado estaba cerrada con llave, así que Kate disparó a la cerradura. Bajó por las escaleras cubiertas llevando la calibre 45 con las dos manos y el Kalashnikov todavía bajo el chubasquero. Mantuvo la espalda pegada a la pared de ladrillo y bajó las escaleras con precaución. Le dolía el muslo por culpa del disparo del francotirador y notaba la sangre caerle por la pierna.

Se detuvo al final de las escaleras y se quitó la chaqueta, el arma, el chaleco y la blusa. Se bajó los pantalones y le echó un vistazo a la herida. La bala la había atravesado. La pierna le temblaba sin control y la herida no dejaba de sangrar. Cortó con el cuchillo varias tiras anchas de tela de la blusa y empezó a atarse la herida. La tela se volvió roja, así que se ató otra tira. También se puso roja. Empezó a sentir de nuevo náuseas en la garganta. Necesitaba dejar de moverse si no quería perder demasiada sangre, necesitaba ir a algún lugar seguro y tranquilo. El problema era que, si dejaba de moverse, la pillarían. «Moverse o morir», pensó, y se acordó del Eiger. Moverse o morir. Se volvió a poner el chaleco, se colocó el Kalashnikov y se puso la chaqueta. Se metió las gafas de visión nocturna en el bolsillo y abrió la puerta que había al final de las escaleras... utilizando de nuevo la pistola.

Entró en el vestíbulo de lo que parecía ser un hotel de mala muerte y vio a un hombre que corría hacia ella; al parecer, había oído la pistola con silenciador. Sin duda se trataba de un vigilante freelance, y llevaba la pistola desenfundada, aunque sin apuntar a Kate; cuando ella lo apuntó con su arma, el hombre se detuvo. Parecía querer levantar la pistola, pero medio segundo de vacilación acabó con sus posibilidades, así que la dejó caer.

—¿Teléfono? —preguntó ella.

El hombre se metió la mano en el bolsillo de la camisa y sacó un móvil.

—Retrocede —le dijo Kate, y él obedeció.

Sin dejar de apuntarlo, Kate se guardó la pistola y aplastó el móvil con la bota. Después recorrió el pasillo hasta otra escalera, disparó a la cerradura y salió al fondo de una librería para adultos, donde encontró el fusil y el chaleco de Chernoff. La buscó mientras se acercaba a la entrada delantera de la tienda, pero solo vio hombres entre las estanterías.

Algunos la observaron al verla pasar con el arma, pero era el barrio rojo, así que no resultaba fácil sorprenderlos. En la puerta se deshizo de la pistola del guardia de seguridad y se alejó cojeando por la acera.

Miró a uno y otro lado, pero Helena Chernoff había desaparecido.

—¡Arranca! —susurró Chernoff cuando se metió en el coche de alquiler de Carlisle. Carlisle metió la marcha y avanzó, pero el tráfico lo detuvo antes de poder girar. Mientras esperaba, se arriesgó a mirar por el espejo retrovisor y vio a una mujer cojear por la calle. Miró a Chernoff y se dio cuenta de que ella también miraba a la mujer con una curiosa atención.

—¿Problemas? —le preguntó.

—Kate Brand sigue viva —respondió Chernoff, mirando por el espejo hasta que giraron.

—¿Cómo?

—¡Subió por la fachada del edificio, David! —Carlisle soltó una palabrota y se rio—. ¿De qué te ríes? Su marido y ella han estado a punto de matarme.

—¿Y los demás?

—Estaban todos en el suelo cuando me fui, incluido mi equipo. Si no están muertos, los detendrán.

—¿Y Malloy?

—Le di, pero si llevaba chaleco...

—Hay que eliminarlo. ¿No tienes a alguien en la policía que pueda llegar hasta él?

—Tengo acceso a un agente en una de las unidades de inteligencia, pero no asesinaría a nadie.

—Todo el mundo tiene un precio.

—Veré lo que puedo hacer —respondió Chernoff, después de mirar a Carlisle y volver a examinar la calle—. ¿Y los Brand? ¿Qué quieres hacer con ellos?

—Yo me encargo cuando vuelva a Nueva York.

Ethan se metió en otra calle ancha y bien iluminada, pero el tráfico que buscaba empezó a frenarlo.

—¡Un control! —avisó Malloy.

Al parecer, Ethan también vio a los polis en el mismo instante, porque dio un giro de ciento ochenta grados. Como conducía con una sola mano en el volante, se le fue el coche y golpeó con la parte de atrás una fila de vehículos aparcados, aunque se puso en movimiento rápidamente. Malloy vio que los polis del control corrían a sus coches. Ethan ya había puesto dos manzanas y media de por medio antes de que empezaran a perseguirlos.

—¡Todavía podemos perderlos! —dijo Malloy.

Ethan giró bruscamente a la derecha y después a la izquierda. De nuevo iban en dirección norte por calles laterales, pero se hacía tarde: el tráfico era demasiado escaso para ocultarlos. Giraba hacia uno u otro lado al azar y, durante un instante, creyeron haber perdido de verdad a los dos coches que los perseguían.

—¿Te han herido en el brazo? —le preguntó Malloy.

—Una bala justo detrás de la muñeca.

—¿Es grave?

—Hueso roto.

Al volver a girar en la siguiente manzana oyeron más sirenas, aunque no vieron nada. Ethan sostuvo el volante con las rodillas, metió la mano bajo su chubasquero, sacó su móvil y se lo lanzó a Malloy.

—¡Es la Chica! —gritó.

—Soy T.K.

—¿Dónde está el Chico? —preguntó Kate.

—El Chico está algo liado con el volante en estos momentos.

—¿Tenéis problemas?

—Creo que los polis nos rodearán en un par de minutos.

—¿Dónde estáis?

—Es difícil saberlo con certeza, pero probablemente al oeste del Aussenalster.

Miró por la ventana de atrás y vio que un coche de policía se metía en la calle a seis manzanas de distancia de ellos. Los polis los tenían de nuevo a la vista. Los ojos de Ethan estaban clavados en el retrovisor, así que no hacía falta decírselo.

—Si estáis junto al lago, el consulado de los EE.UU. tiene que estar cerca.

—No puedo involucrarlos en plena persecución.

—¡No te queda más remedio!

—No nos dejarán pasar.

—¿Y la gente que venía de Berlín?

—Todavía están a unas dos horas y media de aquí.

—Eso servirá. Quiero que vayáis al Stadtpark y os ocultéis. ¿Podréis hacerlo?

—Irán a por nosotros.

—No si usáis las armas.

—No voy a disparar a la policía.

—Pero ellos no lo saben —respondió Kate—. Solo tenéis que mantenerlos a raya un par de horas.

—¿Y después?

—¡Después reza para que pueda sacaros de ahí!

—El Stadtpark —dijo Malloy, devolviéndole el teléfono a Ethan.

—Hay que cruzar un puente para llegar.

—No los pueden bloquear todos.

—¿Estás seguro?

Un coche de policía apareció justo delante de ellos y se paró para cortarles el paso. Con otros dos coches detrás, estaban atrapados.

—¡Espera! —exclamó Ethan.

Aceleró y giró el volante a la izquierda, lo que hizo que el asiento de atrás del Mercedes patinase y diese de lado contra el coche de policía. Hubo un fuerte estallido hueco de metal sobre metal. Malloy se dio contra la puerta y vio que los polis que tenía casi al lado volaban por el coche como muñecos de pruebas.

Josh gritó. Algunos cristales se rompieron y los dos coches empezaron a dar vueltas. Ethan seguía luchando con el volante. El Mercedes terminó una pirueta irregular por el cruce y siguió adelante.

—¿Estáis todos bien? —preguntó.

Malloy miró atrás. Los coches que los perseguían estaban enredados con el coche al que Ethan había golpeado. Miró a Josh y vio que tenía los ojos como platos.

—Me estoy perdiendo un espectáculo, ¿verdad?

—¡Estamos bien! —respondió Malloy—. Cuando lleguemos al parque, la Chica dice que tenemos que ocultarnos y mantener a raya a la policía un par de horas. ¿Tendremos problemas?

—Probablemente, aunque supongo que podemos intentarlo. Josh —añadió—, no quiero decirte lo que debes hacer, amigo, pero quizá te iría mejor quedándote en el coche cuando salgamos. Deja que los polis te encuentren y te lleven a un hospital.

Al agente se le llenaron los ojos de lágrimas mientras sacudía la cabeza.

—Se viene con nosotros —dijo Malloy.

—Solo quería decir...

—Sin discusión. Se viene hasta que no pueda seguir.

—Vale, pero, cuando pare el coche, tienes que ponerte de pie solo. Si no puedes, nos largamos.

—¡Puedo ponerme de pie!

Malloy contempló los edificios que pasaban junto a ellos. Tenían que estar cerca del parque. Miró atrás. Había un coche a tres manzanas, pero no intentaba alcanzarlos. Eso significaba que habían preparado un bloqueo que no podrían atravesar.

Cruzaron el Alster por uno de sus doce o más puentes, saliendo disparados en el proceso. Ethan ya había apagado los faros delanteros y conducía con las gafas de visión nocturna. Malloy supuso por el ruido que los perseguían de seis a ocho unidades, además de otras dos unidades que llegaban por la orilla este del río y que estaban a punto de encerrarlos en el puente. Ethan esquivó una furgoneta de la poli que se acercaba y después atravesó una verja metálica decorativa que estaba colocada a la entrada del Stadtpark. Se metió en un amplio sendero de tierra y dio varios giros de noventa grados hasta ver una explanada de hierba que ocupaba unos doscientos metros. El campo acababa en una fila de árboles.

—¡El Álamo, chicos! —gritó Ethan saliendo del sendero y atravesando el prado.

Una vez al lado de los árboles, torció a la derecha hasta ponerse de lado y se detuvo. El Mercedes les ofrecía una buena protección para salir por el lado del conductor. Ethan cogió a Josh y se lo echó al hombro.

—¡Cúbrenos! —gritó.

Malloy hizo lo que le pedía: se escondió detrás de la rueda delantera del Mercedes y disparó un cargador entero. El efecto de los disparos fue automático, ya que los coches de policía se pusieron de lado y formaron una fila a unos ochenta metros de los árboles. Mientras lo hacían, Malloy metió el cargador de reserva en el AKS-74 y retrocedió. Oyó algunas pistolas, pero estaban fuera del alcance de la mayoría de las armas.

Después de unirse a Ethan y Josh, Malloy observó cómo la segunda ola de polis rodeaba el parque, seguramente para cerrar el perímetro. Una vez que lo lograran, adoptarían una postura defensiva y esperarían a que sus grupos de operaciones especiales llegasen para el asedio.

—Quedaos aquí los dos —susurró Ethan—. Tengo que echar un vistazo. Volveré dentro de diez o quince minutos.

Cuando Ethan salió corriendo a toda velocidad por el prado siguiente, Malloy pensó por un instante que no regresaría. Bueno, ¿y por qué iba a hacerlo? Si era capaz de correr así, quizá pudiera salir de allí antes de que la policía asegurase la zona. Malloy miró a Josh. Le gustase o no, Josh iría a la cárcel. Los dos irían.

—¿Cómo lo llevas? —le preguntó.

—Como si alguien me hubiese golpeado en el pecho con un martillo y después me hubiese tirado a una hormigonera.

—¿La primera vez que te dan?

—Sí, ¿te han dado alguna vez?

—Me acertaron unas cuantas veces en el pecho en mi primer año sobre el terreno.

—Suena divertido.

—Instructivo, sobre todo.

—¿Sí? ¿Qué aprendiste?

—Que lo único peor que el dolor es no sentir dolor. No sentir dolor significa que se ha acabado.

—En ese caso, me parece que voy a vivir para siempre.

—Quédate con esa idea.

Al cabo de un minuto escuchando las sirenas que llegaban desde todas partes, Josh respiró hondo, como si quisiera reírse.

—El Chico se ha largado, ¿no?

Malloy miró al prado que tenían detrás y notó que se liberaba de la presión que le atenazaba el pecho. Se acabaron los secretos.

—Si es listo, lo habrá hecho.

—Tendría que haberme quedado en el coche. Es decir, tú tenías una oportunidad sin mí. Solo pensaba en...

—Todavía no nos han cogido, Josh.

—Nos han cogido, T.K. Llegados a este punto, solo es cuestión de tiempo —como Malloy no respondía, le preguntó—: ¿Estás casado?

—Sí —respondió, y los ojos empezaron a arderle al pensar en Gwen. ¿Cómo se lo tomaría? Tres, cinco años en la cárcel...

—¿Hijos?

—Tengo una hija mayor con la que no me llevo bien.

—Eso es duro.

—Lo es, cuando la veo.

—Yo tengo tres hijas y una mujer que lo son todo para mí, T.K.

—Escucha, Josh, es probable que sea cierto lo que el Chico dijo sobre la acusación de asesinato. Van a amenazarte con eso, pero solo para hacerte hablar. Te pedirán información sobre Dale y sobre mí, pero quiero que te hagas el tonto hasta que tengas un abogado, un abogado de la embajada estadounidense en Berlín. Cuando tengas representante legal y puedas negociar un trato ventajoso, diles todo lo que sepas. No te guardes nada. Ahora mismo no hemos herido a ningún policía y no estabas involucrado en el secuestro del hombre del piso franco. Yo les diré lo mismo. Quizá con eso te caigan de tres a cinco.

Josh Sutter pareció calcular aquella información. Los dos empezaban a aceptar que tendrían que rendirse.

—Tres años es mucho tiempo, T.K.

—No tanto como veinte.

—Tres años..., se puede perder a la familia en tres años. En cuanto a mi trabajo, el FBI se librará de mí en cuanto sepan que estoy metido en esto.

—Pues empiezas de nuevo, recuperas a tus crías, haces las paces con tu ex mujer, consigues un trabajo y sigues con tu vida. Tres años no es el fin del mundo.

—¿Crees que Jim sigue vivo?

—No lo sé, Josh.

—Quizá nos dejen ser compañeros de celda, bueno, para que pueda hablar con alguien. Es extraño pensar en eso, en darle una celda juntos a dos agentes del FBI.

Dieciocho minutos después de su partida, Ethan volvió. Respiraba con dificultad, como un boxeador entre asaltos.

—¡Vamos! —dijo, y se echó a Josh Sutter al hombro.

—¿A dónde vamos? —preguntó Malloy.

—He encontrado un buen sitio para esconderos. Espero que sirva para manteneros a salvo, al menos hasta que salga el sol.

—Entonces, ¿cuál es el plan?

—Os lo diré cuando lleguemos.

El lugar que Ethan había encontrado los obligaba a apartarse de los árboles y cruzar un segundo prado. Después de eso, siguieron un sendero del parque hasta llegar a un enorme arbusto de rododendro. Se pasó un minuto cubriéndoles la cara y las manos de lodo, igual que había hecho él mismo con su cara, y después los ayudó a meterse bajo las pesadas ramas. Finalmente, los tapó con hojas. A no ser que una patrulla se metiese en el arbusto, estarían a salvo una hora aproximadamente, al menos hasta el alba.

—Kate quiere que tu gente de Berlín se reúna con nosotros en la E22, la carretera que va al norte desde Hoisburg. ¿Puedes conseguirlo?

—Claro, ¿dónde está Hoisburg?

—Por lo que ha podido ver, en medio de la nada. Tendríamos que estar allí más o menos al amanecer, hora arriba, hora abajo. Si llegamos más tarde, no lo lograremos.

—¿Cómo vamos a llegar?

—Tú consigue que estén allí; Kate y yo nos ocupamos del resto.

Malloy llamó a Jane, mirando la hora mientras esperaba a que respondiese. Eran las tres y media en Hamburgo, solo las nueve y media de la noche en Langley.

—¿Sí?

—¿Dónde está la gente de Berlín?

—De camino, ¿por qué?

Malloy le dio las instrucciones de Ethan.

—Llevamos a algunos heridos con nosotros.

—¿Qué ha pasado?

—Emboscada.

—Enviaré a un helicóptero médico.

—Ponlo a un par de horas al sur del punto de recogida. Si los alemanes se dan cuenta de que estamos heridos, caerán sobre nosotros.

—¿Os persiguen los polis?

—Solo unos cuantos cientos.

—Genial.

—Voy a estar ilocalizable un par de horas, Jane. Te llamaré cuando pueda.

—¿Están muy mal los heridos, T.K.?

—Un par son ambulatorios. El otro tiene una herida en el pecho. No es profunda, creo, pero la cosa podría ponerse seria si no lo tratan.

—Estoy aquí para lo que necesites.

Malloy colgó y miró a Ethan.

—Estarán allí.

—Mantened los intercomunicadores apagados hasta las cinco y media —repuso Ethan, mientras cogía las gafas de visión nocturna de Josh Sutter—. Tendréis que reservar las baterías.

CAPÍTULO OCHO

Ussat-les-Bains (Francia)
Otoño de 1932.

LA AVENTURA DURÓ TRES SEMANAS. EN TODO AQUEL tiempo, fue como si Rahn no se apartase ni un momento de Elise. No era así, por supuesto, pero daba la impresión, porque ella siempre estaba presente en sus pensamientos. Solo importaba Elise. No hablaban del futuro, vivían en el perfecto presente o en el lejano pasado. Como en sus cartas del invierno anterior, el nombre de Bachman nunca surgió entre ellos, se pasaban las horas en melancólica adoración mutua. Iban en coche a las montañas, se bañaban en fríos arroyos, exploraban de la mano las cuevas del Sabarthès. Adondequiera que iban, ya fuese por encima o por debajo de la tierra, encontraban algún lugar secreto y tranquilo del que apoderarse. Se besaban y hacían el amor. Él llegaba al cuarto de Elise entrada la noche para dormir con ella y se iba antes de que amaneciese, por si los huéspedes murmuraban. Se volvían a reunir un par de horas después, en el desayuno. Mientras tomaban pan con mermelada y café, planificaban la excursión del día.

Cuando hablaban, siempre era para alabar el momento. ¿Alguna vez se habían sentido tan vivos? ¿Por qué la comida sabía tan bien? ¿Había alguna emoción comparable a lo que sentían al verse? Eran como recién casados, con el idioma eterno de los amantes que nunca se habían imaginado que algo tan perfecto y maravilloso pudiese suceder...

Su único pesar era no haber sucumbido antes al deseo. A veces, en los momentos de silencio, se imaginaban que el otro pensaba en la tormenta venidera, pero ninguno lo reconocía. «¿En qué estás pensando?». «En lo feliz que soy aquí, ahora». «¿De verdad?». «¿De verdad eres completamente feliz conmigo?». Dichas preguntas solo podían responderse con besos. Solo los amantes pueden estar tan ciegos a lo inevitable.

Cuando Bachman regresó de Berchtesgaden, voló hasta Carcasona y alquiló un coche con chófer para hacer el resto del camino. Fue un largo día de viaje y llegó al pueblo de noche. Desde el vestíbulo del hotel, entrando con el mismo sigilo que un ladrón, los vio juntos en el bar, mirándose en silencio. No tuvo que mirar al camarero, al que había pagado para que vigilase, para cerciorarse, ya que vio la verdad en el rubor de vergüenza que se extendió por el rostro de Rahn. Lo vio también en la forma en que se desvaneció la sonrisa de su mujer.

Los oscuros ojos de Bachman se volvieron hacia Rahn, acusadores. ¡Él tenía la culpa! Rahn se quedó paralizado al lado de Elise, y Bachman supo que todo había empezado en cuanto él salió por la puerta. Solo necesitaban la oportunidad, y lo habían convertido en cornudo en cuanto se había dado la vuelta.

Se le ocurrió que debía matarlos a los dos. Puede que lo hubiese hecho de haber estado armado en aquel momento. Sin embargo, dada la situación, se recobró (se tragó la rabia y la humillación) y subió a su cuarto. Sabía controlar sus pasiones, ¡todavía podía hacerlo! Esbozó una sonrisa forzada, fría, cruel y llena de sabia ironía. ¡Era lo que esperaba de ellos, sin duda! ¡Todas aquellas charlas sobre la pureza no eran más que un engaño! ¿Cómo iban a decepcionarlo con su comportamiento, si él sabía desde el principio lo que sucedería? Solo necesitaban tener la oportunidad. ¿Dónde estaba la traición si nunca había confiado en ellos?

Elise siguió a su marido al dormitorio sin decirle nada a Rahn. Por la mañana, con las maletas hechas, dejaron el hotel sin dar explicaciones. Rahn los observó desde su diminuto y lúgubre despacho para ver cómo se comportaba Elise. Bachman no parecía obligarla a ir con él, ella lo hacía por voluntad propia. No dedicó una última mirada anhelante al Des Marronniers, ni siquiera echó un vistazo al pintoresco pueblo de Ussat-les-Bains, cuando hacía una semana le había dicho que lo adoraba porque pertenecía a los dos. Simplemente esperó a que su marido le abriese la puerta, mientras se miraba los pies. Subió al Mercedes y se miró las rodillas. Al alejarse, el polvo cubrió la carretera durante unos segundos y borró al coche del paisaje.

Los días posteriores a la partida de Elise fueron casi imposibles de soportar. Rahn deseó tener el valor necesario para suicidarse. Más adelante, al intentar pensar en los primeros días de su ausencia, no recordaba nada. Era como si hubiese muerto durante un tiempo. Casi quince días después de que se hubiesen ido, cuando ya seguramente estaban en Berlín, Rahn consideró que debía escribir una carta, aunque solo fuese para dar explicaciones. No llegó más allá de la fecha. No tenían futuro. Elise había hecho su elección. Además, si fuese lo bastante estúpido para escribirle, ¿qué le podía decir? ¿Cuándo habían servido las palabras para cambiar el pasado?

Michelstadt (Alemania)
Enero de 1933.

Al final de la temporada, solo unas semanas después de la partida de Bachman y Elise, Rahn cerró el Des Marronniers y, con el último recibo en la mano, volvió a Alemania. Dejó varias cuentas sin pagar detrás, pero no le importaba, no tenía intención de regresar.

Sabía que todavía podía conseguir trabajo enseñando idiomas en alguna escuela profesional, aunque no era un trabajo de verdad y estaba harto de él. Quería..., no sabía lo que quería, así que se fue a casa. Sus padres notaron enseguida el cambio que se había producido en él. Estaban preocupados, pero se callaron durante un tiempo. Finalmente, su padre llegó al límite de su resistencia después de unas cuantas semanas de actitud huraña y le dijo a su hijo:

—¡Ya tienes casi treinta años, Otto! ¿Qué piensas hacer con tu vida?

A pesar de todos los sueños y ambiciones del año anterior, solo pudo responder que no lo sabía.

—¡Dime que no piensas malgastar tu vida buscando tesoros enterrados!

—Eso se ha acabado.

—¡Eso esperaba! Hijo, en el mundo real, los hombres se ganan su fortuna. ¡No la desentierran!

—Lo sé.

Y era cierto. Al menos, eso lo había aprendido bien.

Una mañana, unos cuantos días después, se sentó y empezó a escribir. No habría sabido decir qué lo motivaba, porque sin duda no eran los comentarios de su padre. Sin embargo, más tarde Rahn comprendería que la pérdida y el vacío habían despertado en él el impulso de celebrar los últimos días de un mundo condenado, antes de que una guerra lo destrozase para siempre. Empezó con una descripción del cielo que se veía en el sur de Francia..., un azul que solo había visto en los Pirineos. Una página después siguió escribiendo, sin más.

Escribía durante muchas horas seguidas, dejando para después las notas y la investigación. Escribía no como el académico de formación que era, sino como un poeta. Obviamente, había fuentes y citas, no se trataba de un mundo de fantasía que no había existido, pero tampoco era el seco material de las páginas de historia. Estaba lleno de pasión, con un estilo que era síntesis de historia, poesía y pura indignación narrativa. Llamó a su libro *Cruzada contra el grial* sin tan siquiera decir lo que pensaba sobre la verdadera naturaleza del mismo. No se dedicó a especular sobre tesoros enterrados o el destino del grial, aquellos temas eran para otros escritores, gente que no hubiese empleado el tiempo necesario en averiguar la verdad. En vez de ello, dibujó retratos íntimos de la aristocracia, de sus aventuras amorosas, de intrigas políticas, de las condiciones económicas de las regiones y de la heroica ilustración que había bendecido a la tierra de los cátaros, situándola por encima del resto de Europa en aquella época. Habló sobre la fe y el amor, y sobre caballeros que escribían poesía. Describió un mundo en el que los judíos no solo podían vivir libremente, sino que, además, enseñaban a los hijos de los cristianos y a nadie le parecía extraño. Habló sobre mujeres que eran sacerdotes y sobre amores que nunca se consumaban.

Describió la topografía, las cuevas infinitas bajo la sierra del Sabarthès y, por supuesto, todos los castillos cuyas ruinas salpicaban el accidentado paisaje del sur de Francia. Describió la lanza ensangrentada que había visto pintada en la *Grotte de*

Lombrives, pero no especuló nada sobre ella, ni siquiera incluyó una teoría que la relacionara con el amor cortés y el deseo eterno del espíritu que parecía representar. Dibujó el mundo que amaba en sus últimas horas de vida y, aunque todo pasó cuando cayó la postrera fortaleza, hacía ya siglos, le daba la impresión de estar escribiendo una autobiografía.

París
1934-35.

Transcurrió menos de un año entre aquellas mágicas primeras palabras y la publicación de su libro. Tal como imaginaba, el libro despertó algún interés entre los críticos: su estilo era original y la profundidad de sus conocimientos iba más allá de cualquier otra cosa que se hubiese publicado sobre los cátaros. Por supuesto, las ganancias no cubrieron los años pasados sobre el terreno para aprender sobre el tema, pero era de esperar. Un libro como aquel suponía otro tipo de recompensas.

Una vez terminado el manuscrito, mientras intentaba venderlo, Rahn volvió a enseñar en las escuelas profesionales. Obtuvo algunos trabajos pagados como traductor e incluso flirteó con el cine, ya que llegó a escribir el guión de una de las nuevas películas sonoras que se rodaban en Berlín y tuvo un pequeño papel como actor en otra. Al publicarse su libro empezó a aspirar a cosas mejores: solo tenía treinta años y toda la vida por delante. Siempre había soñado con convertirse en crítico literario en algún momento, pero sus años de vagabundeo por los Pirineos lo habían apartado de los círculos apropiados. Las buenas reseñas y modestas ventas no tenían la fuerza suficiente para sacarlo del anonimato.

Una noche, en la primavera de 1935, mientras pasaba unos meses en París preparando la edición francesa del libro, Rahn recibió un sobre con matasellos de Berlín en su hotel. Al abrirlo encontró un buen fajo de billetes y una carta en la que alguien se ofrecía a promocionar su carrera si acudía al número 7 de Prinz Albrechtstrasse de Berlín.

En sus horas de soledad, los escritores son víctimas de multitud de fantasías. Creen de corazón que el libro en el que trabajan lo cambiará todo. Los rencores, los fallos morales, los defectos físicos, todo se desvanecerá cuando el libro imaginado se haga realidad. Después, al darse cuenta de que la vida sigue siendo el mismo sinsentido que antes, se sienten perplejos. Ante su incredulidad, el libro de olvida, los ejemplares no se venden y nadie habla de lo que ellos han tardado años en crear. El autor, entonces, se refugia en los elogios de algún crítico de periódico y consuela su herido espíritu con la esperanza de que, aunque perdido para su época, el libro sea reconocido en una edad futura.

Sin embargo, ¿dinero en un sobre y una carta anónima de un admirador que prometía acelerar su carrera? ¡No se le habría ocurrido ni en sus fantasías más demenciales! Rahn se rio, se guardó los *Reichsmarks* y tiró la carta. ¡Tenía trabajo que hacer! La edición francesa, que había traducido él mismo, era importante, una segunda oportunidad en realidad. De no haber sido por el dinero del sobre, habría pensado que se trataba de la broma de un amigo. Pero el dinero era muy real. Se dijo que, sin duda, sería un loco o un homosexual. Volvió a coger la carta antes de irse a dormir aquella noche. La miró un poco más a la mañana siguiente. Estaba escrita en papel bueno de carta y la letra indicaba buena cuna. Aunque demasiado breve para revelar nada, le parecía que el lenguaje estaba bien escogido, que era incluso elocuente. Así que no era un loco.

Probablemente un homosexual, o puede que... un mecenas. ¿De verdad existían seres como aquellos en los tiempos modernos?

Berlín (Alemania)
Verano de 1935.

En cualquier caso, Rahn ya tenía pensado visitar Berlín más adelante, durante el verano, así que, ¿por qué no pasarse por la dirección y ver qué quería el remitente anónimo? En el peor de los casos, bastaba con decirle que no estaba interesado.

Se alojó en una pensión barata y se dirigió al número 7 de Prinz Albrechtstrasse, que resultó ser un edificio del Gobierno. Rahn estuvo a punto de dar media vuelta, seguro de que la carta era una broma de algún amigo de la universidad con más dinero que sentido del humor, pero después pensó que nadie enviaba dinero suficiente para un viaje entre París y Berlín solo por gastar una broma. Por si pudiera haberse tratado de un error con la dirección, de algún detalle que le faltase, entró y preguntó.

El policía uniformado de la recepción lo saludó sin emocionarse, aunque su expresión cambió en cuanto Rahn dio su nombre y enseñó la carta. Le suplicó al doctor Rahn que esperase un momento. Después de una apresurada llamada telefónica entre murmullos que dejó a Rahn bastante inquieto, apareció un oficial militar.

—¡Sígame, doctor Rahn! —le pidió.

Casi era como el tono de un policía que se preparaba para detener a alguien, así que, a pesar del placer que le suponía que se dirigiesen a él de aquella forma tan halagadora, Rahn se empezó a arrepentir. ¿En qué se había metido?

—Me preguntaba si podría decirme... —dijo, detrás del oficial.

—¡Por aquí, por favor! —lo interrumpió el joven, al que, al parecer, habían indicado que no explicase nada.

Recorrieron varios pasillos y llegaron a un ascensor en el que montaba guardia un cabo. Dentro del ascensor, todavía con su escolta, Rahn examinó el uniforme. Le pareció muy bonito, muy moderno; la antigua runa de las SS en el cuello le resultó muy atractiva. Por supuesto, sabía que las letras correspondían a *Schutzstaffel* (división de seguridad) y que lo que antes fuera una pequeña facción dentro del ala militar del Partido Nazi se había convertido en una organización poderosa por derecho propio. Encargada en principio de la seguridad del Führer, las SS eran ya como la guardia pretoriana que servía al emperador en la antigua Roma: una fuerza de soldados de élite que respondía directamente ante el emperador. En los días del Imperio Romano, el comandante de la guardia pretoriana era el segundo hombre más poderoso del Imperio, y, al parecer, el comandante de las SS, un joven llamado Heinrich Himmler, estaba a punto de convertirse en más o menos lo mismo. En el dedo del joven oficial, Rahn vio un anillo con una calavera en el centro. Había visto el mismo anillo en el dedo de un civil, en el tren que lo llevaba a Berlín.

—Tiene un anillo muy interesante —le dijo en tono amistoso.

El oficial se lo agradeció sin mayor interés, así que Rahn se contentó con mirar la puerta del ascensor hasta que se abrió.

—Por aquí, doctor...

Llamó a la puerta de un despacho y una voz respondió desde el interior:

—¡Entre!

El oficial abrió la puerta, saludó a un civil que estaba sentado a un enorme escritorio y anunció que el doctor Rahn esperaba para ver al *Reichsführer*. El hombre se levantó, casi de un salto, rodeó el escritorio a toda prisa y llamó a otra puerta. Poco después apareció Heinrich Himmler.

Rahn reconoció a Himmler de inmediato, desconcertado. Creía..., bueno, ¡no podía creerse que uno de los hombres más poderosos de Alemania deseara promocionar su carrera! Himmler tenía treinta y tantos años, solo tres o cuatro más que Rahn. Tenía el pelo oscuro y, aunque era bastante delgado, parecía enérgico. Su barbilla era más pequeña de lo normal y los ojos estaban algo juntos, pero, aun así, causaba una buena impresión. En primer lugar, porque era educado y elocuente. En segundo, porque, por sus modales, se notaba que había nacido en la aristocracia. Sin embargo, Rahn no estaba preparado para el entusiasmo de Himmler por *Cruzada contra el grial*. La visita de Rahn era de una importancia indescriptible para él, y se lo hizo saber de muchas formas. De hecho, fue como si a Rahn lo atropellase un tren salido de la nada: después de pasar por un laberinto de pasillos gubernamentales preguntándose si lo detendrían, de repente estaba escuchando a Heinrich Himmler decirle que había escrito el libro más importante del siglo XX. Y el *Reichsführer* lo había leído. No quería hacer alarde de sus conocimientos delante de un experto, claro, pero sus preguntas demostraban cierto grado de comprensión e investigación.

Hablaron durante casi tres cuartos de hora; era como si Himmler no tuviese nada mejor que hacer que pasar el rato hablando sobre los cátaros. Finalmente, sacó el asunto de la carrera de Rahn. Por lo que tenía entendido, el doctor Rahn se había visto obligado a trabajar a tiempo parcial en varios lugares para poder financiar su escritura, ¿era cierto? Rahn reconoció que el adelanto de su editorial había sido modesto, al igual que las ventas.

—Pero, ¿está interesado en seguir con su carrera de escritor e historiador? —le preguntó Himmler.

—Estoy interesado. Lo que no sé es si podré permitírmelo.

—¿Y si formase parte de mi personal privado con, digamos, el salario de un capitán? —preguntó Himmler sonriendo—. Podría darle también un despacho y una secretaria. ¿Estaría interesado?

—Estaría muy interesado. Por supuesto, tendría que conocer la naturaleza de mis obligaciones...

—¡De eso se trata, doctor Rahn! No tendría más obligación que realizar las investigaciones que desee —ante la mirada de incredulidad de Rahn, añadió—: además de un despacho y una secretaria, y según la naturaleza de los proyectos que decida desarrollar, se le ofrecerían amplios fondos para viajes e investigaciones, incluso para expediciones, si deseara hacer alguna.

Rahn intentó controlar su emoción, aunque no pudo evitar preguntar:

—¿Lo dice en serio?

Himmler sonrió. Lo decía muy en serio.

Stadtpark (Hamburgo)
Domingo, 9 de marzo de 2008.

Las primeras brigadas armadas entraron en el parque menos de una hora después de que la policía estableciese el perímetro. Llevaban gafas de visión nocturna y se movían con precisión militar. Ethan, que había estado corriendo entre distintos puntos de observación, abrió fuego contra los flancos de la brigada y después corrió hasta una posición al otro lado del parque, donde había un pantano. Encontró a un segundo equipo organizándose en el perímetro, a unos doscientos metros de distancia, y les disparó también, dando en focos y acero más que nada.

En la tercera área de entrada rompió un par de faros más y volvió al centro del parque, donde estaban los árboles más altos.

—¿Qué hace? —preguntó Sutter cuando escuchó los disparos.

Malloy no lo sabía, pero, cuando oyó que Ethan seguía disparando desde distintas posiciones, respondió:

—Da la impresión de que quiere hacerlos pensar que los tres estamos repartidos por el terreno y defendiendo nuestra posición.

—¿Y que gana con eso?

—Tiempo.

—¿Es uno de los tuyos, T.K.?

—¿Te refieres a si es contable?

—Sí, un contable del Departamento de Estado.

—No, él y la Chica trabajaban en operaciones secretas para Dale… Trabajo como contratistas, según creo.

—Esa Chica es una belleza, ¿verdad? Bueno, incluso con un chaleco antibalas y equipo de combate… estaba… es decir… ¡si no estuviera casado!

—Me parece que te sientes mejor, ¿no?

—Salvo por el frío, el dolor en el pecho y las náuseas, sí, estoy perfectamente.

Poco después, Malloy dijo:

—Acabo de recordar que cumplí los cincuenta a medianoche.

—¡Tío! —exclamó Sutter, riéndose en silencio, aunque le costó bastante—. ¡Y yo pensaba que lo de la bala en el pecho era grave!

—¿Sabías que Patton tenía cincuenta y seis al inicio de la Segunda Guerra Mundial? Dicen que el viejo cabrón estaba deseando venir para meterse en la batalla.

—Supongo que antes los hombres eran más duros.

—Sin duda.

—¿Crees que Patton tuvo miedo alguna vez, T.K.?

—Todo el mundo tiene miedo, Josh, incluso el viejo Sangre y Tripas.

—Cuando cumpla los cincuenta...

—¿Qué?

—Iba a decir que no me gustaría estar haciendo cosas como esta, pero lo cierto es que quizá los cumpla en la cárcel. Para eso faltan... doce años. —Se quedó callado un momento—. Visto así —susurró—, estar sobre el terreno a los cincuenta y que te disparen..., bueno, me parece fantástico.

—No me digas que de verdad te gustaría acabar haciendo trabajo de despacho a los cincuenta.

—No me digas que de verdad te gusta esto.

—Esto exactamente no, pero... no lo sé. Incluso esto es mejor que hacer papeleo mientras los críos están en la calle divirtiéndose.

—Cuando te conocimos, ¿sabes lo que dijo Jim? Dijo: «¡Contables! Todos los que he conocido están como regaderas».

A las cinco, los tres equipos de tanteo ya se habían adentrado en el parque. En veinte minutos tuvieron a dos helicópteros dando vueltas sobre la zona y habían doblado el número de efectivos en tierra. En vez de correr o esconderse mientras cedía terreno, Ethan subía. Oyó a dos brigadas pasar bajo él, pero no podía seguir vigilándolas, porque las baterías de las dos gafas de visión nocturna se habían agotado. Un helicóptero flotó durante unos segundos sobre él, pero miraban al suelo, no a los árboles. Un par de segundos después, siguió adelante.

A las seis, con el sol todavía a unos treinta minutos, la policía se había hecho con el parque. Ethan oía el ladrido de las conversaciones por radio, en las que se notaba la frustración y el miedo de, quizá, haber dejado escapar a su presa de algún modo.

Cuatro patrullas pasaron por el estrecho sendero junto a la posición de Malloy y Sutter a última hora de la noche. Después de la última, Malloy encendió el intercomunicador, como le habían dicho, y oyó la respiración tranquila de Ethan.

—¿Cómo vamos? —preguntó.

Ethan no respondió, pero Malloy oyó un solo golpecito.

—¿No puedes hablar?

Dos golpecitos: no.

Veinte minutos después, Ethan dijo:

—Vais a tener que moveros dentro de exactamente dos minutos. Dirigíos al norte cruzando el sendero y a través de los árboles. Kate nos recogerá en el prado dentro de tres minutos.

Como se acercaba otra patrulla, Malloy prefirió no hablar. Dio un golpecito. Mensaje recibido. Contó hasta sesenta y le tapó la boca a Sutter antes de despertarlo.

—Vamos a salir corriendo.

—No puedo, T.K., estoy acabado.

—No me obligues a cargar contigo, Josh. Recuerda que soy un anciano.

—T.K., no puedo hacerlo.

Oyeron al jefe de la patrulla decir algo. Uno de los miembros de la brigada corrió rápidamente hacia ellos. Malloy mantuvo la mano en el Kalashnikov y rezó por no tener que usarlo. El jefe gritó:

—¡Mira debajo de esos arbustos!

Malloy quitó el seguro y estaba a punto de rodar para salir de los arbustos cuando una granada estalló al otro lado del parque. Segundos después llegó un informe por la radio:

—Todas las unidades a...

Otra granada y después una tercera, cada una en un sector distinto. Toda la brigada salió corriendo detrás del sonido de la granada más cercana, y Malloy sacó a Josh de entre las pesadas ramas del rododendro.

—¡Vamos! —susurró, poniendo al joven en pie—. ¡No te rindas ahora!

Kate entró con el Bonanza A36 por el oeste a una velocidad de casi ciento cincuenta nudos. Después de dejar atrás los últimos árboles que rodeaban el parque y asegurarse de que seguía con precisión las coordenadas que le había dado Ethan, bajó los *flaps* y las ruedas a la vez. El efecto era como pisar los frenos. Observó cómo caía en picado la aguja del variómetro y durante un momento se limitó a flotar sobre la tierra oscura, orientándose con las gafas de visión nocturna. Se dio con fuerza contra el suelo, rebotó más de lo que había calculado, ajustó los *flaps* y aterrizó bien a la segunda. Iba muy deprisa, y el suelo era relativamente plano y regular. Vio una brigada policial avanzando hacia ella desde los árboles que tenía a su derecha; la apuntaron con una luz, pero nadie dio la orden de abrir fuego.

Mientras el avión seguía moviéndose, Kate le dio la vuelta a la cola haciendo una especie de pirueta al rebotar en el suelo y volvió por donde había venido.

Ethan alcanzó a Josh y Malloy justo cuando cruzaban el sendero y entraban en el prado. Tiró el Kalashnikov, se echó a Josh al hombro y empezó a correr hacia el avión. Alguien disparó desde más allá del aparato, pero era una pistola y no estaban a su alcance. Kate aceleró y después frenó para cubrirlo.

Un foco bailó sobre él mientras oía los disparos de un par de pistolas más. Malloy, que iba unos cuantos pasos por detrás, empezó a devolver los disparos uno a uno con su Kalashnikov. Cuando Ethan consiguió meter a Josh en el avión y saltó detrás de él, Kate pisó el acelerador. Malloy tiró su arma y empezó a correr. Oyó armas más grandes a los lejos y se dio cuenta de que las balas le pasaban rozando. Entonces, una de ellas le dio en la espalda, se tambaleó y estuvo a punto de caer. Oyó más disparos desde otros puntos. Kate se quedaba sin espacio e iba a tener que acelerar si quería librarse de los árboles del final del prado. Consiguió llegar hasta el avión en movimiento y se lanzó a través de la puerta abierta, agarrándose a la mano que le ofrecía Ethan. Este chilló de dolor, pero no lo soltó. Tres balas dieron en el fuselaje antes de que Ethan gritara:

—¡Está dentro!

Kate pisó el acelerador a fondo, se puso a sesenta nudos, levantó el morro y, de repente, ya no hubo más disparos. Nadie quería derribar un avión encima de la ciudad. Delante de ellos estaban los árboles. Malloy se agarró a uno de los asientos para intentar sujetarse de alguna forma y observó cómo las oscuras ramas se agitaban delante de ellos, mientras el avión subía. Llegaron al máximo de rpm y el motor chilló. Rozaron las ramas más altas y oyeron el golpe de la madera en el metal, pero al final el avión se inclinó hacia el norte, con dos helicópteros de policía detrás.

Malloy, que empezaba a sentirse algo aliviado, miró a Ethan.

—¿Cómo conseguiste que estallasen esas granadas al otro lado del parque?

—Estaba en un árbol, a unos veinte metros de altura; me limité a lanzarlas en distintas direcciones.

—¿Y después bajaste y nos alcanzaste?

—La verdad es que no ibais batiendo ningún récord de velocidad.

—Íbamos a la velocidad justa, por lo que se ve.

Cuando perdieron de vista a los helicópteros que los perseguían, Kate encendió las luces y Malloy le echó un primer vistazo a Josh Sutter, que parecía más cerca de la muerte de lo que se había imaginado cuando estaban a oscuras.

—¿Cómo te sientes? —le preguntó.

—Como un hombre libre.

—¿Sabes qué? Sí que pareces un hombre libre.

Le quitó el chaleco y le miró la herida. La bala había roto hueso y estaba todo inflamado. Tocó con delicadeza la herida y obtuvo un grito de dolor a modo de respuesta.

—Creo que noto la bala.

Buenas noticias. Lo malo era que seguramente se hubiera fragmentado, así que podía haber derrame interno en el corazón o los pulmones. Intentó prestar atención al ruido de los pulmones, pero el rugido del avión y su propio corazón acelerado se lo impedían.

—¿Cómo respiras? —le preguntó a Josh.

—Como casi toda la noche. Es difícil respirar hondo, aunque solo por el dolor.

Quizá fuera el dolor o quizá se le hubiesen llenado los pulmones de sangre.

—¿Tenemos botiquín? —le gritó a Kate.

—¿Y agua? ¿Tenemos agua? —preguntó Ethan.

—¡Hay una caja de botellas de agua atrás! —respondió Kate—. El botiquín está aquí arriba.

Malloy cogió agua para Josh y Ethan, y después se acercó al asiento del copiloto para llevarle a Kate una botella. Ella le dio las gracias y le preguntó si había sido una noche muy larga.

—Bueno, quizá fuera más larga la de Beirut, aunque no lo recuerdo. Estuve inconsciente unas cuarenta y ocho horas.

—Por lo que me contaba Ethan, no sabía si acabaría recogiendo a dos personas o a tres esta mañana.

—Josh todavía no está a salvo —contestó Malloy mirando al horizonte.

—Los hemos perdido —respondió ella como si le leyese el pensamiento.

Volaba justo por encima de los árboles y los edificios, con el cielo todavía a oscuras.

—Bueno, ¿dónde está Hoisburg exactamente?

—A unos diez minutos al este de aquí.

Malloy miró de nuevo el paisaje. Diez minutos estaba bien; en veinte tendrían a la policía persiguiéndolos con aviones.

—Voy a ver lo que puedo hacer por Josh.

Malloy cogió una especie de botiquín de primeros auxilios, aunque lo único que pudo hacer fue limpiar la herida y vendarla. Necesitaba antibióticos y no había ninguno. Una vez hubo terminado con Josh, echó un vistazo por debajo de la improvisada venda de la muñeca de Ethan y silbó.

—La bala la atravesó, algo es algo —le dijo Ethan. Le enseñó a Malloy el agujero de salida, pero no estaba limpio.

—Me parece que todavía tienes fragmentos dentro —comentó Malloy. Después de limpiar la zona con alcohol y vendarla, regresó a la cabina y se sentó junto a Kate. El efecto de pasar tan cerca de las copas de los árboles resultada desconcertante; era como si fuesen a estrellarse.

—¿Cómo está tu pierna? —le preguntó.

—¿Cómo sabes lo de mi pierna?

—Te vi cojear justo antes de que subieras al tejado de ese edificio.

—Me la vendé.

—Tiene que dolerte mucho...

—He pasado por cosas peores.

Malloy sacó el móvil y llamó a Jane; en su casa era poco más de medianoche.

—Nos reuniremos dentro de cinco o diez minutos —le dijo—. Estamos en un avión, por cierto, por si la gente de Berlín se pregunta cómo vamos a llegar.

—Se lo haré saber.

—¿Has tenido suerte con el helicóptero médico?

—Tu contacto tiene la información.

—Tendremos tres pasajeros para él, uno de ellos en estado crítico.

—¿Por qué tres? —preguntó Kate.

—El helicóptero médico es para Ethan, Josh y tú misma. Yo me voy a la embajada de Berlín.

—Solo tienes que llevarnos a un tren, T.K. Ethan y yo nos podemos cuidar solos.

—Quizá deberías mirarle la muñeca antes de decidirlo.

—Si nos consigues antibióticos, estaremos bien.

—Lo que tú veas mejor —respondió Malloy. Contempló los árboles que pasaban por debajo de ellos durante un rato y después añadió—: ¿Dónde aprendiste a volar?

—El año pasado, en Francia.

—¿Te ha costado conseguir el avión?

—Me costó encontrar un aeropuerto privado, pero llamé a un amigo con el que suelo volar y me dijo dónde encontrar uno. Después robé un coche, atravesé una valla metálica y derribé a tiros la puerta de un hangar. Cuando se despertó el vigilante nocturno, yo ya estaba en la pista.

Kate bajó un ala y vio dos todoterrenos negros aparcados en el arcén de una carretera rural.

—¿Son los tuyos?

Malloy se puso las gafas de visión nocturna y examinó las figuras.

—Eso parece.

—Espero, porque ya he tenido bastantes sorpresas por esta noche.

Kate subió hasta los doscientos metros. Su horizonte por el oeste seguía vacío, pero, al parecer, le interesaba más examinar la carretera. Una vez pudo comprobar que tenían pista libre, hizo bajar el avión en un largo arco descendente y dio la vuelta, en dirección a los todoterrenos. Frenó cuando bajó las ruedas y de nuevo cuando extendió los *flaps*. Bajaron hasta quedar a cincuenta metros de altura sobre la carretera, que pareció desaparecer durante un instante en una curva antes de regresar y seguir en línea recta, como si fuese una pista de aterrizaje, durante casi un kilómetro. Había algunos arbustos a ambos lados de la carretera, pero las alas solo tenían una envergadura de diez metros, así que Kate colocó el avión sin problemas entre ellos. Aterrizó con suavidad, frenando despacio primero, para después ponerse más agresiva al empezar a llegar a los coches aparcados.

—Buen trabajo —comentó Malloy cuando Kate paró a unos diez metros de los estadounidenses.

Carretera de Hoisburg a Uelzen (Alemania)
Domingo, 9 de marzo de 2008.

—¿En qué puedo ayudarlos? —preguntó el funcionario de la embajada de Estados Unidos después de estrechar la mano de Malloy y presentarse como Brian Compton.

Era un hombre alto y fornido, con corte de pelo militar y ojos azul claro. Como los tres hombres que estaban a sus órdenes, llevaba pistola automática y chaleco.

Malloy le dio la dirección de su hotel de la Neustadt.

—Hay que enviar a alguien a recoger mi ordenador y mis efectos personales. Si los alemanes cogen ese ordenador, sabrán quién fue el responsable del lío de esta noche.

—Creo que ya lo saben.

—Quizá, pero no pueden probarlo.

—Será nuestra prioridad.

—Una vez recuperado el ordenador, quiero que uno de los suyos pase por la recepción del Royal Meridien y pague la cuenta de Sutter y la mía. La policía querrá preguntar por un tal señor Thomas del Departamento de Estado y por el agente especial Sutter, pero lo único que sabrá su hombre es que Jim Randal se enteró de algo ayer y fue por su cuenta. Thomas y Sutter informaron sobre el tema a sus superiores y se les ordenó que estuviesen en Ramstein a las nueve en punto de anoche. Quizá deba asegurarse de que los informes del vuelo que salga de Alemania lo confirmen, aunque no hay prisa. Por lo que respecta a su hombre, ya estamos de camino a los Estados Unidos.

—No se van a creer ni una palabra —respondió Compton.

—¿Y qué más le da? Su gente tiene inmunidad diplomática, ¿no?

—¿Sabe qué ha pasado con el piso franco de Dale Perry?

—Nos emboscaron en la puerta de atrás, por no hablar del rastro de sangre que lleva directamente a él. Supongo que los alemanes ya lo habrán encontrado.

—¿Y su ordenador?

—Lo limpié.

—¿Sacó algo antes de hacerlo?

—No tuve tiempo —respondió Malloy, mintiendo por costumbre.

—Vale —respondió Compton, recuperando la compostura—. No son buenas noticias, pero podrían ser peores.

Se dirigió a los hombres que tenía bajo su mando y les dio instrucciones. Dos de ellos salieron para Hamburgo. El tercero subió al segundo todoterreno y esperó mientras Compton ayudaba a Malloy a sacar a Josh Sutter del avión y meterlo en la furgoneta. Malloy se sentó delante. Compton, que tenía el equipo médico, subió detrás con Ethan, Kate y Josh.

—El agente Sutter se irá en el helicóptero. Estos dos han decidido buscar asistencia en otra parte —dijo Malloy. Compton lo miró—. No pregunte.

—Vale, veamos qué tenemos aquí.

—Puede que el agente Sutter sufra un derrame interno —le explicó Malloy—. Por lo demás, la herida está limpia. No sé cómo es posible, pero lo es. Ellos son los que más me preocupan.

—¿Qué médico se lo ha curado? —preguntó Compton, mirando la herida del brazo de Ethan.

—Ella —respondió Ethan, señalando a Kate con la cabeza y sonriendo.

—Buen trabajo, señora, ¿tiene formación médica?

—Una vez fui a clases de costura.

La sonrisa de Compton se desvaneció cuando quitó la venda de la muñeca de Ethan.

—Esto no tiene buena pinta —señaló al muslo de Kate—. También voy a tener que echarle un vistazo a eso.

Kate se bajó los pantalones y Compton cortó los trozos de camisa empapados en sangre. Mientras lo hacía, dijo entre dientes:

—Deberían subir los dos a ese helicóptero.

—Y usted debería darnos antibióticos —repuso Kate.

—Estoy equipado para curar una herida de bala, no algo como esto —respondió Compton, después de rebuscar en la bolsa y encontrar cefalosporina—. Esto es bueno para prevenir infecciones, así que vale para el agente Sutter. Ustedes dos ya tienen infecciones. Si no consiguen ayuda rápidamente, podrían enfrentarse a una septicemia. ¿Entienden que suele ser mortal?

—No se preocupe, limpie las heridas y consíganos medicamentos —respondió Kate.

El punto de encuentro con los médicos del ejército era al sudeste de Uelzen. Cuando el helicóptero aterrizó en el campo de una granja, Compton y su conductor cogieron a Sutter en brazos y lo sacaron fuera. Malloy los siguió. Mientras Compton buscaba penicilina con uno de los sanitarios, Malloy le dijo a Sutter:

—Voy a encontrar al responsable, Josh.

—Hazme un favor: cuando lo hagas, llámame. Quiero estar presente en la detención.

—¡Eso está hecho, amigo!

Cuando Malloy, Compton y el conductor volvieron al todoterreno, Kate preguntó si podrían llevarlos a Uelzen. Ethan y ella cogerían un tren allí mismo.

—Podemos llevarlos a donde quieran —respondió Compton, pasándole penicilina y agujas.

—Gracias, pero queremos ir a Uelzen.

En la preciosa estación de tren de Uelzen, Compton dejó a su conductor con ellos y entró a comprar una muda de ropa para Ethan y Kate. Al cabo de un rato, el conductor dijo que quería echar un vistazo por allí. Ya solos, Malloy señaló al micrófono que habían puesto en la luz del interior del compartimento, como si estuviese presumiendo de su tecnología.

—Asombroso, ¿verdad? Si no supiera que está ahí, ni me daría cuenta.

Kate y Ethan, advertidos del peligro de hablar libremente, empezaron a charlar sobre tecnología y siguieron con ello hasta que regresaron Compton y el conductor.

Compton se quedó fuera para darles a Ethan y Kate un poco de espacio para cambiarse. Cuando salió Ethan, le dio las gracias a Compton por el viaje y le estrechó la mano. Mientras se alejaba, Malloy salió del todoterreno y sacó a Kate del vehículo. Después de despedirse con tres besos en las mejillas, al estilo suizo, le dijo:

—Estaré en Zúrich mañana.

—Ahora mismo no tengo ni idea de dónde estaremos nosotros.

—Te llamaré.

—No, nos desharemos de los teléfonos al salir de aquí. Mejor ponte en contacto con el capitán Marcus Steiner, de la *Stadtpolizei* de Zúrich. Me aseguraré de que sepa dónde estamos.

—¿Ese era tu chico? —preguntó Malloy sonriendo.

—¿Lo conoces?

—Es un viejo amigo.

—Bueno, pues tu viejo amigo es mi viejo amigo.

—Qué pequeño es el mundo.

—O, al menos, el país.

—Una cosa más —le dijo Malloy—: sabrás que Compton intentará seguiros, ¿no? —Kate no lo sabía. Miró a Compton—. Necesitan saber dónde encontraros, por si algún administrador decide entregaros a los alemanes.

—¿Serían capaces?

—Mira bien tu ropa nueva. Si no ha puesto un dispositivo de seguimiento en alguna parte, es que no es de la CIA.

Compton se metió en el asiento trasero con Malloy y le preguntó a dónde quería ir.

—¿Tienen instalaciones médicas en la embajada de Berlín?

—¿Usted también?

—Anoche me dieron un tiro en el culo.

—¿En el culo?

—No es tan divertido como suena, la verdad.

—Creo que podemos encargarnos de ello —se lo dijo al conductor y se dejó caer en el asiento, cansado. También había sido una noche larga para él. Al cabo de un par de kilómetros, preguntó—: Bueno, ¿cuál es la historia de la británica y su novio estadounidense?

—La verdad es que no lo sé. Dale los contrató para el trabajo. Solo puedo decirle que son buenos. De no haber sido por ellos, estaría muerto... o en la cárcel.

—Parecía hacer buenas migas con la británica.

—Se me ocurrió que quizá necesitara un nuevo socio. Quería que supiera cómo ponerse en contacto si buscaba trabajo.

—¿Alguna idea de por qué no querían que los curásemos?

—A lo mejor no tenían seguro médico.

Compton sonrió, aunque su sonrisa no resultaba ni amistosa, ni reconfortante.

—¿No cree que es porque temen que los entreguemos a los alemanes?

—Pero eso no va a pasar, ¿no? —preguntó Malloy.

—No es cosa mía, pero el director de operaciones está considerando esa posibilidad.

—¿Charlie Winger?

—¿Conoce al director Winger?

—Somos viejos amigos.

—Nos va a caer una buena de los alemanes por esto, T.K. Estaría bien poder darles a los responsables.

Carretera a Berlín
Domingo, 9 de marzo de 2008.

Como les quedaba por delante un viaje de dos horas, Compton intentó establecer algún punto en común entre ellos antes de pedirle un informe. Malloy le siguió la corriente, aunque no le resultó sencillo. Intentaron hablar sobre sus instructores de la Granja, pero como habían entrado en generaciones distintas, no les sirvió de mucho. Después pasaron a los líderes de la agencia, pero, de nuevo, no tenían apenas nada en común: Malloy hablaba bien de Jane Harrison, mientras que Compton la llamaba la Dama de Hierro; Compton defendía a Charlie Winger, mientras que Malloy decía que Charlie era un fallo andante de la inteligencia. Compton comentó que, en su opinión, el señor Winger era uno de los mejores hombres que había conocido, lo que significaba que el informe acabaría en el escritorio de Charlie sin haber pasado antes por manos de Jane Harrison.

Después de un par de historias sobre los viejos tiempos, una de Compton, que le contó una aventura que le había oído a unos «vejetes», y otra de Malloy, que podía pasarse todo el día hilando mentiras sin rozar ni de lejos la verdad, Compton pasó al trabajo en la embajada estadounidense en Berlín. Por fin tenían algo en común. Malloy dijo que su padre había trabajado en el consulado estadounidense en Zúrich siete años, allá por los tiempos en los que existía dicho consulado.

—En todo ese tiempo —comentó—, nunca supe que mi viejo trabajaba para la Compañía. ¿Sabe cuándo lo averigüé? Cuando iba por mi tercera entrevista, mi padre entró en la habitación y me dijo: «Quiero saber si eres tan bueno como tu viejo guardando secretos».

A Compton le gustó la historia, aunque no era más que una mentira descarada. Preguntó más sobre el padre de Malloy, pero Malloy respondió que el hombre se había guardado todos los secretos. Al final, Compton llegó a la razón de toda aquella demostración de camaradería: quería saber qué había pasado en Hamburgo. Para empezar, Malloy le aseguró que él no lo sabía. Resultaba ser cierto, pero la ignorancia se considera una confesión durante un interrogatorio, así que Compton reaccionó intentando culpar a Dale Perry. ¿Se había equivocado Dale? Malloy le contó lo del seguimiento telefónico, mencionando que la minuciosidad de Dale era lo que les había dado la primera pista.

—¿Eso fue mientras usted secuestraba al abogado?

—Dale me dijo que el tipo estaba pringado, y tenía razón. Ohlendorf le proporcionaba gente y suministros a Chernoff.

—Quiero saber cómo consiguió alguien acercarse a Perry y cortarle el cuello.

—No estaba con él. No lo vi.

—¿Cómo se acerca tanto un asesino a un espía entrenado, T.K.?

—Si le cortara ahora mismo el cuello, ¿sería una equivocación o un error de juicio por su parte?

—¿Está diciendo que cree que fue alguien conocido? —preguntó Compton, al que no le había gustado nada la pregunta, a pesar de haber sonreído.

—Creo que fue Helena Chernoff.

—¿Helena Chernoff se acercó a él y le cortó el cuello sin mayor problema?

—Creíamos que Chernoff estaba arriba, en la cama con Jack Farrell.

—Entonces..., ¿un caso de mala inteligencia?

—El error fue mío —respondió Malloy.

—¿Y eso?

—Era mi misión. Yo soy el que nos metió en la trampa.

—Con el debido respeto, T.K., me da la impresión de que anoche se metió en más de una trampa.

Vuelo a Zúrich
Domingo, 9 de marzo de 2008.

Kate se despertó sobresaltada y se dio cuenta de que estaba en un avión. Durante un segundo no supo cómo había podido pasar, pero después recordó que Ethan había llamado a su amigo de Berna, la larga espera hasta su llegada, el espantoso dolor en el muslo durante todo el día, la incertidumbre de no saber si podrían salir del país y, por último, entrar en el fuselaje y desmayarse...

—¿Cómo te sientes? —le preguntó Ethan.

—Sedienta —respondió mirando a su alrededor, hasta encontrarlo detrás de ella.

Él le dio agua, aunque hizo una mueca al utilizar el brazo. Kate se rio en voz baja.

—Menuda pareja, ¿eh?

—Llegaremos a Zúrich dentro de un par de horas. Ha llamado Marcus, tendremos a un médico esperándonos en el hotel.

—¿Cómo lo llevas?

—Dolorido, pero viviré.

—Siento haberte metido en esto, Ethan.

—¿Qué dices? Me lo he pasado genial.

—Giancarlo me dijo que mi empeño acabaría matándonos a los dos...

—Todavía no estamos muertos, Kate.

Ella sonrió, y pensó en el Eiger y en el miedo que había sentido colgada de un trozo de roca sobre un abismo. «Todavía no estamos muertos».

—¿Sabes qué? Cuando perdí a Robert creía que no volvería a enamorarme.

—Eso le pasa a todo el que ha estado enamorado.

—No es que pensara que nunca sentiría nada por nadie, sino que no quería sentirlo. Quería seguir enamorada de él toda mi vida. Era como si pensara que, aunque se hubiese ido, todavía podía tener algo...

—Lo sé.

—¿Lo sabes? ¿Has estado en una relación parecida? ¿Cuándo?

—Estoy en una relación parecida ahora mismo.

—¿No te sientes traicionado a veces, por compartirme con Robert? —preguntó ella, después de reírse y apartar la vista.

—Supongo que antes sí. Sabía por qué me alejabas; por qué bromeabas cuando intentaba ponerme serio. Al cabo de un tiempo, descubrí que tenía que irme o aprender a vivir con ello. Y decidí aprender a vivir con ello.

—Si hubiese dejado marchar a Robert, hoy no nos habrían disparado —repuso Kate cerrando los ojos.

—No hago esto por tu primer marido, Kate, lo hago porque la persona que envió a esa gente al Eiger quería matarte. Por lo que a mí respecta, no pararé hasta saber la verdad.

—¿Crees que volveremos a ver a T.K.?

—Da igual. Si decide que ya ha tenido bastante, lo haremos solos.

—En su lugar, creo que me iría directa a Nueva York.

—No, qué va. Puede que quisieras desaparecer, pero no podrías darle la espalda a un amigo.

—¿Por eso me amas?

—Es una de las razones.

Embajada estadounidense (Berlín)

Domingo, 9 de marzo de 2008.

De la operación quirúrgica de Malloy se encargó uno de los guardias de la embajada, que sacó veintitrés postas, limpió las heridas y las vendó. Terminó con una inyección de aminoglucósida para evitar la infección. Para los riñones le puso glucocorticoides y le dio un frasco de analgésicos. Malloy durmió unas cuantas horas y después tomó una comida caliente.

Llamó a Gwen desde la línea segura aquella misma tarde, aunque para ella era por la mañana temprano. Su mujer le deseó feliz cumpleaños y le dijo que estaba esperando su llamada. ¿Haría algo especial para celebrarlo?

—Hoy toca viaje —respondió—. Lo celebré anoche.

—¿Qué hiciste?

—Di una vuelta por Hamburgo con unos amigos.

—¿Y ya está?

—Pasamos unas cuantas horas en uno de los parques de la ciudad, hablando sobre el sentido de la vida. Ese tipo de cosas.

—Ay, Thomas, ¡qué aburrido! ¡Tienes cincuenta, todavía no estás muerto! ¡Se supone que debes divertirte!

—Te echo de menos, Gwen.

—Yo también. ¿Cuándo vuelves?

—Hemos encontrado una cuenta bancaria en Zúrich que no conocíamos, así que pasaré unos días allí. Cuando sepa lo que voy a tardar, te llamo.

—¿Lo vais a coger?

—Gwen, los peritos contables no son magos.

Hablaron durante unos minutos sobre las cosas de casa. Un director de galería había hablado con Gwen la noche anterior para hacer una retrospectiva de su trabajo. Estaba bien, aunque una retrospectiva la hacía sentirse vieja. ¿Lo era?

—No soy lo bastante vieja para una retrospectiva, ¿verdad?

—Necesitas otros treinta años más para una retrospectiva decente —corroboró él.

—Seguro que cincuenta años no son muchos para un contable, ¿a que no?

—Es la flor de la vida.

Cuando Malloy colgó, Brian Compton le informó sobre los daños en Hamburgo. La policía había encontrado el cadáver de Jim Randal en un piso a un kilómetro del lugar de su desaparición. No habían realizado una autopsia, pero parecía haber muerto de un solo tiro en la sien. Rápido y limpio. En Ramstein había mejores noticias: Josh Sutter ya había salido del quirófano y estaba bien. Cuando Compton pasó a los asuntos de la Compañía, había noticias para todos los gustos. Perdieron el piso franco de Dale Perry, como esperaban, pero recuperaron sin incidentes el ordenador y el equipaje de Malloy.

Malloy preguntó por los polis, ¿algún herido? Había un par de heridos, sí, sobre todo por lesiones cervicales, pero ninguno de bala. Aparte de Hugo Ohlendorf (aunque en Berlín nadie lo veía como un asunto aparte), solo habían muerto unos cuantos matones de Hamburgo. Compton repasó los antecedentes de los asesinos de ambos ataques, entre ellos una mujer con un amplio historial de asaltos y posesión de armas. Todos eran locales, salvo por un berlinés, y todos tenían una larga relación con los tribunales. Se trataba de gente con la que Ohlendorf podría haberse puesto en contacto a través de algún tipo de intermediario, como Xeno. Ninguno parecía el especialista del que había hablado el abogado.

—Tal como era de esperar, los alemanes exigen la detención y extradición del señor Thomas, del Departamento de Estado, y del agente especial Josh Sutter.

—¿Cómo estamos llevando el asunto?

—Charlie Winger me ordenó que le entregase a la gente de Dale.

—¿Y lo ha hecho? —preguntó Malloy intentando permanecer inexpresivo.

—Resulta que los hemos perdido.

—¿No los vigilaba? —preguntó Malloy manifestando sorpresa... y un poquito de decepción con las nuevas generaciones.

—Seguimos el rastro del dispositivo GPS que le puse a la británica hasta la estación de tren de Fráncfort, antes de darnos cuenta de que lo llevaba un empresario alemán —respondió Compton, molesto.

—Bueno, la ha fastidiado —repuso Malloy con estudiada indiferencia—. Le dije que eran buenos. Supuse que les asignaría un agente.

—¡No tuvimos tiempo de hacerlo!

—Siempre hay excusas cuando el mal está hecho.

—Estábamos preparados para ponerles una red en Fráncfort, por si teníamos que recogerlos. No tendrá ni idea de a dónde se dirigen, ¿verdad?

—De saberlo, se lo diría.

—Si lo llama uno de ellos, T.K... —respondió Compton, que no parecía habérselo creído.

—Usted será el primero en saberlo.

Capítulo nueve

Dresden (Alemania)
Domingo, 9 de marzo de 2008.

MALLOY SE PUSO ROPA LIMPIA, CORTESÍA DE LA EMBA-
jada, y un chaleco nuevo, y se metió una pistola
automática Uzi debajo de un abrigo largo de invierno. En una maleta nueva metió quinientas balas de 9 mm,
además de un cepillo de dientes, una maquinilla de afeitar, una
muda de ropa, un ordenador portátil y una botella sin abrir de
whisky escocés que había birlado del escritorio de alguien.

Un agente de seguridad de la embajada lo llevó a Dresden.

Bien entrada la mañana del domingo, una llamada de su fuente
en la policía de Hamburgo avisó a Helena Chernoff de que
Malloy y Brand habían escapado. De inmediato empezó a rastrear el número de móvil de Malloy, que había sacado del móvil
de Dale Perry. Lo localizó en movimiento, a un par de horas al
sudeste de Hamburgo.

Como David Carlisle iba de camino a Nueva York y
Ohlendorf estaba eliminado, Chernoff podía hacer lo que quisiera, pero también entendía que Malloy, tarde o temprano, sería lo bastante prudente para tirar el móvil y buscarse otro. La
oportunidad de localizarlo no duraría. Tenía recursos en Ber-

lín, aunque los protocolos que la habían protegido durante casi dos décadas le impedían formar un equipo tan deprisa, así que siguió la señal de Malloy hasta que acabó en la embajada estadounidense en Berlín.

Esperaba perderlo en aquel momento, pero, algunas horas después, Chernoff comprobó que su señal se movía de nuevo. En Dresden, el coche de Malloy entró en el aparcamiento subterráneo de la Bahnhof. Unos minutos después, los dos hombres se sentaron en un restaurante del interior de la estación. Chernoff decidió que Malloy pensaba coger un tren en algún momento de la noche. Obviamente, podría haber salido de Berlín en tren, pero Dresden era muchísimo mejor para un hombre que temía por su vida. Los domingos a última hora de la tarde no había tanta gente en la estación, y las amplias plazas que rodeaban el edificio complicaban un acercamiento a pie, además de la huida posterior. En Berlín, un asesino podía utilizar a la multitud para acercarse, mientras que allí las opciones eran limitadas y peligrosas.

Finalmente vio a Malloy salir del restaurante y cruzar una zona abierta con su guardaespaldas al lado. Se detuvo para sacar una maleta de una taquilla y subió las escaleras que llevaban a un andén elevado. El hombre que lo acompañaba parecía del Gobierno, con un abrigo de lana largo, como el que vestía Malloy. La mujer llegó a la conclusión de que ambos escondían armas automáticas debajo y, probablemente, un chaleco antibalas. Le echó un buen vistazo a la cara del guardaespaldas, para que no hubiese sorpresas después, pero resultó no ser necesario, porque, después de acompañar a Malloy al andén, el hombre regresó a la planta principal y salió del edificio. Unos cuantos minutos después, Chernoff vio a Malloy brevemente, entrando en el coche cama de primera clase de la City Night Line.

De nuevo dentro de su coche, Chernoff consultó el horario de la City Night Line en su ordenador. Había dos líneas, una desde Berlín y la otra desde Dresden. Los trenes se unían en algún momento de la noche y seguían hacia Zúrich, donde llegaban a primera hora de la mañana.

—Dijiste que no tenían escapatoria —se quejó Carlisle.

Estaba hablando de la emboscada de Hamburgo.

—David, no entiendes la situación —respondió Chernoff.

Estaba dentro de su coche, en dirección oeste.

—No, entiendo perfectamente la situación: tienes la oportunidad de cargarte a Malloy y quieres saber cuánto puedes sacarme antes de decidir si quieres hacerlo.

—No me interesa sacar más dinero.

—¿Qué quieres? —preguntó su interlocutor después de un momento de silencio.

—La red de Ohlendorf.

Hugo Ohlendorf manejaba una organización muy diversa y rentable que se extendía desde Oslo hasta Budapest, y abarcaba negocios de drogas, prostitución, mercancías robadas, y artículos de imitación y pirateados. Por el contrario, las organizaciones de David Carlisle y Luca Bartoli actuaban más como bandas criminales, aunque tenían un personal muy cualificado y exigían sumas asombrosas a cambio de sus servicios. Con Ohlendorf muerto, Carlisle llevaba las últimas veinticuatro horas preguntándose cómo quedarse con la mejor parte de aquellas ganancias sin que se notara. Sin duda, no le convenía enemistarse ni con Chernoff, ni con Luca Bartoli, que eran los dos únicos jugadores que seguían involucrados activamente en la partida. Y ella acababa de arrinconarlo. La mujer sabía que Carlisle quería acabar con Malloy rápidamente, así que tendría que pagar por ello.

Por una parte, Carlisle codiciaba los beneficios de Ohlendorf, pero, por otra, se daba cuenta de que su propia red podría acabar destruida si Malloy seguía vivo otra noche más. Después de meditarlo un rato, dijo, tal como ella esperaba:

—Helena, yo no puedo decidirlo. Vamos a tener que votar sobre cómo dividir los recursos de Ohlendorf.

—Tú controlas la votación, David. Siempre lo has hecho.

—Luca querrá algo a cambio de aceptar entregarte las responsabilidades de Ohlendorf.

—Pues dale algo. Ya sabes mi precio. O lo pagas, o buscas a Malloy tú solo..., si no es demasiado tarde.

—¡La idea era matar a Malloy mientras perseguía a Farrell!

—Su tren ya ha salido de la estación. ¿Quieres que lo deje marchar?

Carlisle se calló de nuevo, calculando el precio de apaciguar a Luca Bartoli. Al final dijo:

—De acuerdo. La red es tuya si puedes eliminar a Malloy esta noche.

Berlín (Alemania)
Verano de 1935.

Otto Rahn llevaba más de una década de arduo trabajo en puestos sin sentido, todo con tal de poder permitirse un par de meses en el extranjero, investigando. A lo largo de los años había robado, literalmente, las horas que necesitaba para escribir. De repente, como si se tratase de un milagro, vivía bien. Tenía los fondos suficientes para investigar y para comprar cualquier libro que deseara, además de acceso a cualquier biblioteca de Europa. Tenía despacho y secretaria, incluso investigadores para que le llevasen un libro, un resumen o una taza de café. Y lo mejor de todo era que no obedecía órdenes de nadie. Himmler le había prometido autonomía completa. ¿Qué escritor podía resistirse a tal oferta?

A las pocas semanas de reunirse con Himmler, Rahn se estableció en Berlín. Iba a su despacho todos los días y pasaba allí varias horas; podía marcharse temprano, si quería, y llegar tarde cuando le apeteciese. Invirtió algún tiempo en conocer a otras personas conectadas con la rama civil de las SS y se sorprendió al comprobar que varias le hablaban sobre su libro. Resultó que todos lo habían leído. Al preguntar al respecto, le informaron de que Himmler había regalado un ejemplar a cada uno de los miembros de su personal.

Una mañana, mientras Rahn estaba ocupado organizando la investigación de un nuevo proyecto sobre las principales familias de la aristocracia europea, oyó una voz familiar en la entrada de su despacho.

—Me preguntaba si sería posible ver al doctor Rahn unos minutos.

La secretaria de Rahn contestó que no estaba segura, porque al doctor Rahn no le gustaba que lo molestasen. Rahn sonrió. Su secretaria solo tenía veinte años, pero era valiente y procuraba protegerlo de las molestias habituales de un edificio de oficinas del Gobierno. Salió a la entrada y vio a Dieter Bachman, que llevaba el uniforme militar de comandante de las SS. Había engordado algunos kilos, y seguía algo encorvado y muy pálido.

—¿Dieter? —preguntó, sin intentar disimular su asombro, ni fingir una sonrisa hipócrita.

—¡Otto, amigo mío! —exclamó Bachman, feliz, con los ojos iluminados. Actuaba como si no hubiese pasado nada entre ellos—. Espero que no te importe que me haya pasado sin avisar, ¡no podía esperar a que nuestros caminos se cruzasen! Quería decirte lo contento que estoy de que te hayas unido al personal del *Reichsführer*.

—Te lo agradezco —respondió Rahn, que todavía vacilaba. No se atrevía a confiar en el rostro amistoso que Bachman le ofrecía.

—¡Cuánto tiempo! —siguió diciendo Bachman, acercándose a estrecharle la mano—. Me alegro de verte, amigo. ¿Llego en mal momento? Me apetecía charlar contigo un rato.

—Claro, entra.

Una vez cerradas las puertas, Bachman siguió con el mismo entusiasmo, lo que dejó a Rahn descolocado y lleno de curiosidad.

—Le dije a Elise que estabas aquí. Está tan emocionada como yo por tu buena fortuna, Otto.

—¿Y cómo está Elise? Espero que se encuentre bien.

—¡La maternidad la ha convertido en una mujer nueva!

—¿Me estás diciendo que tenéis un hijo? —De repente, Rahn sintió un instante de terror, la certeza de que todo era irreversible. ¿Acaso se había imaginado otro destino para ella? ¡Habían pasado tres años! Obviamente, tenía que seguir con su vida.

—¡La niñita más preciosa del mundo!

—¡Eso es maravilloso, Dieter! —respondió Rahn, intentando sonreír, aunque resultó ser una sonrisa pálida y débil. De hecho, empezó a sentir náuseas—. ¡Estoy muy contento por los dos!

—La maternidad cambia a las mujeres, Otto. Para Elise, ha significado..., bueno, ¡lo ha significado todo! Diría que es realmente feliz por primera vez desde que nos casamos.

Aquella inesperada franqueza tomó a Rahn por sorpresa, pero también fue como un *coup de grace*. Elise pertenecía por completo a Bachman. Rahn no tenía nada con lo que retenerla, ninguna oportunidad de hacerla cambiar de idea. Por eso había ido Bachman a verlo, por eso sonreía, quería que Rahn supiera que había ganado.

—Por lo que veo, la paternidad también te ha cambiado a ti —le dijo a su viejo amigo, con una sonrisa que apenas lograba mantener.

—Bueno, se descubren nuevas prioridades. ¿Qué estoy diciendo? Sarah es mi tesoro enterrado, mi santo grial, ¡la luz de mi vida!

—Dime una cosa —lo interrumpió Rahn, incómodo. Necesitaba cambiar de tema antes de desmayarse—. ¿Tienes...? Bueno, ¿fuiste tú el que le recomendó mi libro a Himmler?

—Sé de buena tinta que Himmler disfrutó mucho con tu libro, Otto.

—Eso me ha dicho él, pero no es eso lo que te estoy preguntando.

—Mucha gente le da al *Reichsführer* libros que creen que le gustarán —respondió Bachman, con expresión tensa, aunque sin perder la sonrisa—. Te has ganado el puesto gracias a tu talento, amigo, no por nada que yo haya hecho. Aparte de darle un ejemplar de tu libro, no tengo nada que ver con tu éxito.

—¿Qué le contaste sobre mí, Dieter?

Bachman parecía sentirse súbitamente incómodo, pero respondió enseguida.

—Después de que el *Reichsführer* leyera tu libro, me preguntó por tu historial y tu carácter para saber si podrías ser adecuado para nosotros.

—¿Y qué le contestaste?

—Contesté que eras un verdadero cátaro, Otto, el tipo de hombre capaz de atravesar las llamas de la Inquisición antes que renunciar a sus creencias.

Rahn también empezó a emocionarse; si así era como Dieter Bachman le pagaba su traición, se trataba de una de esas personas que rara vez se encuentran en la vida: un amigo de verdad.

—Estoy en deuda contigo —le dijo.

—¡Tonterías!

—¡Lo digo en serio! Pídeme lo que quieras.

—En ese caso, ¡insisto en que cenes con Elise y conmigo este sábado! —repuso Bachman, sonriendo—. ¿Te parece un buen pago para tu deuda?

—¿Una cena? —Rahn sintió, de repente, un extraño pánico irracional. A pesar de que Bachman le asegurase lo contrario, estaba bastante seguro de que Elise no deseaba verlo. Ver en su cara algún tipo de rencor ante su intrusión era más de lo que podría soportar, pero había prometido hacer lo que su amigo quisiera.

—Los dos estamos deseando arreglar las cosas contigo, Otto —explicó Bachman, que no parecía haberse dado cuenta de su reacción—. Ninguno de los dos tenemos deseo alguno de sacar temas desagradables. Y, por supuesto, queremos que conozcas a la preciosa hija que me ha dado mi esposa.

Como no tenía ninguna excusa disponible, ni razón alguna para no ir, Rahn aceptó la invitación con todo el entusiasmo que fue capaz de mostrar. Después empezó a preocuparse. Aunque Bachman dijera que Elise se alegraría de verlo, no tenía por qué ser así. Seguramente se entristecería. Seguro que procuraba no prestarle atención en toda la noche o, peor aún, dirigirse a él con sonrisas frías y huecas...

¿Fingiría, como había hecho Bachman, que no había pasado nada entre ellos? Quizá aprovechara el momento oportuno para decirle lo mucho que sentía su aventura amorosa. Y, ¿cómo debería comportarse él ante eso? ¿Debería mostrarse de acuerdo en que había sido un terrible error? En realidad, ¿qué podía decir sin parecer dolido o estúpido?

Mientras se vestía para la cena en casa de los Bachman aquel sábado por la noche, Rahn pensó brevemente en enviar una nota disculpando su ausencia. Todavía no era demasiado tarde para una jaqueca, ¿no? Una nota con palabras bien escogidas, junto con las flores que había pretendido llevarles, debería bastar. Al fin y al cabo, no tenía trato directo con Bachman. Siempre que mantuviesen una relación cordial, ¡no pasaría nada si se perdía una invitación a cenar!

Sin embargo, precisamente mantener una relación cordial era lo único que se requería aquella noche. Solo tenía que ser educado y enfrentarse a las consecuencias. ¿Por qué no coger el toro por los cuernos y acabar con el tema? Estaba seguro de que su primera visita sería la última. Que fuesen ellos los que pusieran el punto y final. Además, no podía evitar preguntarse si Elise había cambiado de verdad...

Weimar (Alemania)
Domingo, 9 de marzo de 2008.

La distancia entre Dresden y Erfurt se cubría fácilmente en una hora por carretera. Eso le permitió a Helena Chernoff dejar el coche en un aparcamiento público cercano a la estación de trenes y coger un taxi hasta Weimar, donde compró un billete y esperó a la City Night Line. Entre Erfurt y Weimar tendría dieciocho minutos, lo bastante para localizar el compartimento de Malloy, matarlo y salir del tren. Cuando descubrieran el problema, ella ya estaría cruzando la frontera checa.

Con un sombrero para ocultar el rostro y una maleta vacía a modo de disfraz, Chernoff esperó en las sombras hasta que el tren se detuvo y pudo entrar, a unos seis vagones de distancia de Malloy. Se dejó puesto el sombrero, aunque soltó la maleta en cuanto estuvo dentro del tren. Mientras avanzaba hacia el vagón de Malloy se fijaba en las caras, pero no vio nada que la alertase de un posible peligro. Una vez en primera clase, se encontró con un pasillo estrecho y vacío. El vagón tenía escaleras para llegar a cada uno de los tres compartimentos, dos en el nivel inferior y otro arriba. Las puertas estaban numeradas, pero no había nombres. Peor aún, cada puerta tenía una mirilla que le permitiría a Malloy comprobar quién llamaba.

Chernoff llegó hasta el final del vagón y encontró a un azafato en una pequeña cabina, detrás de una pared de cristal. El hombre le dijo, algo preocupado:

—¿Puedo ayudarla?

—Sí —respondió ella, enseñándole una placa de la policía de Hamburgo—. Necesito encontrar a una persona que viaja aquí, pero con mucha discreción, a ser posible.

—¡Por supuesto, agente!

—¿Un hombre que viaja solo?

—Esta noche tengo a cuatro. ¿Tiene algún nombre?

—Sí, pero seguramente utilizará un alias.

El azafato se lo pensó un momento y respondió:

—Tengo los documentos de identidad de todas las personas del vagón, si eso le sirve de ayuda. ¿Quiere echarles un vistazo?

Helena los examinó y cogió el de un francés.

—Este es el hombre.

—¡*Monsieur* Dupin! ¡Pero si la embajada de Estados Unidos en Berlín se encargó de su billete! ¿Qué ha hecho?

—Creemos que instigó los problemas de anoche en Hamburgo.

El hombre se emocionó con las noticias y se inclinó sobre la mesa para coger un plano del vagón. Después de consultarlo, señaló al compartimento 106. Chernoff dio un paso atrás. El azafato era bajito, no mucho más grande que ella, así que no le costó levantarle la barbilla con un movimiento rápido y delicado. Antes de que el hombre entendiese lo que pasaba, le cortó el cuello y lo tiró al suelo. Mientras agitaba las piernas, Chernoff estudió los extraños diseños de la salpicadura de sangre y tocó las paredes manchadas, para que no quedase duda alguna de quién había sido. Finalmente, se agachó para limpiar la hoja del cuchillo en la chaqueta del muerto.

Apagó la luz, volvió al pasillo y encontró el compartimento 106 al final de unas escalerillas. Puso la placa en la mirilla y llamó a la puerta con la culata de la pistola. Malloy respondió medio dormido en alemán, con un ligero acento francés.

—¿Quién es? —Ella llamó otra vez—. ¡Un segundo!

Al oír el chasquido del cerrojo, la asesina empezó a disparar su arma con silenciador contra la fina pared. Fueron cinco balazos a una distancia regular. Oyó un grito de dolor al tercero y después un cuerpo que caía al suelo. Al instante, abrió la puerta, dispuesta a terminar lo que había empezado.

El azafato se había pasado a las nueve y cuarto, poco después de que el tren saliera de la estación. Había comprobado el billete de Malloy y se había llevado su documento de identidad, el alias de Dupin que Malloy siempre llevaba encima, aunque nunca había usado. Después de prometerle la devolución del documento a la hora del desayuno, le dejó una botella de vino, regalo de la casa.

Una vez bien encerrado en su cuarto, Malloy se acostó. Había intentado pasar el rato pensando en Hamburgo, pero, al cabo de unos minutos, se dio cuenta de que el cansancio le podía; además, los sucesos estaban demasiado frescos para darles sentido. Poco después, se durmió con el suave balanceo del tren. Se despertó brevemente en una de las estaciones y miró la hora. Todavía era temprano. Estaba sentado en el suelo. Le pareció que debía permanecer despierto, pero el bamboleo del tren pronto hizo su efecto y se durmió de nuevo. A las once y cuarto, el tren se detuvo en Weimar. Se levantó para echarle un vistazo al andén, pero solo vio las siluetas en sombras de la ciudad recortadas contra el cielo nocturno.

En cuanto el tren salió de la estación, volvió al suelo y empezó a dudar de sus instintos. Entonces, alguien llamó a la puerta y, de repente, se sintió muy despierto. Mientras se aplastaba contra el suelo, preguntó:

—¿Quién es?

Llamaron otra vez.

Había colocado la maleta en la mesa, atada con una cuerda cuyo extremo sostenía en la mano, para poder tirar de ella y lanzar la maleta contra una silla antes de que cayera al suelo, un sonido que esperaba se pareciese al de un cuerpo al caer en un lugar cerrado. Con la pistola eléctrica bien agarrada en la mano derecha, gritó:

—¡Un segundo!

Levantó la mano hacia el cierre y sintió un momento de pánico. O entraría rápidamente o empezaría a disparar de inmediato. Abrió el endeble pestillo y vio que las balas astillaban la puerta. Dejó escapar un grito que, en teoría, debía ser de dolor por el balazo, aunque, en realidad, era de miedo y sorpresa. Recordó tirar la maleta de la mesa, pero ni siquiera oyó el golpe de la caída. Los cinco tiros estuvieron a punto de derribar la puerta plegable.

Malloy observó cómo la pistola y el silenciador entraban por la puerta abierta. Esperó hasta ver la pierna de Chernoff. El efecto de la pistola eléctrica fue inmediato: la mujer soltó el

302

arma y cayó por las escalerillas. Mientras intentaba sentarse, Malloy fue tras ella y le pegó un puñetazo en la mandíbula. Vio la placa de inspector de policía de Hamburgo, el sombrero y un par de casquillos de bala a su lado. Cogió la placa y empezó a levantar a la mujer. De repente se abrió una puerta y apareció un hombre en pijama que lo miró desde su compartimento, justo debajo del de Malloy.

—¿Qué está pasando? —gritó en alemán.

—¡Asunto policial! —respondió Malloy en alemán, levantando la placa—. ¡Entre en su compartimento!

Se abrió otra puerta, la que estaba al lado de la suya. Un hombre bajó las escaleras poniéndose una bata y mirando a Malloy y la mujer inconsciente que llevaba en brazos.

—¡Vuelva al interior, por favor! —le dijo Malloy enseñándole la placa—. ¡Asunto policial!

Mientras los dos hombres se retiraban, Malloy le retorció el brazo a Chernoff detrás de la espalda y la metió, medio a empujones, medio a rastras, en su compartimento. Una vez dentro, la esposó y la registró en busca de armas. Encontró una navaja de muelle con el mango pegajoso de sangre fresca. Tiró a la mujer encima de la cama y la ató por los tobillos con la cuerda que había usado con la maleta. Antes de que recuperase la consciencia lo bastante para gritar, utilizó la navaja para cortar las sábanas y amordazarla.

Regresó al pasillo y vio a otra espectadora curiosa, así que le enseñó la placa y le ordenó que volviese a su compartimento. Después se acercó a la cabina del camarero. La zona estaba a oscuras, pero, cuando abrió la puerta y encendió la luz, vio al azafato tirado en el suelo. Apagó la luz y regresó a su compartimento. En el exterior, a lo lejos, se veían luces; esperaba que llegasen a una estación dentro de pocos minutos, aunque no recordaba los detalles del horario.

Delante de su compartimento vio casquillos de bala y el sombrero que llevaba puesto Chernoff, pero los dejó donde estaban. Se abrió otra puerta, y se acercó a ella con confianza para enseñarle la placa al hombre.

—¡Vuelva dentro, por favor! ¡Entre!

Sabía que habría más de un móvil llamando a la policía. Miró de nuevo por la ventanilla y vio las luces. Dentro de su habitáculo, comprobó que Chernoff lo miraba con aquellos ojos suyos, tan oscuros y solemnes. Incluso esposada daba miedo, y pensó que lo mejor habría sido matarla. Miró la hora y después el horario: faltaban cuatro minutos para la siguiente parada. Sacó el móvil.

—¿Sí? —oyó decir a Jane, con ruido de gente cenando de fondo, incluso alguna que otra risa.

—Quiero que llames a los alemanes. Diles que Helena Chernoff está en la City Night Line que va de Dresden a Zúrich. En estos momentos se encuentra esposada y relativamente segura en el compartimento 106 del vagón de primera clase, pero, si no se dan prisa, algún buen samaritano la dejará escapar.

—¿Dónde estás?

—Estamos llegando a Erfurt.

—¿No hay posibilidad de llevarla a Fráncfort?

—Fráncfort está a cuatro horas. Tendré suerte si llego a Erfurt. Además, nos vendrá bien un gesto de buena voluntad con los alemanes.

—¿Estás ya en la estación?

—Llegaré en un par de minutos.

—¿Sabes lo que puede decirnos esa dama, T.K.?

—Supongo que, cuando por fin consiguiera hacerla hablar, su información ya no nos serviría de mucho.

—De todos modos, me gustaría probar...

—Haz esa llamada, Jane. Si los alemanes no empiezan a moverse, la perderemos.

Ciudad de Nueva York
Domingo, 9 de marzo de 2008.

David Carlisle había salido de Hamburgo en un *jet* privado a las seis de la mañana. Como no había dormido en toda la noche, lo hizo durante el vuelo y llegó al JFK unos cuantos minutos después de las diez de la mañana, hora del este de los Estados Unidos.

En el viaje en limusina desde el aeropuerto miró el teléfono y descubrió que Helena Chernoff había intentado llamarlo. Tenía mucho que hacer en poco tiempo, así que no le devolvió la llamada hasta después de la comida, de camino a la Grand Central Station. Cuando ella le contó que la emboscada en el Das Sternenlicht había fallado, su primera reacción fue, naturalmente, el enfado. Después empezó a pensar en las consecuencias de aquel fallo.

No había tenido más remedio que aceptar los términos de Chernoff para que siguiera a Malloy hasta Dresden. La mujer estaba en lo cierto con la votación: negociaría un acuerdo con Luca a través de un pago en metálico. Mientras su red no se viese expuesta, no sufriría demasiados daños. Lo que no le gustaba era que Helena Chernoff obtuviese el poder de la red de Ohlendorf. Ohlendorf siempre había sido fácil de controlar, su respetabilidad lo hacía invulnerable a la presión. Cuando Chernoff se hiciese con su negocio, convertiría una desigual confederación de delincuentes comunes en algo que quizá Luca y él no podrían controlar. En cualquier caso, no tenía elección. La alternativa era darle tiempo a Malloy para reagruparse.

Después de la llamada a Chernoff fue a reunirse con un informador al que conocía desde hacía tiempo y que, además, resultaba ser un agente del FBI con mucha experiencia. Se cruzaron como si fuesen desconocidos, Carlisle cogió la llave que le daba el hombre y se dirigió a una taquilla. Dentro encontró una ruta marcada desde el JFK a la ciudad, un juego de llaves de motocicleta, un uniforme de agente de la autoridad portuaria y un arma reglamentaria cargada. La dirección donde podía recoger su vehículo estaba escrita encima de la ruta.

Erfurt (Alemania)
Lunes, 10 de marzo de 2008.

Malloy encontró un BMW cerca de la estación de Erfurt. Rompió la ventanilla y le hizo el puente. En la primera carretera principal que encontró, puso rumbo al sudeste, en dirección a Fráncfort; llamó a Jane en cuanto estuvo en la autopista.

—Voy a tener que cambiar de coche en Fráncfort, solo por si acaso.

Repasaron los detalles y después ella le dijo que lo llamaría. Lo hizo, veinte minutos después, para decirle que podía recoger algo en la estación de tren de Fráncfort.

—¿Algo sobre Chernoff? —preguntó Malloy.

—Según tengo entendido, pretenden subir al tren en Eisenach. Eso será... dentro de cinco minutos.

—He estado pensando en cómo ha manejado este asunto, Jane.

—Ya no es nuestro un problema, y no me apetece pasarles nuestra información a los alemanes.

—Ese es el tema. Creo que Chernoff quería verse lo menos expuesta posible. Eso significa que subiría al tren en Weimar para bajar en Erfurt, de quince a dieciocho minutos. Si tenía un compañero, la esperaba un vehículo que ya debe de haberse marchado, pero, si iba sola, habrá dejado un coche en Weimar o en Erfurt, y me parece que será en Erfurt.

—Los alemanes lo descubrirán, T.K.

—Ahora mismo no saben de dónde ha salido esa mujer ni qué estaba haciendo. Y ella se pasará toda la noche intentando probar que se han equivocado de persona. Eso nos da una ventaja de unas doce horas antes de que empiecen a buscar su coche, mirando en varios sitios distintos. Anoche perdió a mucha gente, Jane, y debía tener un ordenador encima si estaba rastreando la señal de mi móvil.

—¿Por qué crees que su coche está en Erfurt?

—Porque allí es donde pretendía salir del tren. A estas horas de la noche le costaría encontrar un taxi. Le venía mejor dejar el coche allí que en Weimar.

—Me pongo con ello —respondió Jane algo emocionada. Para ella, los móviles y los portátiles eran tesoros ocultos.

Malloy recogió un todoterreno gubernamental en la estación de Fráncfort y dejó el coche robado aparcado. Estaba entrando en Mannheim, menos de una hora después, cuando Jane lo llamó.

—¿Ha habido suerte? —le preguntó él.

—Todavía estamos intentando mandar a alguien a Erfurt para que eche un vistazo. No llamo por eso. ¿Recuerdas a Irina Turner?

—¿Te refieres a la secretaria de Jack Farrell? —preguntó Malloy frunciendo el ceño. La «sex-cre-taria» que Farrell había abandonado en Barcelona.

—Esa misma. Al parecer, aterrizó en Nueva York hace tres horas, junto con dos investigadores de la policía española. Pasaron por inmigración y aduanas, y los recibieron dos agentes del FBI, todo según lo previsto. Nuestra gente iba a llevar a Turner y a los españoles a Manhattan. Es lo último que hemos sabido de ellos.

—¿Me estás diciendo que Irina Turner se quitó de en medio a cuatro agentes y después desapareció?

—O alguien la ayudó. En cualquier caso, me parece que no era tan tonta como creíamos.

—Tengo que meditar sobre ello.

—Eso supuse. Si se te ocurre algo, llámame. No creo que vaya a dormir mucho esta noche.

Zúrich (Suiza)
Lunes, 10 de marzo de 2008.

Malloy aparcó el todoterreno prestado en la estación de Offenburg y dejó las llaves puestas, según las instrucciones recibidas. Un par de horas después tiró el móvil a un contenedor de basura y cogió un tren que llevaba a Basel, en Suiza. Allí compró un móvil tribanda en una de las tiendas de móviles locales y cogió otro tren a Zúrich justo después de las diez de la mañana. En los Estados Unidos era tarde, pero le tomó la palabra a Jane y llamó a su casa. Al responder, sonaba muy despierta. Malloy le pidió que se buscase un móvil nuevo, que el otro no era seguro. Una vez hubo terminado con los detalles administrativos, Jane le dijo:

—Encontramos el coche de Chernoff, T.K.

—¿Algo interesante?

—Ordenador, móvil, ropa, identidades de reserva, tarjetas de crédito, armas, munición y dinero en efectivo.

—Imagino que no les habrás contado a los alemanes la suerte que hemos tenido.

—Decidí esperar a ver qué nos pueden dar del interrogatorio antes de hacer las paces con ellos.

La siguiente llamada de Malloy fue al capitán Marcus Steiner, de la *Stadtpolizei* de Zúrich.

—¡Thomas! —respondió Marcus—. ¡Esperaba noticias tuyas!

—Acabo de llegar. Estaba pensando que podríamos quedar a comer en tu bar favorito, ¿sobre las doce?

—Suena bien. ¡Allí nos vemos!

Desde la estación de Zúrich, Malloy cogió la salida de Bahnhofstrasse y salió a la calle a una manzana de distancia del hotel Gotthard. Utilizando un correcto alemán suizo, preguntó si tenían habitación para una semana. Al cabo de un momento de consideración, el recepcionista comprobó sus archivos y pareció sentirse, de repente, muy satisfecho consigo mismo, como un hombre que acabase de resolver un rompecabezas de gran dificultad.

—Puedo darle la misma habitación en la que se alojó la última vez, *herr* Stalder. ¿Le parece bien?

Malloy, que no le había dado ninguno de sus nombres, esbozó una amplia sonrisa.

—¡Estupendo!

Había ido a Zúrich un par de veces el año pasado, pero la última vez que había utilizado el alias de Stalder había sido en el otoño de 2006, en el Gotthard. Siempre procuraba no mezclar sus alias a lo loco dentro de una misma ciudad, y aquel era un ejemplo perfecto de lo que podía salir mal. Un rostro olvidado, un conocido, un amigo de un amigo, un camarero o un recepcionista con una memoria estupenda: un nombre falso en un momento inoportuno y podría perder una tapadera. A veces, eso significaba perder un pasaporte, lo que costaba tiempo y dinero. Otras veces suponía dejar al descubierto redes enteras, lo que podía llegar a costar vidas.

Los suizos eran bastante problemáticos en aquel terreno. La mayoría pasaba muchos años en el mismo trabajo, incluso toda la vida. Por el contrario que en el resto del mundo, los suizos «de verdad» se enorgullecían de ofrecer un buen servicio. Eso incluía recordar a sus clientes habituales y, al parecer, también a los no habituales. Aquel hombre era un suizo de verdad.

Malloy abrió la cartera y encontró algunos euros que le quedaban de Hamburgo. Le entregó un billete de cien al recepcionista, algo menos que una noche de estancia en el Gotthard.

—Le agradezco la consideración —como el empleado no estaba seguro de si se trataba de una propina o de un depósito para la habitación, Malloy añadió—: es para usted, pero hágame un favor.

—Lo que quiera, *herr* Stalder.

—Procure gastárselo en algo que sea completamente frívolo.

Una vez recompensada su virtud y guardado el billete en el bolsillo, el recepcionista llamó a alguien.

—Encárgate de la recepción durante un momento —le pidió—. Voy a llevar a *herr* Stalder a su habitación.

Al recepcionista le costó transportar la maleta, pero lo hizo con buena cara. Dentro del ascensor, Malloy le dijo:

—Siento el peso del equipaje, pero esta vez llevo más munición de lo normal.

Herr Hess, el nuevo mejor amigo de Malloy, se rio educadamente.

El misterioso lugar de encuentro con Marcus Steiner era el James Joyce Pub, a un par de manzanas de distancia de la Bahnhofstrasse y quizá a unas seis del Gotthard. Con unos precios pensados para mantener alejada a la chusma, el pub rara vez estaba lleno, pero siempre merecía la pena. Malloy llegó primero y se sentó en uno de los cómodos reservados de la parte de atrás del comedor. Acababa de pedir una cerveza cuando entró Marcus.

Malloy había conocido a Marcus Steiner hacía cuarenta y tres años, en las calles de Zúrich. En aquella época, Marcus no hablaba inglés. Malloy, recién importado de Estados Unidos, estaba algo desconcertado por no entender nada de lo que oía. En cuestión de meses, hablaba alemán suizo con su nuevo amigo y aprendía de él los principios básicos del robo. A pesar de no tener ni siete años, Marcus ya había descubierto lo mucho que les gustaba a los suizos esconder dinero en casa. Solo necesitaba un cómplice para distraer a sus víctimas en la puerta principal, mientras él entraba en la casa por una ventana abierta, que siempre abundaban. Con diez años, los dos chicos ya eran demasiado para el barrio, donde se habían convertido en personajes sospechosos, así que se trasladaron a otras partes de la ciudad en las que todavía no los conocían. A los doce ya entraban en las casas para llevarse todo lo que podían. Era más peligroso, pero también daba más beneficios.

Cuando los padres de Malloy regresaron por fin a los Estados Unidos, el joven Thomas tenía catorce años. Sabía hablar alemán suizo como un nativo y alto alemán como para leer y comunicarse. También tenía los conocimientos básicos necesarios para robar cualquier cosa, y todo gracias a Marcus Steiner. Por supuesto, la amistad no sobrevivió a la separación de un océano. No eran de los que escribían cartas, así que, durante los diez años siguientes, los dos chicos se enderezaron (al menos, el joven Thomas) y se concentraron en educarse y encontrar un buen trabajo. Cuando Malloy regresó a Zúrich durante tres años como agente de inteligencia, su primera adquisición fue su viejo amigo Marcus, que, muy perverso, había decidido hacer carrera en la policía. Como decía él, la paga era buena, el seguro médico excelente y estaba muy cerca de lo que más le gustaba en el mundo.

Después de pasar unos minutos poniéndose al día (lo que incluía un resumen de los problemas de Hamburgo), Malloy entró en materia. Necesitaba un guardaespaldas durante unos días. Al ver que su amigo arqueaba una ceja, explicó:

—Puede que Helena Chernoff esté fuera de circulación, pero la persona que la contrató sigue ahí fuera.

Repasaron los detalles, incluido un abundante adelanto que Malloy depositaría en un banco local a nombre de uno de los alias de Marcus. Una vez hubieron terminado, Malloy le preguntó a su amigo qué sabía de la mafia italiana. La pregunta pareció dejarlo perplejo. Nombró a un par de familias que trabajaban en el norte y llegó, como era inevitable, a Giancarlo Bartoli, que quizá tuviese contactos o quizá solo tuviese mucha suerte con sus inversiones. ¿Trabajaba Bartoli en Suiza?

—Trabaja en todas partes, Thomas. Giancarlo es miembro de unas quince o veinte juntas directivas y probablemente sea dueño de otras tantas empresas.

—Entonces, ¿qué relación tiene con las familias?

—Si lo que quieres son rumores, puedo darte todo lo que ya habrás oído. Si buscas algo más sustancioso, te diría que hablaras con Hasan.

Eso era lo que Malloy pretendía, pero quería la información que pudiese darle Marcus antes de acudir a la delegación de la mafia rusa en Zúrich.

—¿Puedes organizar una reunión?

—Veré lo que puedo hacer.

—Genial. Y otra cosa...

—El señor y la señora Brand van a pasar unos días en el Savoy, bajo los cuidados de un médico, aunque para acceder a ellos tendrás que preguntar por Pedro Bartolomé.

Malloy puso cara de perplejidad durante un instante, pero después sonrió.

—El tipo que descubrió la lanza de Antioquía.

—Ethan dijo que lo entenderías.

—¿Cómo están?

—El médico quiere que ingresen en el hospital, cosa que no piensan hacer, e insiste en que Kate descanse un par de semanas. Ella ha aceptado hacerlo un par de días. Los vi esta mañana, Kate me pidió que le llevase un juego de cuchillos y una diana.

—¿Estás de coña?

—Dice que lanzar cuchillos le resulta muy vigorizante.

Marcus llevó a Malloy a uno de sus bancos, y Malloy hizo una transferencia para cubrir los gastos de sus guardaespaldas, todos ellos policías de Zúrich fuera de servicio con potestad para hacer detenciones. Cuando Marcus lo dejó en el Gotthard, un policía de paisano ya lo esperaba en la puerta del hotel.

Arriba, bajó las persianas y se echó una larga siesta, aunque con el chaleco antibalas puesto. En el suelo, al lado de la cama, tenía su Uzi y un cargador de repuesto. Mientras, el poli que se había reunido con él delante del edificio hacía guardia en el pasillo, vigilando la puerta. Se despertó a las nueve de la noche, pero solo porque Marcus lo llamaba.

—Parque de las Agujas, dentro de una hora. Busca una cara sonriente.

—¿Una cara sonriente? —preguntó intentando despertarse. No hubo respuesta, porque Marcus ya había colgado.

Malloy pidió un sándwich al servicio de habitaciones, y *herr* Hess subió a llevárselo. Mientras comía, llamó a Jane a su despacho, pero su secretaria le dijo que no estaba. Un minuto después, Jane le devolvió la llamada desde un móvil nuevo.

—¿Cómo está Josh Sutter? —preguntó Malloy.

—El agente Sutter volará a casa mañana.

—¿Algo sobre Irina Turner?

—Hace unas seis horas, la policía de Newark ha encontrado un coche del FBI en un aparcamiento... con cuatro agentes muertos en el interior.

—¿Lo hizo ella?

—Encontraron una moto de la autoridad portuaria abandonada en la I-278, no muy lejos de la salida de la I-495. Trabajamos con la teoría de que alguien se hizo pasar por un agente de la autoridad portuaria y detuvo el coche. Pero la cosa empeora.

—No veo cómo.

—Creen que alguien de la oficina de Manhattan dio el chivatazo sobre la ruta.

—¿Alguien del FBI?

—Algo me dice que esto es más gordo que la huida de Jack Farrell, T.K.

—¿Alguna noticia sobre Helena Chernoff?

—Los alemanes nos cuentan que es una tumba, pero el ordenador nos ha dado bastante.

—¿Podría hacerme con una copia de todo lo que recibas?

—Enviaré el informe preliminar a Berna a través de una línea segura y haré que alguien te lo lleve en mano mañana por la mañana, según tu horario.

Dedicaron un minuto a repasar los detalles y después Malloy preguntó:

—¿Qué has descubierto sobre el alias de H. Langer, del móvil que Chernoff usaba en Hamburgo? —Como Jane no respondía, añadió—: tenía una cuenta bancaria con Sardis and Thurgau, en Zúrich...

—Ah, sí. Nos llamaron ayer. Veamos..., vale. Tuvieron guardados ochocientos mil francos suizos hasta finales del año pasado. En esas fechas, Chernoff o uno de sus agentes transfirió todo el dinero, salvo mil francos, a otra cuenta... a la que, por supuesto, no tenemos acceso.

—¿Finales del año pasado?

—¿Crees que significa algo?

—Creo que a Chernoff le interesaba deshacerse de ese alias.

Berlín (Alemania)
Otoño de 1935.

En la puerta de su casa, Bachman estrechó la mano de Rahn con mucho afecto, como en los viejos tiempos, y lo condujo al interior de aquella lujosa vivienda del siglo XIX. Rahn llevaba un ramo de flores silvestres para Elise y una exquisita muñeca bávara para la niña; entregó ambas cosas a Elise cuando entró en el salón. Las flores eran una cortesía, pero la muñeca era prácticamente un tesoro, y Elise le aseguró que era maravillosa y que Sarah la adoraría.

Hablaba con toda la naturalidad de una vieja amiga y, a pesar de lo que le había contado Bachman, no había cambiado nada. Seguía tan bella, esbelta y serena como en su primer encuentro. Lo llamaba Otto y, efectivamente, parecía contenta de verlo. Se besaron como hacen los familiares y los amigos más queridos, y el contacto en las mejillas despertó en él recuerdos oscuros e íntimos, aunque la expresión de Elise no sugería que hubiese experimentado las mismas sensaciones. En su mirada solo reconoció la alegría por reencontrarse con un viejo amigo, nada más. Lo llevó a un sofá y se sentó frente a él. Bachman salió del cuarto para preparar *whisky* con soda. Durante su ausencia, Elise mencionó la sorpresa que se había llevado al ver que Rahn aceptaba unirse al personal de Himmler, ya que nunca se lo habría imaginado metido en política.

Rahn respondió que, en realidad, no era un puesto político. Himmler sólo había asumido un papel de mecenas.

—¿Y no quiere nada a cambio? —preguntó ella.

¿Lo decía por curiosidad? ¿Con sorpresa? ¿Con escepticismo? No sabía leer su expresión, pero tampoco tuvo tiempo de preguntárselo.

—¡No seas tonta, Elise! —exclamó Bachman, entrando con las bebidas. Había estado escuchando—. ¡Himmler solo espera que encuentre el santo grial!

—¿Y eso es todo? —repuso ella arqueando las cejas. Los tres se echaron a reír.

Bachman volvió al bar para seguir preparando más copas.

—Me encantó tu libro —comentó Elise—. Fue como leer una de tus cartas. Cuando terminé, volví a empezar desde el principio.

—Me preguntaba una cosa, Otto —intervino Bachman entrando en la habitación, nervioso—. Pusiste la palabra grial en el título, ¡pero en ningún momento mencionas en qué consiste! Es un poco injusto, ¿no te parece?

Como Rahn ya había oído la misma queja en otras ocasiones, le ofreció su respuesta estándar:

—Tenía que dejar algo para la segunda parte.

—Entonces, ¿tienes una teoría sobre él? Es decir, ¿qué es?

—Varias, en realidad. Aunque no sé cuál es la correcta.

La niñera de los Bachman llevó a Sarah al salón. La niña ya había cenado y la habían vestido para irse a la cama. Estaba claro que la presencia de Rahn la desconcertaba, pero no la molestaba especialmente. Elise se lo presentó como el tío Otto. Rahn calculó que, por la edad de la niña, tuvieron que concebirla en los últimos meses del verano de 1932, justo la época en la que Elise y él habían sido amantes. Tenía poco más de dos años. Puede que fuese hija de Bachman, pero no se le parecía en absoluto. De hecho, era como Elise, una perfecta belleza de pelo oscuro. Rahn miró rápidamente a Elise, esperando algún tipo de señal que le indicara que la niña era suya. Sin embargo, ella lo decepcionó, estaba diciéndole algo a la niñera. Miró a Bachman, donde solo encontró la mirada orgullosa de un padre fija en su hijita. Si Bachman albergaba alguna duda sobre la paternidad de su hija, no parecía importarle. Era su niña, daba igual lo que dijese la biología.

Durante la cena, hablaron sin parar del Languedoc, como si acabasen de volver de vacaciones. Era como un mundo diferente, uno todavía envuelto en misterio y romanticismo. ¿Pensaba Rahn volver? Rahn no había regresado desde su huida del país con la bancarrota del hotel a sus espaldas, pero no quería sacar el tema de Des Marronniers y estropear una noche perfecta.

—Quizá vaya, si Himmler de verdad quiere que encuentre el grial.

—¡No tienes más que proponérselo! —exclamó Bachman jovial.

Después de la cena, Bachman por fin entró en temas políticos. Alemania había sufrido la falta de liderazgo, según decía. Solo había que mirar cómo estaba Berlín, menos de tres años después de que Hitler llegase a canciller, para comprender lo que podía lograr un hombre con decisión y talento. La transformación de la ciudad era como un milagro. Ya no había revueltas, ni miseria; las fábricas funcionaban de nuevo y prometían estar pronto a plena capacidad. Todos tenían trabajo.

—¡Incluso la gente como tú, Otto! —bromeó—. Y lo más asombroso es que ocurre lo mismo en todas las ciudades de Alemania —añadió, más serio, como un sacerdote que acaba una breve, aunque mordaz sermón—. ¡Volvemos a ser una nación!

Antes de que Rahn se marchase, Bachman dijo que tenían que aclarar las cosas. Elise y Rahn se miraron las rodillas, porque se refería a su adulterio.

—Fuimos víctimas de un gobierno débil y corrupto —dijo, y Rahn levantó la mirada, sorprendido—. ¿Cómo no iba a afectarnos que la moral y la economía de nuestro mundo se derrumbaran a nuestro alrededor? ¡Perdimos el sentido del bien y del mal porque no había nadie con la autoridad suficiente para sentar ejemplo! Eso es lo que pasó, y lo hemos dejado atrás. Creo que ha llegado el momento, y Elise está de acuerdo conmigo, de perdonarnos. ¡De que volvamos a ser amigos!

Rahn se dio cuenta de que asentía con la cabeza ante las palabras de su anfitrión. De repente, sintió genuina admiración por él; no había intentado ofrecerles su perdón, porque eso lo convertiría en la víctima que los juzgaba desde su superioridad moral. No, él también se contaba entre los perdidos. Mejor aún, otros debían cargar con sus errores: los comunistas, los judíos y los pendencieros parlamentarios. Con un gobierno apropiado, podían empezar desde cero, recuperar su sentido del bien y del mal siguiendo el ejemplo del Führer.

Después de aquella noche, la amistad se reanudó casi como si no hubiese pasado el tiempo. Desde la perspectiva de Rahn, Bachman lo había salvado de dedicarse a la enseñanza de idiomas en una escuela profesional, lo que, para él, era como si le hubiese salvado la vida. Además, no daba muestras de sentir celos. Rara vez no cenaban juntos los domingos por la noche.

A veces también se tomaban una copa y cenaban los jueves y viernes. Bachman, Elise y Sarah se convirtieron en la familia de Rahn, y Sarah lo llamaba tío Ot. Cada vez que aparecía, la niña iba corriendo a contarle todos los detalles de su vida: el último juguete adquirido, su ropa nueva o algún chisme descubierto en el parque. Incluso empezó a besarlo en la mejilla cuando llegaba, antes de irse a la cama.

En el trabajo, Bachman procuró presentarle a varias personas de la rama militar de las SS que podrían resultar ser valiosos aliados. Además, todos estaban encantados de conocerlo y lo invitaban a tomar una copa o a cenar con ellos, si la agenda de Rahn se lo permitía. Por su parte, Elise lo introdujo en la sociedad berlinesa, organizándole conferencias en grupos prominentes de la ciudad. Conseguía entradas para espectáculos que llevaban semanas agotados e incluso le daba consejos sobre el tipo de mujer con la que debería casarse, porque, según decía ella, tenía que casarse. Himmler era un firme defensor de la familia. Ascendía a los hombres casados, sobre todo si tenían hijos, y dejaba que los solteros se las apañaran solos.

—Está loco por la aristocracia, Otto. No te fijes en el dinero, pero asegúrate de casarte con una mujer de sangre azul y tendrás un futuro brillante.

—¿Y si prefiero no casarme por ahora?

—Has hecho muchos sacrificios por el bien de tu arte —respondió ella—, pero eso es agua pasada. Ha llegado el momento de crear una familia, ¡ahora que todavía eres joven para disfrutar de ella!

Para enfatizar su opinión, Elise le arregló citas con varias jóvenes importantes, aunque, por mucho que él lo intentaba, todas las historias acababan en tristes fracasos.

Wewelsburg (Alemania)
Invierno de 1936.

A principios del año siguiente, Rahn se unió a las SS como oficial, aunque, en teoría, estaba asignado a la rama civil. También aceptó el característico anillo que llevaban los oficiales de las SS e hizo un juramento de sangre que lo uniría para siempre a la Orden de la Calavera.

Unos cuantos días después de la ceremonia, Bachman fue a su despacho, afirmando que debía secuestrarlo durante todo el día.

—Espero no tener que hacerlo a punta de pistola.

Rahn se rio ante la hipérbole. En cualquier caso, algo en el comportamiento de Bachman le hacía sospechar que no se trataba del todo de una broma.

—¿De qué me estás hablando?

—Himmler me pidió que te enseñase algo. Es lo único que puedo decirte.

—Pues enséñamelo —respondió Rahn encogiéndose de hombros. Himmler siempre veía cumplidos sus deseos.

—Está bastante lejos. De hecho, será mejor que nos vayamos ya si queremos estar de vuelta en Berlín esta noche.

Acabaron a un par de horas al sur de Hamburgo, cerca de Paderborn, en la aldea de Wewelsburg. A lo lejos se veía una meseta de tierra sobre la aldea y la silueta de una vieja fortaleza renacentista recortada contra el cielo gris.

—¿Es esto lo que hemos venido a ver? —preguntó Rahn. Bachman le había estado hablando sobre Sarah; la niña había entrado sin llamar en su dormitorio y había insistido, con su inocencia infantil, en que juntasen las camas para que los tres pudieran dormir juntos.

—Magnífica, ¿verdad?

—Seguro que lo fue en sus tiempos…

Como tantas otras viejas fortalezas de Alemania, Wewelsburg había perdido hacía tiempo su valor estratégico militar. De hecho, la habían abandonado sin llegar a entrar nunca en batalla y después había languidecido en su decadencia durante más de dos siglos.

Antes de llegar a la cima de la colina, un sargento de las SS salió de un pequeño edificio cercano a la carretera y les pidió la documentación. Los dos presentaron sus credenciales y, además, Bachman le entregó una carta firmada por Himmler. El guardia examinó la carta y entró en su cabaña. Rahn lo vio hablar por teléfono. Cuando regresó, señaló la puerta del muro.

—Puede aparcar dentro, comandante. Para cualquier cosa que necesite, hable con uno de los guardias. ¡Están a sus órdenes!

Bachman dobló la carta y la guardó.

—Déjame verla —le pidió Rahn, y Bachman se la entregó, intentando ocultar su orgullo. La carta le daba permiso para entrar en cualquier parte de la fortaleza, sin restricción alguna. Himmler había firmado la carta en persona. Con aquel nombre, todas las puertas se abrían.

Rahn miró los altos muros, que se alzaban sobre ellos.

—¿Sin la carta no habríamos podido entrar?

—Por ahora, la fortaleza de Wewelsburg está prohibida para todo el mundo, excepto para la brigada de las SS asignada a su vigilancia. Salvo por un puñado de generales de Himmler y parte de su personal, nadie sabe que existe. Solo se puede entrar con una carta firmada por el mismo Himmler. Supongo que también debería decirte que, si le mencionas a alguien que hemos venido aquí, nos matará a los dos, así como a cualquier persona a la que se lo cuentes.

Bachman lo dijo con tal tranquilidad que Rahn lo miró para comprobar que no se trataba de una broma. No lo era.

—¿Por qué tanto secreto? —preguntó.

—El *Reichsführer* quiere que las SS sigan creciendo. Lo he oído decir que no estará satisfecho hasta poder darle al Führer doce divisiones de fuerzas armadas de élite. Naturalmente, un crecimiento de tales dimensiones puede suponer ciertos riesgos internos para la moral y la confraternidad de la Orden. Sin duda, por mucha energía que tenga un solo hombre, como es el caso de Himmler, no puede supervisar todos los aspectos de una organización tan amplia, pero para que las SS sean eficaces eso es lo que debe hacer. Su idea es crear una orden secreta de caballeros dentro de la Orden de la Calavera, como los paladines que servían en la corte de Carlomagno, un núcleo de individuos consagrados en cuerpo y alma a los ideales de las SS. Una vez establecidos, pretende darles Wewelsburg como una especie de retiro donde reunirse con ellos y desde donde ellos mismos se encarguen de los asuntos de la Orden.

Atravesaron una enorme puerta y entraron en un patio estrecho. Desde el interior de sus muros, Wewelsburg no parecía tan grande. Se trataba de un puesto de avanzada militar, poco más que una ciudadela. Bastaba para proveer y defender a un par de regimientos, no más. De forma triangular, con una gigantesca torre de redondez perfecta sujetando cada muro, en su época habría permitido desplegar rápidamente a los soldados que la defendían. No había ningún punto del muro que estuviese aislado o muy alejado de los demás, aunque la forma compacta también reducía el espacio habitable interior. Allí no había ni plazas, ni calles. De hecho, el suelo del otro lado de los muros permanecía casi siempre en sombra y dejaba en el aire un permanente olor a podredumbre mojada.

Rahn entendió de inmediato que Himmler estaba decidido a convertir aquellos espacios oscuros e íntimos en algo ins-

pirador, algo a la altura del liderazgo de la Orden de la Calavera. Donde más se notaba era en la torre de mayor tamaño, que
ya se había restaurado. Para llegar a ella tuvieron que descender
una escalera de piedra y entrar en un pequeño vestíbulo. Más
allá había una habitación completamente redonda. En el centro
se veía una chimenea abierta y, en cada pared, varios bancos de
piedra salían de la lisa mampostería, cada uno con capacidad
para un solo ocupante. Las paredes redondas tenían ventanas a
varias alturas que rodeaban la habitación de manera asimétrica.
Los cristales dejaban entrar numerosos haces de luz que se de-
rramaban por las paredes de piedra de más arriba. En lo alto de
la torre, más allá de los rayos de luz caóticos y en lo más profundo de la cúpula, había una esvástica que no podía compararse
con ninguna otra que Rahn hubiese visto. Unida al extremo de
cada uno de los cuatro brazos se veía una larga ese rúnica que
casi doblaba en tamaño a la cruz gamada. El cambio de aquella
imagen tan familiar resultaba inquietante, casi rozando la traición, y Rahn tuvo la impresión de que aquel núcleo interno de
oficiales de las SS, de paladines, acabaría dirigiendo no solo la
Orden de la Calavera, sino Alemania en su totalidad.

Lo más curioso de la habitación, y el efecto resultaba casi
místico, era el extraordinario eco cuando se hablaba. De hecho, el choque de los ecos hacía imposible entender lo que se
decía en el centro de la sala. Sin embargo, si uno se sentaba
junto a las paredes, en uno de los bancos, el resto de personas
sentadas en el círculo podía oír hasta el más leve de los susurros que pronunciase. Era una especie de tabla redonda; solo
faltaban los caballeros y la búsqueda del grial para completarla.

Antes de marcharse recorrieron los apartamentos de los
oficiales, todavía sin terminar, aunque bastante prometedores.
En aquella zona se encontraron a un grupo de presos trabajando. Los hombres estaban delgados como palillos y el pelotón

que guardaba el castillo los vigilaba atentamente. Rahn vio que uno de los hombres se desmayaba al intentar sacar un pesado cubo lleno de residuos de la habitación. Nadie fue a ayudarlo. Sus compañeros presos ni siquiera parecían haber notado su cansancio. Finalmente, uno de los guardias le dio una patada. Antes de que terminara la escena, Bachman condujo a Rahn a su Mercedes.

—¿De dónde sacan a esos trabajadores? —preguntó Rahn mientras se sentaba—. Parecen demasiado esqueléticos para estar sanos, ¡su delgadez es casi enfermiza!

Bachman no se mostraba muy interesado en la cuestión, pero respondió sin darle importancia.

—Himmler barre las calles para encontrarlos.

—¿Por qué me has enseñado ese lugar? —preguntó Rahn durante el largo camino de vuelta a Berlín—. Soy historiador, no uno de sus generales.

—Himmler está construyendo su Montségur, Otto. Lo que quiere de ti es el grial.

—No tengo nada claro que exista el grial, salvo en el reino del espíritu, por supuesto.

—¡Cuentas la leyenda en tu libro! ¡Esclarmonde lo lanzó al Monte Tabor!

—¡Pero se trata de eso mismo, de una leyenda local que me contó un anciano!

—Himmler quiere que lo busques, Otto. No te lo pedirá directamente, por supuesto. El que busca el grial debe ofrecerse voluntario para la hazaña, ¡al fin y al cabo, se trata del grial! Sin embargo, hará todo lo posible por ayudarte cuando estés listo para hacerlo. Solo tienes que pedirle permiso.

—He terminado con los tesoros escondidos. Hay formas mejores de pasar el tiempo.

324

—Puedes echar un vistazo, ¿no? Es decir, después de todo lo que ha hecho por ti, al menos podrías hacer eso por él, ¿no te parece?

—Ya he echado un vistazo, Dieter. He recorrido el valle del Ariège de arriba abajo. Me he metido en nidos de serpientes y grietas tan profundas y estrechas que nadie antes ha osado examinar. Y lo único que he encontrado han sido huesos y pinturas rupestres.

—Te contaré algo sobre Heinrich Himmler, amigo mío: siempre consigue lo que quiere de sus oficiales. No puedes decirle que es imposible. Para él, nada es imposible. Si quiere que encuentres el grial de los cátaros, será mejor que tú también quieras encontrarlo.

—¡Si me ha traído a las SS porque cree que puedo encontrar el grial, es que está completamente loco!

—Cuidado, amigo. ¡No permitiré que calumnies a uno de los hombres más importantes del Reich!

—Solo quería decir que no está allí. ¡No puede ordenar que suceda un milagro!

—Para negarse a los deseos de Himmler sí hay que estar loco, Otto.

—¡Te estoy diciendo que es una leyenda! Esclarmonde se convirtió en paloma y salió volando con el grial. Te reíste al oírlo la primera vez que te lo conté. ¿Recuerdas?

—Himmler piensa que puede haber algo de cierto en ello.

—Es una historia, ¡no un mapa del tesoro!

Bachman guardó silencio algunos minutos, mientras Rahn ponía mala cara. Finalmente, Bachman le dijo:

—Tienes que echar otro vistazo, Otto. Si le digo a Himmler que no te interesa el grial, te aseguro que, de repente, verás como todo el mundo te da de lado.

—No te entiendo.

—¿Acaso crees que Elise te encuentra entradas cuando no las hay o que conoce a tantas aristócratas bellas que puede buscarte una cita cada fin de semana, belleza tras belleza? ¡Es porque cuentas con el favor de Himmler! Mientras permanezcas bajo su luz, nadie se atreverá a resistírsete. En cuanto deje de encontrarle valor a tu trabajo, verás cómo se te cierran todas las puertas en las narices.

—¡Me paga por escribir!

—Te pagaba por escribir. Ahora estás en la Orden de la Calavera. Ahora te paga por hacer lo que él te ordene. Y, ya que estamos, procura buscarte una relación seria. Necesitas una esposa, Otto. No puedes amar a la mía para siempre.

Zúrich
Lunes, 10 de marzo de 2008.

Malloy recorrió la estación de tren, seguido discretamente por su guardaespaldas, y salió a la zona antes conocida como parque de las Agujas. Vio a un hombre del que solo sabía que se llamaba Max dentro de un Mercedes negro. Max era un inspector cuarentón de Zúrich que siempre tenía cara de amargado, aspecto demacrado y el frío cinismo de un poli cansado de la calle. Como Marcus, llevaba una pistola semiautomática reglamentaria en una pistolera, pero su arma preferida era una escopeta de corredera recortada cargada con postas para ciervos. Mientras que los perdigones ofrecían un excelente margen de error, con las postas para ciervos solo había que apuntar en la dirección correcta para tener una bola de demolición. Malloy había visto a Max manejar el arma en una ocasión. Después de aquello, siempre procuraba tratarlo con mucha cortesía.

—¿Cómo va el crimen? —le preguntó en inglés, subiéndose al asiento delantero.

—Desbocado hasta que llegaste —respondió Max, encogiéndose de hombros con desgana.

—En este viaje ya la he liado en Hamburgo.

—Todavía no has llegado a casa, T.K.

Malloy sonrió con valentía y miró por la ventanilla. No, no había llegado.

Volvieron en coche al Golden Standard, uno de los exclusivos clubs de Hasan Barzani, cerca del distrito financiero.

—Sube las escaleras antes de llegar a la barra —le indicó Max, después le entregó un teléfono—. Llámame antes de salir.

Malloy vio que la puerta de atrás no estaba cerrada con llave, pero se encontró con un guardia armado que parecía esperarlo.

—¿Qué hace aquí?

—He venido a ver a Alexa —respondió Malloy.

—Arriba, última puerta a la derecha.

En las escaleras, Malloy tuvo la extraña sensación de estar cayendo en una trampa, así que mantuvo la mano dentro del abrigo, que tenía el bolsillo cortado para poder tener la Uzi lista, por si acaso. Vio a otro guardia en lo alto de las escaleras, aunque no habló con él. En la última puerta a la derecha, giró el pomo y entró en una habitación diminuta con una cama, una silla, una pequeña cómoda y un espejo. Cuando vio a su viejo amigo, comentó:

—Me dijeron que si quería problemas, este era el sitio.

Hasan estaba tumbado en la cama, leyendo un periódico ruso. Al ver a Malloy, soltó el periódico y se levantó.

—¡Thomas! —exclamó con alegría—. ¡Me dice Marcus que ayer tenías a todos los polis de Alemania detrás de ti!

—No fueron lo bastante rápidos —respondió él, aceptando el abrazo de oso del gigante con una mueca de dolor, porque le molestaba la espalda.

Dejó la Uzi en la mesa, al lado del AK-47 de Hasan. Hasan medía unos dos metros quince. Ya medía prácticamente lo mismo cuando se conocieron, hacía unos cuarenta y tres años. En aquellos días, Hasan era un tipo de cuidado que solo se divertía intimidando a la gente. Malloy había aprendido unos cuantos trucos de defensa personal de su padre, así que, cuando Hasan le pidió dinero por andar por su calle, Malloy lo tiró de espaldas. El movimiento fue tan inesperado y tan bien ejecutado que a Hasan le pareció magia. Lo cierto era que nunca antes le había ocurrido, ¡y menos con un niño al que doblaba en tamaño! En vez de darle vueltas al asunto hasta poder vengarse, cosa que le habría resultado fácil, Hasan decidió hacer un nuevo amigo.

Malloy, al que ya no le quedaban movimientos secretos, aceptó la oferta de inmediato y, acto seguido, le presentó a Marcus. Hasan, cuyos padres eran refugiados de la Unión Soviética, dudaba de aquel niño suizo con cara de burgués hasta que Marcus le enseñó al gigante cómo reventar una cerradura. Después de aquello, su amistad quedó sellada de por vida.

Cuando Malloy regresó a Zúrich, ya con veintipocos años, Hasan llevaba un camino que lo habría conducido de cabeza a un largo periodo de retiro en una prisión suiza. Malloy empezó a ayudarlo y, al cabo de un año, lo tenía dirigiendo un club donde antes había trabajado como gorila. En tres años, y con dos asesinatos muy públicos para aclarar cualquier duda, Hasan se hizo con el control del pequeño, aunque lucrativo, mercado del sexo, las drogas y los artículos robados de Zúrich.

Hasan no olvidaba que Malloy era el responsable de su paso de la calle al ático, pero los dos sabían que ya había pagado su deuda con creces con sus informes de inteligencia sobre varios hombres a los que no convenía cabrear. Y había algo más. Hacía ya mucho tiempo que la amistad con Malloy no le servía de nada a Hasan. Eso convertía al ruso en un recurso del que no convenía abusar y en el que tampoco se podía confiar demasiado. El problema estribaba en que, por lo que sabía Malloy, Hasan Barzani era la única persona con más información que Langley.

—Me dice Marcus que quieres hablar sobre la mafia italiana.

—En realidad quiero saber todo lo que puedas decirme sobre Giancarlo y Luca Bartoli.

Hasan se enderezó; no le había gustado oír aquellos nombres.

—¿Qué te traes con esos dos, Thomas?

—Creo que han intentado matar a un amigo, pero no puedo probarlo todavía.

—Si esos dos quieren a tu amigo muerto, ¡tu amigo tiene un grave problema!

—Quizá el problema lo tengan ellos.

Hasan dejó escapar una carcajada de verdadero entusiasmo. Sí, ¡quizá fuese al revés!

—La fortuna de Giancarlo se ha triplicado en la última década, al menos las cuentas que conocemos. Quiero saber cuál es el secreto de su éxito.

—¿Qué quieres que te diga? —repuso Hasan—. Las cosas van bien por Italia.

—¿Es el nuevo jefe de las familias?

—Eso dice la gente que no sabe de lo que habla. ¡Pero no es más que una fantasía!

—Lo he visto por escrito en informes de alto secreto.

—Verás, Thomas —siguió diciendo Hasan, sin dejarse impresionar—, hay dos familias luchando por el control del norte. En el sur..., las cosas no han cambiado desde el César. Por lo que sé, Bartoli paga por su protección a ambas familias y permanece alejado de la política.

—Ese alejamiento..., ¿tiene algo que ver con el asesinato de su primer hijo? —Hasan se encogió de hombros; puede que sí, puede que no—. ¿Me estás diciendo que ni siquiera está conectado?

Otro encogimiento de hombros; no estaba diciendo eso exactamente.

—Los viejos patriarcas luchan por las ciudades, Thomas, y eso cuando no se matan entre ellos por el control de los pueblos. Son fugitivos que se esconden en granjas o prisioneros en cárceles de máxima seguridad que pasan órdenes a su gente a través de abogados. Mientras tanto, Giancarlo es un personaje importante en Europa. Paga sus impuestos y permanece bien lejos de la vieja guardia.

—¿Ves? Por eso quería hablar contigo. En los informes leo que Giancarlo es, en realidad, el nuevo jefe de los jefes.

Hasan sacudió la cabeza, ganando en locuacidad con los halagos de Malloy.

—Europa ha cambiado, Thomas. Hace quince o veinte años, las cosas eran distintas. Todos los países tenían su propia organización y todas las organizaciones sus propios problemas. Ahora las fronteras están abiertas, tienes alemanes en España, españoles en Francia, ingleses en Italia... ¡y rusos por todas partes!

Malloy se encogió de hombros. Los dos conocían bien a la mafia rusa.

—El problema de los rusos es que no están organizados. Llegan, se quedan con un trozo de calle y se aferran a ella como un pitbull. Pero, ¿contra quién luchan? ¡Contra otros inmigrantes! De repente, la gente que antes lo manejaba todo em-

330

pieza a notar la presión. Pero ¿qué pueden hacer? No pueden iniciar una guerra en cada esquina, y esa es la única forma de luchar contra esos inmigrantes. ¡No hay organización! ¡Es una anarquía!

—La teoría del crimen desorganizado —repuso Malloy asintiendo.

—¡Exacto! Quiero decir, si esta gente quisiera seguir las reglas, ¡no serían criminales!

Malloy sonrió.

Hasan se lo pensó un momento.

—Pero el dinero viejo no se va nunca, Thomas. Eso ya lo sabes. Empieza a establecer alianzas con los anarquistas. Empieza a especializarse. La gente con contactos en Sudamérica o África trae las drogas, pero, ¿después qué? ¿Cómo llevas la droga desde el puerto al resto de Europa? ¿Cómo la llevas a América? Los pitbull de la calle no saben cómo hacerlo, son camellos. En cuanto a la visión de conjunto, ni siquiera conocen el concepto. Es un negocio como cualquier otro. Tienes un producto, da igual lo que sea, mujeres, coches, tecnología, contrabando, apuestas, estafas, ¡etcétera, etcétera! Y eso no es más que el principio. Después de vender el producto tienes que pensar en las ganancias. Hay que blanquearlas si no quieres acabar con dinero sucio y, ¿quién quiere eso? Además, por supuesto, ¡todos necesitan protección de los políticos sedientos de sangre! Así que tienes dos industrias más en el juego.

—Entonces, ¿el dinero viejo perdió el control de las calles, pero todavía se lleva un trozo del pastel?

Hasan arqueó las cejas y se encogió de hombros. ¿Cómo no?

—Durante un tiempo —siguió— se habló de que la mafia rusa se haría con Europa. Ya no se dice.

—¿Por qué no?

—¡La competencia! Nuevas alianzas, luchas internas, política... La mafia rusa es como la antigua Unión Soviética: sigue ahí, pero hecha trocitos.

—Entonces, ¿dónde encajan Luca y Giancarlo Bartoli en el esquema global?

—El viejo se encarga de una bancarrota de vez en cuando para alimentar a los perros, pero, por lo demás, está fuera del juego, Thomas. ¿Quién quiere ir a la cárcel a su edad? Luca es otro tema. Le gusta lo que hace. Como tú, está algo mayor, pero no puede quedarse en casa y vivir de las rentas. Sale a hacer tratos, reúne a su gente, se gana una reputación.

—¿Qué hace exactamente?

—¿Luca? Oficialmente participa en varias juntas directivas, pero lo cierto es que deja que la gente de su padre se encargue de los negocios. Él trabaja con varios grupos con sede en Marsella que trasladan arte y antigüedades a través de un par de empresas de Londres. Tiene un tinglado de falsificaciones de primera categoría en Barcelona: buenos pasaportes y tarjetas de residencia europeas. También lleva algunos negocios medio legales en Ámsterdam para blanquear dinero, y tiene alguna gente sacando cosas del norte de África hacia las islas, y desde allí hasta Francia y España.

—¿Encarga asesinatos?

—Nada de eso. Es decir, cuando mataron a su hermano, hace años, la cosa era distinta. Acabó con la familia que ordenó el asesinato, con todos y cada uno de sus miembros. Pero aquello fue personal.

—¿Pero todavía tiene influencia? Imagino que no le habrán dado los mejores mercados sin pelear.

—El viejo sigue teniendo amigos. Si tocas los negocios de Luca o lo sacas de un mercado, te puede pasar cualquier cosa. Por lo que sé, nadie lo molesta, y está bastante protegido de la policía...

—¿Lo consideras un pez gordo?

—Tiene unas cuantas bandas. Mueve dinero, pero el viejo lo enseñó a no destacar demasiado.

—Busco a alguien capaz de organizar un asesinato político.

—Ese tipo de cosas no me llegan. En cuanto a mí, no tocaría a un poli suizo por nada del mundo. Así que, ¿un político? ¡Ni de coña! ¡Cuando matan a alguien importante no te dejan en paz! Compran a tus enemigos, amenazan a tus amigos. Si quieres matar a un político y que no te carguen el muerto, hay poca gente dispuesta a hacerlo por ti, y los que lo hacen cuestan una pequeña fortuna. Si estás dispuesto a gastar tanto dinero, mejor comprar a quien sea.

—Lo entiendo, pero alguien lo está haciendo.

—Luca no.

—¿Qué sabes de un hombre llamado David Carlisle?
—Hasan sacudió la cabeza, pero se le escapó un tic nervioso muy breve, un momento en el que se le nubló la vista—. ¿Estás seguro? Es un inglés, puede que de nuestra edad o un par de años menor... Podría ser amigo de Luca...

Hasan levantó las manos, con las palmas hacia arriba, como diciendo que el nombre no le sonaba. Mentía, pero Malloy no presionó, porque saber que Hasan le mentía era lo único que necesitaba. David Carlisle le daba miedo, al parecer, y no conocía nadie capaz de asustar a Hasan.

—¿Helena Chernoff?

—Una dama a la que no me gustaría conocer.

—¿Sabes para quién trabaja?

—Por lo que sé, es independiente.

—Durante la última década ha estado relacionada con una organización...

—No. Tiene a gente trabajando para ella, Thomas, pero va por libre. Acepta al mejor postor, como siempre ha hecho.

—¿Podría matar a un político?

—Si tiene gente para arreglar el encargo y organizar el apoyo logístico.

—¿Conoces a Hugo Ohlendorf?

Sacudió de nuevo la cabeza, aquella vez puede que con sinceridad.

Antes de irse, Malloy le preguntó por su familia. El rostro del gigante se relajó y habló con tranquilidad sobre sus hijas e hijos. Después pasaron a los viejos amigos y a la habitual letanía de desgracias y enfermedades que llegan con el paso del tiempo. Cuando se iba, Hasan le dijo:

—¡Cuídate, Thomas!

Era un comentario amable y sincero, aunque Malloy no pudo evitar recordar que la última vez que había tenido problemas, Hasan se había ofrecido a ayudarlo. Al parecer, en esta ocasión se había quedado solo.

Después de llamar a Max, Malloy salió por la puerta de atrás del Gold Standard y se metió en el Mercedes.

—¿Buena reunión? —preguntó Max, estudiando las sombras de la calle.

—Instructiva.

—Bueno, ¿ahora a dónde?

—Estaba pensando en tomarme una copa en el Savoy.

CAPÍTULO DIEZ

Zúrich (Suiza)
Lunes-martes, 10-11 de marzo de 2008.

UN GUARDIA DE SEGURIDAD UNIFORMADO ESTABA VIGI-
lando la puerta de la suite de Kate y Ethan.

—¿Qué desea? —preguntó en alemán suizo. Malloy
respondió que quería ver al señor Pedro Bartolomé—. ¿De
parte de quién?

—T.K.

El hombre llamó a la puerta sin quitarle los ojos de encima a Malloy. Ethan abrió con una sonrisa.

—No pasa nada —le dijo al guardaespaldas. Después se
dirigió a Malloy—. Entra, empezábamos a preguntarnos qué te
había pasado.

Malloy entró en la suite y vio a Kate sentada en la
cama. Tenía un juego de tres cuchillos en el regazo. Una
plancha astillada de contrachapado con una silueta humana dibujada estaba apoyada en la pared, frente a los pies de
la cama.

—¿Quieres probar suerte? —preguntó Kate ofreciéndo-
le un cuchillo con una sonrisa.

—No lo hagas —repuso Ethan—, solo quiere tu dinero.

—Seguro que los vecinos te adoran —comentó Malloy.

—Los vecinos de ambos lados son de Securitas —le explicó Ethan—. Les pagamos para que sufran. ¿Quieres tomar algo?

—Gracias, pero me tomé una cerveza con la comida y pasé desmayado el resto del día.

—Nosotros estamos hasta arriba de medicinas, así que no podemos beber nada —respondió Kate. Lanzó tres cuchillos en rápida sucesión contra el blanco, primero con la derecha, luego con la izquierda y de nuevo con la derecha. Solo el de la izquierda se apartaba de los puntos mortales.

—¿Te apetece un zumo de naranja? —preguntó Ethan.

—Suena bien.

—¿Alguna noticia? —preguntó Kate.

—Bastantes, de hecho —al ver sus expresiones de curiosidad, añadió—: primero las buenas: Josh salió del quirófano sin complicaciones. Mañana lo llevan a casa.

—¿Algo sobre Jim? —preguntó Ethan.

—Jim ya estaba muerto cuando Chernoff nos llamó para hacer el intercambio —respondió Malloy más tenso. Ethan y Kate perdieron la sonrisa—. Por lo que sé, Chernoff o uno de sus agentes lo llevó a un apartamento a poco más de un kilómetro de allí y lo grabó pidiéndome ayuda. Chernoff montó su trampa en la parte de atrás del Das Sternenlicht y llamó a Josh. Ya estaba en el tejado con la grabación cuando hablé con ella.

—¿Crees que Jim le contó dónde nos escondíamos? —preguntó Ethan.

—No creo que Jim lo supiera. Estaba perdido sin su GPS. Creo que Chernoff sacó nuestra ubicación por mi móvil.

—¿Y cómo supo el número? —preguntó Kate.

—Del teléfono de Dale. Solo había dos números en la agenda, y uno era de Estados Unidos. Se metió en el servidor y encontró el teléfono, igual que Dale encontró el teléfono que creía que le pertenecía a ella.

—Espero que lo cambiaras —comentó ella intentando que sonara como una broma.

—No hasta haberlo usado como cebo para que Chernoff me siguiera.

Las palabras tuvieron el efecto deseado: incredulidad, sorpresa y, al final, con las noticias sobre la captura de Chernoff, un profundo alivio. Ante su insistencia, ya que todavía no podían creérselo, Malloy les contó todo lo ocurrido desde la captura y detención de Chernoff en Alemania hasta el descubrimiento de su móvil y su ordenador. Al mencionar los archivos del ordenador, Ethan quiso saber si Malloy creía que servirían para llevarlos hasta Jack Farrell. Al fin y al cabo, por eso habían ido a Hamburgo.

—Creo que podemos suponer sin miedo a equivocarnos que Jack Farrell ya estaba muerto cuando Irina Turner salió de Nueva York.

—¿De qué estás hablando? —quiso saber Kate.

—Hemos estado persiguiendo a un fantasma.

—Creía que había pruebas de que Farrell había estado en el aeropuerto de Barcelona y después en el Royal Meridien. Fotografías, huellas dactilares, ADN... —Miró a Kate en busca de confirmación. Lo habían visto en la tele.

—Irina Turner necesitaba un doble para las fotos de vigilancia y las transacciones bancarias, pero el ADN y las huellas eran fáciles de dejar.

—¿Cómo...? —empezó a decir Ethan, pero se calló.

Con varios tubos de ensayo con fluidos corporales y algunos dedos no resultaba tan difícil dejar pruebas para los equipos de criminalística. Como la historia de Irina Turner respaldaba las pruebas, todos habían supuesto...

—Entonces, ¿por qué hacer que pareciese que Farrell estaba huyendo? —preguntó Kate—. No lo entiendo, ¿qué ganaban?

—El que contrató a Chernoff se enteró de lo que yo estaba haciendo con la investigación de la Comisión y decidió silenciar a Farrell antes de que pudiera causar problemas. Mientras estaba en ello, pidió a Irina que desfalcase aproximadamente cuatrocientos sesenta millones de dólares. Para ocultar sus huellas, hizo que pareciese que Farrell era el culpable y que había huido con el dinero. El asalto policial al Royal Meridien aumentó la presión, y la persona a la que utilicé para iniciar la investigación contra Farrell me envió para que lo hiciese desaparecer.

—¿Estás diciendo que el jefe de Chernoff sabía que tú estabas metido en esto antes de que Farrell desapareciese? —preguntó Ethan.

—Sabían que los tres estábamos metidos en esto. Por lo que sé, éramos los objetivos del asesinato múltiple que mencionó Ohlendorf.

—Pero eso fue... ¡hace un par de meses!

—La fase uno era colocar a Irina Turner. Era la especialista que Chernoff necesitaba. Trasladó el dinero fuera del país y, al parecer, mató a Farrell. Después vino la huida fingida y, finalmente, la publicidad. La fuga en el último minuto del Royal Meridien era el cebo diseñado para atraernos a los tres a Hamburgo.

—¿Y por qué no buscarte a ti en Nueva York y a nosotros en Zúrich?

—Si nos hubiesen matado a los tres en Hamburgo, mi gente habría negado saber lo que estaba haciendo allí, pero se enteraría de que estaba en una misión y eso habría respondido a todas sus preguntas. Si alguien me hubiese matado de un tiro en Nueva York (o si hubiese sufrido un simple infarto), se habrían interesado por mis actividades, y eso los habría conducido hasta Farrell, Robert Kenyon y el Consejo de los Paladines. Así que, en vez de acabar con la investigación, habrían conseguido generar mucho más interés.

—¿Cómo podían saber que tú instigaste la investigación contra Farrell? —preguntó Kate.

—Hice algunas preguntas sobre Robert Kenyon. En algunos casos, contraté a gente para que investigase ciertas direcciones o se hiciese con ciertos informes. Al parecer, el asesino de Robert Kenyon descubrió lo que estaba haciendo y decidió que Farrell era un riesgo que no podía permitirse.

—Giancarlo me dijo que tenía que olvidarme de esto. Me dijo que, si no lo hacía, no podría protegerme ni a mí, ni a Ethan.

—¿Cuándo fue eso?

—Hace unas semanas, en la fiesta.

—Más o menos cuando desapareció Farrell... —Malloy pensó un momento en ello—. Así que te estaba diciendo que no fueras a Hamburgo...

—Él no podía saber lo que iba a pasar.

—Quizá se puso en contacto contigo para averiguar si mi investigación estaba relacionada con el asesinato de Robert Kenyon.

Kate meditó sobre el tema, aunque no dijo nada.

—¿Cómo saben lo de nosotros tres? —preguntó Ethan.

—Helena Chernoff trabajaba para Julian Corbeau cuando los tres acabamos con él. Tenía nuestros nombres y, como mínimo, alguna información básica sobre nosotros. Supuse que los paladines la habían contratado para matarnos, pero quizá le proporcionara a alguien parte de la información sobre mí antes de prepararnos la trampa en Hamburgo. Eso significa que está asociada con parte o con todas las personas que hemos estado investigando..., que no es solo una asesina a sueldo.

—Hay una cosa que no entiendo —repuso Ethan—. Si mataron a Jack Farrell porque sabía demasiado, ¿por qué se molestaron en perseguirnos?

—Porque Farrell no es el único que tenía la información que buscamos. Creo que Ohlendorf podría habernos llevado hasta el asesino de Kenyon, y me parece que Giancarlo y Luca saben la verdad. De hecho, en estos momentos, creo que tenemos que reconocer que Ethan estaba en lo cierto desde el principio: los paladines o alguna facción dentro de ellos están relacionados con la muerte de Kenyon.

—Hay nueve paladines —comentó Ethan.

—Ohlendorf representaba a cuatro: Johannes Diekmann y los otros tres miembros fundadores. Si eliminamos a los miembros eméritos de la ecuación, nos quedan Jack Farrell, el padre de Farrell, Robert Kenyon, Hugo Ohlendorf, y Giancarlo y Luca Bartoli..., todos ellos en activo cuando murió Robert Kenyon. Ahora están todos muertos menos Luca y Giancarlo.

—No sabemos con certeza si Farrell está muerto —repuso Ethan.

—Farrell era un empresario. Por lo que veo, no estaba involucrado en gran cosa, salvo en el blanqueo de dinero y las estafas de las bancarrotas con Giancarlo. Creo que no era capaz de organizar algo como lo que nos pasó en Hamburgo.

—Por eso contrató a Chernoff.

—Vale, es una posibilidad —respondió Malloy encogiéndose de hombros—, al menos hasta que encontremos el cadáver.

—¿Y los otros dos paladines? —preguntó Kate.

—David Carlisle sustituyó a Kenyon. Christine Foulkes se unió al consejo un par de años después, cuando murió el padre de Farrell. Supongo que Carlisle podría estar implicado, ya que parece que ganó mucho con la muerte de lord Kenyon, pero Foulkes no tiene sentido. La pondría con Diekmann y los de la alta sociedad, que, en realidad, no están relacionados con las actividades delictivas.

—Entonces, ¿qué sabemos de Carlisle? —preguntó Kate.

—Ese tipo es un fantasma —respondió Malloy alzando los brazos para expresar su frustración—. Tiene una dirección permanente en París, un apartamento en la ciudad, pero en realidad nunca está allí. Nunca. Distintas personas usan el apartamento de vez en cuando, hay un servicio doméstico fijo y, a veces, alguien se pasa a recoger el correo y abastecer la despensa, pero nadie, ni siquiera el casero, conoce al señor Carlisle.

—Se menciona mucho su nombre en los informes anuales que sacan los paladines —dijo Ethan—. He visto fotografías suyas y resúmenes de sus actividades. Aparte de eso, no encuentro nada sobre él.

—Yo he visto algunos informes de crédito, algún que otro movimiento en su pasaporte británico, pero nada concluyente —añadió Malloy.

—¿Qué sabemos de su historia? —preguntó Kate.

—Solo algunas pinceladas. Nació y creció en Liverpool. De joven anduvo por los muelles hasta acabar alistándose en las fuerzas armadas. No le queda familia directa y sus primos no lo han visto desde que era niño. Los viejos amigos del colegio ni siquiera lo recuerdan, así que, o es un individuo aterrador, o no tiene una gran personalidad. Por lo que veo en los que sí lo recuerdan, podría ser una mezcla de ambas cosas.

—Sirvió en el SAS británico seis años —añadió Ethan.

—La gente con la que estuvo en el servicio aéreo especial le contó a mis investigadores que era un solitario. También comentaron que se le daba bien lo que hacía, pero que, por supuesto, el SAS no acepta a los mediocres. Después dejó el servicio en circunstancias sospechosas, por lo que tengo entendido, y desapareció de la faz de la tierra durante unos tres años: sin trabajos, sin viajes, sin contactos con los viejos amigos. Eso suele deberse a alguna actividad delictiva... o a la vida en la calle. Su pasaporte vuelve a aparecer en algunos viajes por África y Sudamérica, y trabajando para una empresa de seguridad que tiene contratos con algunas de las compañías petrolíferas más importantes.

—¿Un mercenario? —preguntó Ethan.

—Lo llaman seguridad, pero, en algunos de esos lugares, una persona con las credenciales correctas puede ganar entre seiscientos y mil dólares al día. Estuvo en eso un par de años y después empezó a viajar por los Balcanes, en la época en la que era el último lugar al que querría ir una persona sensata. Más o menos por aquel entonces, Robert Kenyon estaba por allí. Como Carlisle había servido bajo el mando de Kenyon durante la guerra de las Malvinas, supongo que trabajaban juntos, aunque no tengo ni idea de en qué.

—Robert estaba comprando cuadros y muebles antiguos —le dijo Kate.

—Lo más probable es que Robert trabajase para la inteligencia británica —repuso Malloy sonriendo—. Sabemos que su abuelo materno fue espía del MI6 después de la guerra y que fue el responsable de la creación de los Caballeros de la Lanza Sagrada, como tapadera para varias actividades detrás del Telón de Acero. Puede que lord Kenyon estuviese comprando y vendiendo antigüedades en los países de los Balcanes, pero te aseguro que algo más estaría haciendo —Kate lo miró sin decir nada—. Durante muchos años, ningún europeo quiso tener nada que ver con los Balcanes. Al menos, no oficialmente, así que la gente iba en secreto. Los paladines enviaban ayuda humanitaria a la región, una tapadera excelente para las actividades encubiertas.

—¿Crees que Carlisle se esconde por algo que pasó en los Balcanes? —preguntó Ethan.

—Podría ser, aunque la gente realmente peligrosa está ya muerta o encerrada. Más bien tiendo a pensar que está aliado de algún modo con Chernoff en sus asesinatos. También podría suministrar mercenarios y armas a distintos lugares. Al menos, es lo que diría por su perfil.

—Quizá Carlisle no trabajase para Kenyon —dijo Ethan—. Quizá trabajase para el otro bando.

—Eso explicaría por qué procura no dejarse ver, pero no su relación con los paladines.

—Me da la impresión de que deberíamos hablar con él —comentó Kate.

—Cuando empecé a investigar este asunto el año pasado tenía tres opciones viables, aparte de Giangarlo y Luca Bartoli: Jack Farrell, Hugo Ohlendorf y David Carlisle. Había muchas razones para ir a por Farrell, pero, obviamente, solo nos queda Carlisle. Así que, si podemos encontrarlo, ¡sin duda hablaremos con él!

—Puede que Giancarlo sepa dónde está —dijo Ethan mirando a Kate—. Podríamos preguntárselo, ¿no?

—Quizá esté dispuesto a decirle a Carlisle cómo encontrarnos...

—Después de lo que pasó en Hamburgo, no estoy seguro de que sea buena idea —respondió Malloy sacudiendo la cabeza.

—Entonces, ¿qué hacemos? —preguntó Ethan.

—Curarnos —dijo Malloy—. Esperar. Examinar la información nueva del ordenador de Chernoff que nos llegará mañana. Si era socia de Carlisle, la información tendría que estar ahí. Si llega lo bastante deprisa, quizá encontremos a ese tipo antes de que se oculte. Pero, por ahora, a no ser que queráis hablar con Giancarlo o Luca sobre su participación en la muerte de Robert, es lo que hay.

—Eso está descartado —repuso Kate.

—Quieres saber lo sucedido y ellos tienen la información... —empezó a responder Malloy.

—Son mi familia, T.K.

—Casi toda la violencia tiene lugar en el seno familiar.

—No es una opción.

Malloy miró a Ethan en busca de apoyo, pero estaba solo.

—Bueno, pues buscaremos a David Carlisle —concluyó.

Zúrich (Suiza)
Martes, 11 de marzo de 2008.

Malloy llamó a Gwen desde el teléfono del hotel cuando regresó a su habitación. Era última hora de la noche en Nueva York, pero Gwen respondió como si estuviese esperando la llamada. Le dijo a su mujer que todavía no era seguro, pero que quizá regresara a casa en unos días. Se quedaba sin pistas. Gwen respondió que lo echaba muchísimo de menos. Él repuso que también la echaba de menos, y, al decirlo, se dio cuenta de lo solo que estaba. La palabra *casa* empezaba a sonarle muy bien.

Se preparó para acostarse después de la llamada, pero decidió que, en realidad, todavía no estaba listo. Tenía el horario completamente trastocado. Abrió su botella robada de Hart Brothers Scotch, se sentó y repasó los archivos sobre Hugo Ohlendorf que había sacado del ordenador de Dale.

Estaba claro que Dale Perry había encontrado a Ohlendorf a través de su contacto con un matón de Hamburgo en pleno ascenso. Gracias a aquellas reuniones, Dale supo que el abogado estaba metido en algo, aunque no sabía qué era, ni hasta qué punto estaba involucrado. Por tanto, el espía había realizado un completo estudio sobre aquel hombre durante varios meses. Había apuntado todas las organizaciones a las que pertenecía, incluidos los Caballeros de la Lanza Sagrada, y su participación como representante de Johannes Diekmann y los tres berlineses que habían ayudado a financiar la Orden en el verano de 1961. A pesar de haber pasado casi mil horas con la investigación, Dale no había descubierto mucho que Malloy no supiera ya.

La Orden de los Caballeros de la Lanza Sagrada había tomado forma bajo la batuta de sir William Savage, un inglés que residía en Berlín Occidental durante los primeros años de la Guerra Fría. Sir William había sido vicepresidente de una importante constructora, pero, según indicaban los registros, en realidad formaba parte de la inteligencia británica. En cuanto Berlín Occidental se vio asediado, sir William convenció a sus espías clave, un aristócrata alemán y un antiguo oficial de las SS llamado Johannes Diekmann, para que lo ayudaran a establecer una resistencia, por si ocurría lo impensable. Diekmann le sugirió reclutar a varios individuos prominentes de la sociedad berlinesa que se dedicasen a informar a los occidentales sobre la importancia de mantener libre Berlín Occidental. Diekmann y Savage utilizaron a aquellas personas para realizar una campaña de relaciones públicas, mientras ellos reclutaban en secreto a otra gente capaz de cruzar a Alemania del Este y establecer operaciones encubiertas entre los desafectos al régimen y las clases casi delictivas. Con el paso de los años, conforme aumentaba la tensión, las operaciones de sir William se fueron introduciendo más y más en los países comunistas del Bloque del Este. Aunque, sin duda, al principio las operaciones se financiaban con el dinero de la inteligencia británica, sir William y sus compañeros paladines se esforzaron en montar una base financiera a través de contribuciones corporativas que, en realidad, solo eran parcialmente legítimas. En los ochenta, los paladines tenían una relación compleja y amistosa con algunas de las principales organizaciones criminales de Europa.

Como la Orden tenía nueve paladines en el consejo, cada uno con un voto, la organización no dependió de sir William en ningún momento. De hecho, Savage había nombrado a amigos y familiares para el consejo, empezando con los maridos de sus hijas, los padres de Jack Farrell y Robert Kenyon, además de dos empresarios italianos con los que había tenido una larga relación de amistad, Giancarlo Bartoli y su padre.

En la época de la reunificación alemana, lord Robert Kenyon representaba los intereses de sir William en el consejo. Después de la muerte del sir, Robert Kenyon asumió el puesto de su abuelo con toda la autoridad de un paladín. Cuando Luca y Jack Farrell se hicieron paladines, el mundo había cambiado. La amenaza del comunismo había desaparecido, y los paladines respondieron cambiando la misión de la Orden de los Caballeros de la Lanza Sagrada. Lo que no había cambiado, al menos hasta la muerte de Robert Kenyon, era el control de los paladines. La facción de sir William, de cinco miembros, superaba los cuatro votos de Johannes Diekmann, lo que suponía dirigir todos los asuntos de la Orden, ya fuesen grandes o pequeños. Eso significaba que, hasta 1997, los paladines no aprobaron ninguna actividad que no redundase en interés de la corona británica, aunque fuese en pequeña medida.

La dinámica cambió cuando los dos paladines siguientes se unieron al consejo. David Carlisle y Christine Foulkes no debían lealtad a ninguna facción. Eso les daba poder para establecer alianzas temporales con Ohlendorf o Bartoli. Resultaba tentador imaginar que la muerte de Kenyon estaba relacionada con algún tipo de discordia interna entre los paladines, pero Malloy no había encontrado pruebas de ello. Los paladines parecían tener intereses directos en distintos aspectos del mercado negro europeo, eso era indiscutible. Si había discordia o no entre sus miembros, no sabía decirlo.

Lo que había averiguado era, en primer lugar, que Hugo Ohlendorf tenía acceso a muchos criminales expertos, o puede que incluso los controlara. Se trataba de personas dispuestas a cometer asesinatos en colaboración con una de las asesinas más famosas de Europa. David Carlisle, con sus contactos mercenarios y quizá políticos, era capaz de traficar con armas, drogas y soldados. Jack Farrell, como su padre antes que él, había trabajado con Giancarlo Bartoli en varias empresas a ambos lados del Atlántico, tanto legítimas como ilegales.

Por último, estaba Christine Foulkes. Era una rareza. Foulkes, que anteriormente había sido una típica famosa que iba de fiesta en fiesta, se unió al Consejo de los Paladines y prácticamente se retiró de la vida pública. Como Carlisle, se encontraban fotos de archivo en los informes anuales, se podía leer sobre sus actividades para la Orden, pero nadie la conocía. Eso quería decir que los paladines mentían sobre las actividades de aquella mujer o que viajaba con identidades falsas. David Carlisle podía estar usando varias identidades para viajar, pero Malloy no entendía por qué Foulkes iba a correr el mismo riesgo.

Después de repasar los resúmenes de Dale Perry, Malloy buscó información en los archivos sobre Christine Foulkes, David Carlisle, y Giancarlo y Luca Bartoli, así como sobre los paladines inactivos a los que representaba Ohlendorf: Johannes Diekmann, Sarah von Wittsberg, lady Margarite Schoals y dame Ann Marie Wolff. El resultado de la búsqueda fue una mina de oro, pero, como cualquier mina de oro, casi todo eran barro y rocas. A las cinco, ya listo para retirarse, dio con una serie de fotos de vigilancia de David Carlisle. Las fotografías se habían tomado en una reunión de Carlisle con Hugo Ohlendorf en París, en el año 2005.

Como eran relativamente nuevas y mostraban una cara algo distinta a la que solía aparecer en las fotografías de archivo de Carlisle que publicaban los paladines todos los años, Malloy las copió en un lápiz de memoria, junto con varios archivos generales sobre los paladines. Supuso que Ethan tendría ya la mayoría, pero no estaba de más ser concienzudo. Esperaba tener algo más sustancioso cuando recibiese los resúmenes de Jane a la mañana siguiente.

Mientras tanto, apagó el ordenador e intentó dormir unas cuantas horas.

Berlín (Alemania)
Primavera de 1936.

Después de su viaje a Wewelsburg, Rahn se prometió no visitar a los Bachman por un tiempo. Estaba demasiado enfadado con Bachman para pasar una velada con ellos como si no hubiese pasado nada. Sin embargo, cuando llegó el sábado, apareció en su puerta. Llevaba un libro de ilustraciones para Sarah, flores silvestres para Elise y una botella de buen vino de Riesling para Bachman. Aceptó los besos de la niña y su madre (que, en realidad, eran lo único que tenía en el mundo), y se dispuso a beber y hablar. No había cambiado absolutamente nada entre ellos.

348

Cuando se iba, Elise le comentó mientras se despedían:

—Me dice Dieter que quizá tengas problemas con Himmler...

Parecía preocupada. No la había visto nunca así y, de repente, comprendió que no hacer caso de la absurda idea de Himmler podría causarle serios problemas a Bachman y, por extensión, a Elise. Sacudió la cabeza e intentó no demostrar la tensión que sentía.

—En absoluto. Es que me confundí con algo que Dieter me dijo.

—Ten cuidado, Otto. Himmler es veleidoso con sus afectos. Tenlo contento y el mundo será tuyo.

—¡Entonces tendré que encontrar el santo grial!

—Alimenta su esperanza, como sugiere Dieter, y te otorgará honores y elogios. Si no le prestas atención...

—¿Qué susurráis? —la interrumpió Bachman acercándose.

—¡Tramamos el asesinato de Hitler! —respondió Rahn, pero se le olvidó sonreír mientras lo hacía.

Bachman se puso blanco como la pared, aunque después se rio.

—¡Y yo temiendo que fuese algo preocupante!

Rahn fue al despacho de Bachman a finales de la semana siguiente.

—He estado pensando en lo que dijiste. Quiero que prepares una reunión con Himmler, a la hora que más os convenga a los dos.

—Espero que no hagas ninguna tontería.

—Todo lo contrario, tengo una propuesta para ambos.

—¡Eso es maravilloso, Otto! —exclamó su amigo con cara de alivio.

—¿Crees que querrá financiar una expedición?

—¡Si crees que hay posibilidades de éxito, lo hará!

—¿Te interesa acompañarme?

—¡Solo tienes que pedirlo!

La reunión se celebró la noche siguiente, en el despacho de Himmler, que llevaba un día muy largo, como de costumbre, y estaba deseando volver a casa con su familia.

—¿Qué puedo hacer por ustedes? —preguntó esbozando una sonrisa educada que desapareció muy deprisa.

Rahn sufrió un momento de pánico y empezó a hablar con voz vacilante y temblorosa.

—El comandante Bachman me ha contado... es decir, por lo que me ha dado a entender... —respiró hondo e intentó calmarse. ¡Era como un escolar que se enfrenta a los exámenes delante del profesor!—. Por lo que tengo entendido, tiene usted la esperanza de encontrar el grial.

Himmler no se dirigió a Bachman, ni tampoco pareció sorprenderse. Clavó la mirada en Rahn, con cara de curiosidad.

—En su libro dijo usted que estaba en Montségur antes de la rendición. Según recuerdo, cuenta una historia sobre cómo se lo llevaron y lo escondieron en el Monte Tabor.

—Dije que era una leyenda que se contaban los locales, algo que no había oído antes nadie de fuera.

—Eso fue lo que me atrajo —repuso Himmler, sin variar su expresión—. Por curiosidad, ¿se han explorado en profundidad todas las cuevas?

—En estos momentos existe mucho interés, por supuesto, pero no, creo que se han pasado muchas por alto. Lo cierto es que no estoy convencido de que el grial sea un objeto.

Himmler miró a Bachman, y Rahn lo comprendió todo: Bachman le había dado a Himmler algo más que su libro; lo había convencido de que Rahn solo necesitaba financiación para encontrar el grial. Seguramente le había contado que el doctor Rahn llevaba más de una década buscando el grial en secreto, pero que no tenía los fondos para hacerlo en condiciones. Era cierto que, tiempo atrás, Rahn se había dedicado a tal búsqueda, aunque al final eso había dado paso a las verdaderas bellezas históricas que había descubierto por el camino y, por último, a la historia que quería contar. Sin embargo, a Himmler no le interesaba la historia, a no ser que le sirviera para algo. Quería creer que los cátaros eran arios y guardianes del grial, y, por supuesto, que los había perseguido una iglesia malvada y corrupta.

—Eso no quiere decir —añadió Rahn— que no hubiese un objeto sagrado en Montségur —de repente, tuvo la sensación de escucharse desde fuera, como si no estuviese dentro de su cuerpo—. De hecho, siempre he creído que adoraban la lanza sagrada que Perceval vio en el castillo del grial.

—¿La lanza ensangrentada? —preguntó Himmler, moviéndose en su asiento.

—Obviamente, la lanza ensangrentada nunca se identificó como la lanza que atravesó a Cristo en la crucifixión. No era más que una lanza de marfil puro que goteaba sangre en un cáliz de oro.

—¿Cree que eso es lo que poseían? —preguntó Himmler, emocionado. El cansancio que Rahn había visto antes en sus ojos desapareció de repente.

—Por lo que veo, los cátaros otorgaban a la lanza ensangrentada un honor mucho mayor que a la cruz. Si recuerda la narración de Eschenbach, Perceval vio cómo la llevaban por el salón del banquete en el castillo del grial y nadie le explicó sus orígenes. Debo reconocer que, durante muchos años, creí que la lanza protegía el grial y que éste era la copa, o algo dentro de la copa que Perceval no podía ver. Sin embargo, ahora creo que el grial se refiere a la sangre que goteaba de la punta. Solo hay que consultar la palabra *sangraal* para ver la posibilidad. Normalmente dividimos la palabra en *san graal*, el grial sagrado o santo, pero, si la dividimos como *sang raal* veremos que *sagrado* se convierte en *sangre* y que *raal* es un juego de palabras con *real*. En otras palabras, *sangraal* significa «sangre real», ¡la sangre que mana sin parar de la lanza!

—¿Me está diciendo que el grial es la lanza ensangrentada?

—Para ser más exactos, la sangre de la lanza es el grial —Rahn levantó las manos—. Es solo una teoría, entiéndame, y no pretendo sugerir que exista realmente una lanza sagrada que sangra. Lo que tiene que comprender es que la lanza ensangrentada y el cáliz de oro eran visiones divinas. Los cátaros, al fin y al cabo, eran personas espirituales. Rechazaban el mundo y sus tesoros. No se refugiaban en sus placeres porque buscaban algo mucho mejor, en el mundo del espíritu. Y esa espiritualidad la encarnaba su visión de la lanza ensangrentada. —Los ojos de Himmler perdieron su brillo. No le gustaba que lo desilusionaran—. Eso no significa que no tuviesen algo. Mi problema ha sido siempre determinar qué reliquia era exactamente. Como podrá imaginarse, es difícil estar seguro sin encontrarla, por supuesto, pero ahora estoy convencido de que la reliquia que poseían era la lanza sagrada que Pedro Bartolomé descubrió en Antioquía durante la primera cruzada. Si recuerda la historia, *Reichsführer*, los cruzados asediaron Antioquía durante siete meses, esperando refuerzos y suministros que nunca llegaban. Justo cuando creían que tendrían que retirarse, uno de los barones hizo que alguien del interior de la ciudad abriese una de las puertas. No hizo falta más. Al final del día, Antioquía pertenecían a los cruzados. Sin embargo, a la mañana siguiente, un ejército de doscientos mil turcos llegó a la llanura frente a la ciudad. De haber llegado un día antes, habrían aniquilado a los cristianos. En aquellos momentos, se vieron obligados a sitiar la ciudad, mientras los cruzados disfrutaban de la protección de las impresionantes defensas de Antioquía, entre ellas unas cuatrocientas torres. El problema de los cristianos era el siguiente: no tenían provisiones, ni tampoco forma de conseguirlas.

»Consumieron las raciones que les quedaban en los primeros días del sitio. Después, cada uno se las arregló como pudo y sucedió todo lo que suele suceder cuando un ejército cae en las garras del hambre. Al cabo de poco tiempo ni siquiera podían subir a los muros para defender la ciudad. Una noche se desató un incendio (algo muy común en los tiempos medievales) y los hombres ni se levantaron de la cama para intentar apagarlo. De haberse tratado de enemigos cristianos, habrían intentado firmar la paz, pero, contra los turcos, la rendición suponía una masacre. Así que siguieron muriéndose de hambre y rezaron por que sucediera un milagro. Llegó un momento en que ya ni siquiera rezaban. Estaban muertos, todos ellos, y bien que lo sabían.

»Fue justo en aquel momento cuando un clérigo llamado Pedro Bartolomé se dirigió a su sacerdote y le contó una visión que había tenido en varias ocasiones. En ella, San Andrés le decía que la lanza sagrada, la lanza que había atravesado el costado de Cristo, estaba enterrada bajo el suelo de una iglesia de la ciudad. En aquellos tiempos, una visión como aquella era algo más que una curiosidad, era una señal de Dios que había que tomarse muy en serio, así que el sacerdote habló con el señor feudal de Bartolomé, Raimundo, conde de St. Gilles. Raimundo se dirigió a sus barones para darles la noticia. Primero se encontró con las obvias muestras de escepticismo, pero después los barones aceptaron llevar a Pedro de iglesia en iglesia por la ciudad, por si podía reconocer el lugar que había visto en su visión. Cuando llegaron a la iglesia de San Pedro, Bartolomé gritó: «¡Ese es el lugar que vi!». En pocas horas lograron abrir una zanja en el suelo, delante del altar. Cansados y desanimados, los últimos entusiastas estaban a punto de marcharse cuando Pedro se tiró a la zanja y empezó a sacar barro con las manos. Instantes después les gritó que estaba allí, que había encontrado algo. Entonces, mientras los demás esperaban, sacó de la tierra un trozo de hierro cubierto de lodo.

»Antes de que pudiera salir de la zanja, Raimundo cayó de rodillas ante ella y, según las crónicas, lavó el objeto con sus lágrimas y besos. Como es natural, se corrió la voz del descubrimiento por todo el ejército, y la fe que los había abandonado volvió de repente al corazón de todos y cada uno de aquellos hombres. Fue como si el mismo Dios se hubiese aparecido en los cielos prometiéndoles la victoria. Era una señal, y todos lo sabían: el Señor deseaba que librasen Jerusalén de los infieles y los judíos, solo tenían que alzarse y luchar. ¡La victoria sería suya!

»En vez de utilizar los muros para defender la ciudad, el ejército insistió en tener la oportunidad de enfrentarse al enemigo cara a cara. Con la lanza en alto, para que todos pudiesen verla, los cruzados salieron en formación y doblegaron a las fuerzas enemigas en una sola tarde.

»Ahora bien, esto es lo más interesante de la historia —continuó Rahn. Himmler se echó hacia delante, prendado del cuento—. Durante un tiempo, todos consultaron a Pedro Bartolomé antes de tomar una decisión militar. Él se llevaba la lanza al pecho y anunciaba la visión que le venía a la cabeza. Al final, por supuesto, los sacerdotes, esclavos del papado, se pusieron celosos y alentaron el rencor contra los oráculos divinos de Pedro Bartolomé.

—¡Sí! —susurró Himmler, porque odiaba a la Iglesia, tanto como antes la había amado.

—Para poner fin a la autoridad de Bartolomé, los sacerdotes le pusieron un cebo para que se enfrentase a una prueba de fuego que demostrase que su reliquia era genuina. En aquellos días, *Reichsführer*, una prueba de fuego no era una metáfora. Prendían fuego a una zona amplia y esperaban hasta que solo quedaban los rescoldos. A continuación, un hombre tenía que caminar sobre ellos para ver si Dios lo protegía. Pedro, con la lanza apretada contra el pecho, caminó descalzo sobre las ascuas, y lo habría conseguido, de no ser porque algunos de los sacerdotes llegaron a empujones hasta el borde de la zanja y le dijeron que se había confundido, que se había dado la vuelta sin querer. Tenía que regresar sobre sus pasos para cruzar las ascuas. Naturalmente, el pobre hombre lo hizo y, con cada paso que daba, la carne se le fundía. Sus amigos intentaron ayudarlo a salir, pero el pobre Pedro quería probar que su lanza era la verdadera, así que se quedó en el pozo hasta que regresó por donde había venido, tan confundido que estuvo a punto de desmayarse y morir allí mismo. Cosa que habría sucedido... de no ser por la lanza.

»Por supuesto, era demasiado para cualquiera, y Pedro estuvo a punto de fallecer, pero no soltó la lanza sagrada. Se aferró a ella durante trece días antes de morir, algunos dicen que asesinado. Sea cual sea la verdad, la historia acabó para él el día 20 de abril de 1098.

—¡El 20 de abril! ¡Es el cumpleaños del Führer! —exclamó Himmler.

—A mí también me pareció una señal prometedora —afirmó Rahn, temiendo mostrar demasiado entusiasmo.

—Pero, ¿qué le pasó a la lanza?

—Al morir Pedro, la lanza quedó al cuidado de su señor feudal, Raimundo de St. Gilles. Según los testigos, Raimundo le había hecho un relicario. Según lo habitual en la época, no debía de ser demasiado impresionante, ni muy grande, aunque sí lo decoró con oro y cubrió la tapa con las perlas y rubíes que tenía en su tesoro personal. Después hizo que unos sacerdotes armados protegiesen su reliquia día y noche, y la llevaba consigo allá donde iba. Debe comprender que la consideraba una reliquia de la Pasión, y algo así servía para comprar un reino en aquellos días. Como es natural, algo de tal valor podía convertir a un hombre muy religioso en un ladrón. Al fin y al cabo, aquel objeto había estado cubierto de la sangre de su Salvador y había demostrado su poder milagroso en Antioquía, ¡y de nuevo cuando Pedro Bartolomé sobrevivió a un tormento que habría matado a cualquier hombre!

»Los sacerdotes de Raimundo se pasaron cinco años transportando la lanza de Antioquía tras él, incluso cuando iba a la guerra, y en cinco años el ejército que marchó detrás de Raimundo no conoció la derrota.

—¡La lanza verdadera! —susurró Himmler.

—Eso parece —admitió Rahn—, pero entonces, en la visita de Raimundo a Constantinopla, desapareció. —Rahn vaciló, observando a Himmler, después a Bachman. Los dos esperaban más, el desenlace de su relato—. Al menos, eso decía Raimundo. Según yo lo veo, tenía buenas razones para mentir y ningún motivo para reconocer que seguía en posesión de la reliquia. Verá, cuando Raimundo salía de Constantinopla, un antiguo rival suyo, el príncipe de Antioquía, lo secuestró. Como era costumbre, exigió un rescate a cambio de su liberación. Obviamente, el príncipe, también cruzado, esperaba recibir la lanza de Antioquía, lo cual es comprensible. Sin embargo, Raimundo le dijo que se la habían quitado en Constantinopla. A pesar de las continuas torturas e interrogatorios durante más de un año, Raimundo se ciñó a su historia. ¡La había perdido! No podía devolver algo que no tenía. Un año después, al parecer convencido, el príncipe aceptó oro en vez de la reliquia que deseaba, y nadie ha vuelto a saber de la lanza desde entonces.

—¡Pero la tenía desde el principio! —exclamó Himmler.

—Si Pedro Bartolomé podía caminar sobre carbones encendidos —repuso Rahn, sonriendo—, Raimundo era lo bastante hombre para soportar la tortura. Después de su liberación, su salud se resintió mucho, por supuesto. Era un anciano al inicio de la cruzada. Sabía que solo le quedaban unas semana de vida, así que arregló sus asuntos lo mejor que pudo. A su hijo ilegítimo, el mayor, le dio el mando de sus fuerzas en el Levante. Al pequeño, su heredero legítimo, las posesiones del Languedoc. Envió al chico a casa en barco y, con el chico, creo que también envió la lanza de Antioquía. —Himmler se retrepó en su silla con los ojos encendidos de pasión—. Ahora bien, tiene que comprender que la lanza no era más que un trozo de hierro retorcido y oxidado. Ni siquiera parecía la punta de una lanza. Eso lo sabemos por las descripciones de los testigos, aunque lo que había inspirado resultaba sin duda milagroso. La historia pasó de unos a otros a lo largo de los años, y la reliquia se convirtió en algo más que un trozo de hierro. En la imaginación de los que la veneraban, el óxido se convirtió en la *sang raal*, la sangre sagrada. La forma retorcida y corroída se convirtió en la lanza de marfil que derramaba su sangre en un cáliz dorado que nunca terminaba de llenarse.

»Seguir aquella visión era seguir los preceptos de los cátaros, anhelar continuamente el mundo del espíritu. Cuando se perdió todo en Montségur, los caballeros entregaron la vida, pero no la reliquia que había inspirado la visión divina. No la entregarían a los odiados sacerdotes de Roma.

»¿Se imagina a más de doscientos hombres, mujeres y niños caminando hacia el fuego del inquisidor en la mañana del 16 de marzo de 1244? ¿Los puede ver salir de la fortaleza y entrar en las llamas sin soltar ni un grito de terror hasta que el fuego los consume? —A Himmler le brillaron los ojos ante la imagen—. No confiaban en la reliquia cubierta de barro encontrada por Pedro Bartolomé. Creían en la imagen divina de la lanza sagrada. Aceptaron el fuego, igual que había hecho Bartolomé.

—Pero, ¿y la lanza? ¿Cree que la enterraron en la montaña, como cuenta la leyenda?

—Nadie lo sabe —respondió Rahn, sacudiendo la cabeza para que hubiese alguna duda—. Vi la imagen de la lanza ensangrentada y el cáliz en una de las cámaras de la *Grotte de Lombrives*.

—¡Lo menciona en su libro!

—Le enseñé la pintura al comandante Bachman poco después de conocernos. Recuerdas verla, ¿verdad, Dieter?

Los dos hombres miraron a Bachman, que asintió.

—Puede que la escondiesen allí, en Lombrives, supongo, o en cualquier otra cueva de la región. El Monte Tambor está, literalmente, agujereado. Por supuesto, también es posible que la leyenda no sea más que una tontería, como el resto de las historias con las que me he encontrado. Es muy posible que no haya nada que encontrar, que la visión de la lanza ensangrentada no sea más que un don del espíritu que solo esté al alcance de un verdadero cátaro.

Himmler sopesó el asunto con una repentina cautela.

—Entonces, ¿está diciendo que lo único que tiene es la leyenda que le contó un anciano cuando subió a la montaña y una pintura en la pared de una cueva?

—Eso le dije al comandante Rahn hace un par de semanas —repuso Rahn, encogiéndose de hombros—. Es poco prometedor, como le conté, pero desde nuestra charla lo he estado pensando... —Himmler volvió a inclinar la cabeza, pendiente—. Esclarmonde, según la leyenda, tiró el grial en el Monte Tabor. —Himmler esperó, no muy convencido—. El Monte Tabor es el nombre de una montaña al norte de Galilea donde algunos creen que tuvo lugar la Transfiguración, donde Cristo se apareció a tres de sus discípulos como algo más que un ser mortal. Con la lanza ocurre exactamente lo mismo. Era un trozo de hierro que se había transfigurado en algo divino: la lanza ensangrentada de la leyenda del grial de Eschenbach. Además, tenemos el curioso hecho de que la cumbre del Monte Tabor del Languedoc se llame Saint-Berthelemy.

—¿Cree que por Pedro Bartolomé?

—Podría ser otra coincidencia, salvo por el detalle de que las cuevas en las que se tiró el grial, si atendemos a la leyenda, se conocen como el Sabarthès, una simple corrupción del nombre Saint-Berthelemy.

Himmler perdió toda cautela, ¡era la pista que los llevaría a la lanza! Rahn mantuvo la expresión pensativa de un erudito que todavía comprueba una hipótesis de trabajo.

—El ejemplo de valor de Pedro Bartolomé debió de inspirar a los que estaban a punto de enfrentarse a las llamas de la Inquisición, y por supuesto, también él fue víctima del clero y el fuego. La fe convirtió a un sencillo y humilde clérigo en el primer caballero de la lanza ensangrentada.

—¡Pero eso es asombroso! —gritó Himmler, emocionado—. ¡El Sabarthès! ¡La reliquia de Pedro Bartolomé está en las cuevas!

—He tenido las pruebas delante de mí durante estos últimos cinco años —repuso Rahn, sonriendo, avergonzado—, pero hasta que el comandante Bachman no me empujó a que considerase la idea de una expedición no lo vi. Ahora... aunque por supuesto no puedo prometer nada, creo que quizá exista... una pequeña esperanza...

—¿Qué necesita para encontrarla? —preguntó Himmler—. ¡Dígamelo y será suyo!

Rahn consiguió parecer sorprendido, como si no pudiera creerse que Himmler fuese a responder de inmediato, aunque lo cierto era que estaba preparado.

—Estoy pensando... en quizá unos doce o veinte hombres. Tendrían que ser mineros u hombres acostumbrados a trabajar bajo tierra. Si está en alguna parte, será en lo más profundo de la montaña, en algún lugar más allá del alcance de los sacerdotes ladrones. —Se volvió hacia Bachman—. También necesitaré un pelotón de apoyo: transporte, equipo y una base de operaciones. No creo que sea buena idea dejar que sepan lo que buscamos. Quizá los franceses sean reacios a cooperar. De hecho, podrían hacer como si me enviasen a otro lugar, para que nadie sospeche nuestras intenciones reales...

—Eso no resultará difícil —respondió Bachman. Miró a Himmler—. Puede subirse a un barco rumbo a Islandia, en busca de pruebas sobre los hiperbóreos.

—Un barco iría bien —comentó Himmler—. Podemos dar publicidad al viaje, hacer que un doble del doctor Rahn suba a bordo y acabar así con la charada. —Se volvió hacia Rahn—. Pero, dígame, doctor Rahn, ¿cuándo puede iniciar la expedición?

—Quiero visitar en Suiza a algunas personas que han explorado parte de las cuevas. Después me gustaría llegar unos cuantos días antes que el resto de la expedición, para poder establecer un protocolo sistemático de búsqueda. Puedo empezar de inmediato. Si el comandante Bachman puede estar listo en, digamos, un mes, sería perfecto.

—Eso no será problema, ¿verdad, comandante? —le preguntó Himmler.

—Ninguno, *Reichsführer*.

—Hay otra cosa —dijo Rahn, como si vacilara en interrumpirlos.

—Por supuesto, ¿de qué se trata? —preguntó Himmler.

—Me gustaría ver establecida la Orden de los Cátaros dentro de las SS, con la lanza de Antioquía como símbolo, si tenemos la suerte de encontrarla.

—Primero encontremos su lanza, ¿de acuerdo, doctor Rahn? —repuso Himmler, con la indulgencia de un hombre que se sabe más anciano y sabio—. ¡Después nos preocuparemos por su destino!

Bachman estaba contento y no entendía por qué Rahn no lo estaba.

—¡Tienes tu expedición! ¿Qué más quieres? —le preguntó cuando se reunieron para repasar los detalles.

—¿Qué le diremos a Himmler cuando registremos todas las cuevas sin éxito?

—¡Pero sabemos dónde buscar! —repuso Bachman, sorprendido.

—La enterraron, Dieter, porque no querían que nadie la encontrase. ¡Y eso, si existió!

—¡Pero daba la impresión de que no lo considerabas un problema!

—¿A qué nos enfrentamos si volvemos a casa sin nada? —preguntó Rahn enfadado, apartando la vista.

—Pero, Otto, dijiste que...

—¿A qué?

—A nada bueno, claro... —respondió Bachman, tras meditarlo.

—Voy a necesitar dinero, Dieter. Mucho dinero.

—Sin duda, lo que haga falta —le aseguró su amigo arqueando las cejas.

Capítulo once

Monte Tabor, en el Languedoc
Verano de 1936.

DESPUÉS DE PASAR VARIOS DÍAS CON UN VIEJO AMIGO en Ginebra, Rahn viajó a la Provenza y de allí al Languedoc. Acampó para pasar la noche cerca de las ruinas de Foix, donde Esclarmonde había mirado al sur, hacia el Monte Tabor y el valle del río Ariège. A la mañana siguiente caminó por uno de los senderos más bellos del sur de Francia, el Camino de los Cátaros. Era una ruta antigua que empezaba en el valle de los Olmos *(Olmès)*, bajo la falda oriental del Monte Tabor, y seguía por los bordes del pico, donde Montségur defendía la montaña sagrada, para, finalmente, subir hasta la cumbre de Saint-Berthelemy antes de bajar por la falda occidental de la montaña y llegar a las cuevas del Sabarthès.

Aquella noche acampó no demasiado lejos de las cuevas fortificadas de Bouan y Ornolac. Esta última estaba situada más allá de los baños de Ussat y llena de serpientes; la primera era casi un castillo, con su torre del homenaje, escaleras, torres secundarias y un depósito de agua. Siguió adelante, peinando las cuevas subterráneas olvidadas de la región y estableciendo un método de búsqueda. Dos semanas después, con el programa organizado, telefoneó a Bachman para decirle que estaba listo.

Los mineros entraron en el país como miembros de la Thule Society. Bachman, el portavoz del grupo, explicó a los oficiales franceses que el objetivo de la visita era pasar unas semanas explorando el sistema de cuevas del valle del Ariège. El apoyo de Bachman, más de una docena de oficiales de rango inferior de las SS, llegó al país por separado. Cuando no estaban en el campamento haciendo de guardias, se alojaban en distintos hoteles de la región como turistas, normalmente cambiando de ubicación cada semana, aproximadamente. Aunque en apariencia no tenían nada que ver con los miembros de la Thule Society, en realidad eran los responsables de llevar suministros y equipos al campamento, de supervisar el trabajo dentro de las cuevas y de proteger el campo por la noche.

Durante la expedición hubo unos cuantos encuentros con los cazadores de tesoros que trabajaban en las mismas cuevas, aunque Bachman combinaba dinero e intimidación para convencerlos de que se marcharan a buscar a otra parte. Las primeras semanas de la expedición, Rahn y Bachman solían salir del campamento para tomarse una copa en algún local de los pueblos, hasta que una noche un rufián del lugar que había bebido demasiado empezó a quejarse de que los alemanes se habían hecho con la zona. ¿Acaso no se conformaban con contaminar su propio país? La furia del hombre estaba dirigida a los turistas en general, Bachman y Rahn incluidos, pero después Bachman declaró que todos tenían que ir con más cuidado para no despertar sospechas.

Los mineros, por otro lado, no presentaban problemas en aquel aspecto. Desde su entrada en el país parecían haberse fundido con el paisaje. Incluso en el campamento, permanecían apartados y solo hablaban cuando se les hacía una pregunta directa. Rahn pronto supo que eran todos prisioneros a los que habían prometido la libertad condicional al final del viaje.

Para darles otro incentivo más, según le contó Bachman, se les había asegurado una sustanciosa recompensa económica si la expedición tenía éxito. A pesar de las generosas motivaciones, Bachman no confiaba en ellos. Los escoltaban hasta las cuevas al amanecer y, cuando terminaban la jornada, siempre mucho después de la puesta de sol, los llevaban de vuelta al campamento bajo la estricta mirada de los oficiales. Por la noche, dos hombres los custodiaban. Bachman no corría riesgos ni en lo más profundo de las cuevas, siempre había alguien asignado a supervisar su actividad.

El trabajo era laborioso y, a veces, peligroso. Descender por estrechos desfiladeros y profundas grietas era algo rutinario. A veces tenían que abrir canales que quizá fuesen accesibles tiempo atrás, pero que estaban medio tapados. Buscaban vetas derrumbadas y posibles muros falsos. Querían encontrar, como le había dicho Rahn a Bachman en más de una ocasión, una cajita dorada. Estaba convencido, decía, de que la antigüedad se había conservado en el relicario que le había fabricado Raimundo. Aunque podía estar en cualquier parte, por supuesto, él estaba bastante seguro de que se trataba de un escondite capaz de desanimar a los «sacerdotes ladrones».

No iban con prisas, sino que avanzaban por las cuevas de forma sistemática. En muchas encontraron herramientas prehistóricas y huesos, en otras antigüedades medievales. En una cueva, los mineros siguieron una grieta en la tierra hasta un arroyo subterráneo, donde encontraron los huesos de un explorador del siglo XIX. Al parecer, había muerto al caerse dentro. Siguiendo las órdenes de Bachman, dejaron el esqueleto como lo habían encontrado.

Al cabo de un mes, la fe de Bachman empezó a vacilar. Rahn le recordó rápidamente que ya sabía que la aventura podía acabar así. Después añadió que todavía quedaban cuevas por explorar y que no podían desanimarse. Una noche, Bachman se preguntó en voz alta si los cátaros no habrían soltado su tesoro en el lago de montaña cercano al pico de Saint-Berthelemy. ¿No existía una leyenda sobre sus aguas? Rahn conocía la leyenda, por supuesto. Se decía que aquellas profundas aguas guardaban el tesoro maldito de la antigua Tebas, pero descartó la teoría de Bachman, explicando que los cátaros nunca tirarían una reliquia sagrada a las aguas de un lago impío.

—¡Pero podría estar en cualquier parte! —exclamó Bachman. Rahn se enfadó con sus lloriqueos.

—¡Tú quisiste esta expedición, Dieter, y le prometiste a Himmler Dios sabe qué! Bueno, pues ya la tienes. ¡Así que deja de quejarte!

—¡Pero parecías muy seguro, Otto!

—No hasta que nos pusiste a los dos entre la espada y la pared con tus locas promesas a un demente —respondió él, apartando la mirada para contemplar el valle.

Bachman estaba tan abatido que olvidó defender la cordura de Himmler.

Había cuevas suficientes para una ciudad entera de habitantes. Algunas medían kilómetros, mientras que otras eran simples ermitas que ofrecían unas cuantas habitaciones o algo de cobijo ante el mal tiempo. Muchas no eran más que una profunda grieta en la tierra y un gran pozo debajo. En el interior de las cuevas, Rahn a veces se alejaba de los demás y trabajaba solo. Le gustaba la soledad perfecta de la labor y, conforme pasaban las semanas, se iba solo cada vez con más frecuencia. Había días en que perdía la noción del tiempo. En aquellos momentos, no sabría decir si se había vuelto loco o había alcanzado la cordura completa.

A veces apagaba la luz y pensaba en Elise. Se preguntaba cómo se comportaría con él si Bachman no estuviese siempre acechándolos. Tenía una hija, sí, y era una mujer diferente en muchos aspectos; más cómoda con su destino, al menos, aunque no feliz. ¡Nunca sería feliz casada con Bachman! En la oscuridad recordaba su rostro y pensaba en los tiempos en que todavía no había vuelto a ser la buena esposa.

Había hecho bien en quedarse con su marido, por supuesto. ¿Qué vida podría haberle ofrecido por aquel entonces? Las cosas habían cambiado, claro. A Rahn lo habían hecho famoso, ¡era uno de los nuevos intelectuales! Cuando regresara con la lanza de Antioquía, la lanza ensangrentada de Himmler, quién sabe cómo lo recompensaría el *Reichsführer*. Sin duda tendría ingresos de sobra para mantenerla, si ella decidía divorciarse.

Le gustaba imaginarse a Elise y Sarah viviendo con él. Pasaba gran parte del día intentando decidir el tipo de casa que comprarían. Quizá algo en Postdam, donde el aire era puro. No necesitaba ir a Berlín más de una o dos veces a la semana, a no ser que quisiera visitar la ciudad. En Postdam tendrían un paisaje precioso del que Sarah podría disfrutar, y él trabajaría a solas en la novela que siempre había soñado con escribir.

Sin embargo, al final tenía que pararse en seco y reconocer la locura de su fantasía. Elise nunca dejaría a Bachman. No era por el dinero, ni siquiera por el cariño, ¡sino por el juramento! No sería capaz de cambiar su suerte, daba igual lo mucho que deseara a Rahn. Se quedaría junto a Bachman hasta el día de su muerte porque había dicho que lo haría. Rahn la amaba y estaba seguro de que ella a él, pero eso no cambiaría su destino... ¡El caballero trovador y su noble dama!

Una noche, seis semanas después del inicio de la búsqueda, Rahn salió dando traspiés de las entrañas de la tierra y se encontró con Bachman.

—¡Estaba escondida en Bouan, Otto! —exclamó su amigo—. A tanta profundidad que casi no la vemos. ¡Estaba cubierta de serpientes!

—¿El qué estaba escondido? ¿De qué me hablas?

—¡La tenemos, Otto! ¡Hemos encontrado la lanza de Antioquía!

La cueva fortificada de Bouan formaba parte de un complejo de cuevas que bordeaba la carretera entre Toulouse y Barcelona, no lejos del puerto de Puymorens. A media altura de un terraplén reforzado con muros acabados en parapetos, había una impresionante entrada realizada por la mano del hombre que conducía a varias cámaras. Rahn la conocía bien y procuró tener cuidado con las serpientes al dirigirse al lugar del tesoro. Los hombres habían limpiado la caja sin que las serpientes mordiesen a nadie (un milagro en sí), aunque lo esperaban para abrir el tesoro. La caja era pequeña, tal como él había dicho, dorada y decorada con diminutos rubíes y perlitas irregulares.

Al abrir la tapa, Rahn vio que una de las bisagras se había aherrumbrado, así que intentó no romper la otra. Dentro encontró un trozo de hierro no mayor que un puño. Estaba colocado sobre un pedazo de lino descolorido. Rahn se lo enseñó a Bachman y a sus hombres. Después se lo llevó a cada uno de los seis mineros que habían estado allí cuando lo encontraron. Los mineros miraban vacilantes el objeto, como si no supieran lo que tenían delante. Nadie dijo nada.

En el exterior de la cueva, de pie en la oscuridad junto a Bachman, Rahn oyó a su amigo decirle:

—Himmler te coronará con laureles por esto, Otto.

—Ha sido obra tuya tanto como mía, Dieter.

—Creía que estarías más contento, amigo.

—Estoy encantado, aunque supongo que algo cansado.

—¡Tengo la cura! Es nuestra última noche aquí; rompamos las reglas y vayamos a tomar una copa al pueblo. ¿Qué me dices?

Las celebraciones llegaron a su fin a última hora de la mañana siguiente, y el pelotón de Bachman se dispuso llevar a los doce mineros de vuelta a Alemania en tres vehículos. Rahn lo hizo con Bachman.

Tardaron tres largos días en llegar a Berlín en coche. Era tarde, así que Rahn se quedó en casa de los Bachman a dormir, en su habitación de invitados. A la mañana siguiente llevaron la reliquia a Himmler, que estaba encantado, por supuesto, aunque, al ver el objeto, fue incapaz de disimular su decepción durante un segundo. Puede que la lanza de Antioquía convenciese a un ejército de cruzados medievales, pero no parecía merecedora de su leyenda en una época menos crédula.

—Ni siquiera estoy seguro de que sea una lanza —se quejó Himmler.

—Puede que no lo fuera —reconoció Rahn—. Hay una escuela de pensamiento que sostiene que, en realidad, se utilizó la punta de un estandarte romano para atravesar el costado de Cristo.

—No lo sabía.

—Eso no es lo importante, *Reichsführer*, lo importante es lo que inspiraba este objeto. Lo que está tocando es el objeto que, a través de la fuerza de la imaginación de los cátaros, se transformó en una visión divina de sangre, marfil y oro.

Himmler asintió e intentó imaginárselo. Al cabo de un momento, miró a Bachman con el aire de alguien que no deja nada al azar.

—Supongo que se habrá ocupado de los mineros.

—En cuanto pisaron suelo alemán.

Himmler cogió de su escritorio cuatro pases para los inminentes Juegos Olímpicos, se los entregó a los dos hombres y les dijo que habían llevado a cabo un trabajo excelente. Se aseguraría de que se les recompensara con creces por el esfuerzo. Sin embargo, hasta que pudiera preparar los honores pertinentes para ello, quería que fuesen sus invitados en los Juegos. Se pasó algunos minutos hablándoles de la importancia de las festividades y de los Juegos para el nuevo papel de Alemania en el mundo. Al terminar parecía distraído, sin duda decepcionado porque la búsqueda del grial no había terminado con una bella copa y su elegante lanza. Solo le faltó sacarlos de la habitación a empujones.

Bachman no parecía haberse dado cuenta, estaba ya saboreando su más que probable ascenso al elevado rango de coronel.

—Ha ido bien —comentó Rahn—. ¿Qué pasa, Otto?

—¿Qué quería decir cuando te preguntó si te habías ocupado de los mineros?

—Los que vieron la reliquia en la cueva podrían haber dicho algo a los demás, así que hicimos que los ejecutaran a todos en cuanto cruzaron la frontera alemana —respondió Bachman—. Por motivos de seguridad.

—¿Que habéis hecho qué? —Rahn se quedó mirándolo horrorizado.

—¡Teníamos que asegurarnos de que el descubrimiento permaneciese en secreto, Otto! ¿Qué habrías hecho tú?

—¿Los habéis asesinado? ¡Por Dios, Dieter! ¡Has matado a doce hombres por esa... esa basura!

—¡Claro que no los he asesinado! ¡Ordené que lo hicieran! Venga, vamos a tomar una copa y una comida decente. ¡Hay que celebrarlo!

—¿Están todos muertos? —preguntó Rahn temblando, a punto de vomitar. Se dejó caer en la silla de su despacho porque ya no podía tenerse en pie.

Cuando Bachman vio que se le llenaban los ojos de lágrimas, le dijo:

—Por amor de Dios, Otto, ¡contrólate! ¿No te diste cuenta o es que estás ciego? ¡Si no eran más que judíos!

Zúrich (Suiza)
Martes, 11 de marzo de 2008.

Kate apenas pensaba en el Eiger. No recordaba casi nada de las distintas entrevistas con la policía después de salir de la montaña, ni siquiera el funeral por Robert en la capilla familiar de Devon, poco antes de que se subastase la propiedad. Sin embargo, tenía un vívido recuerdo de estar sentada en Londres con el abogado de la familia Kenyon y su padre. El abogado le había dicho que las inversiones de lord Kenyon poco antes de su muerte habían sido desafortunadas. De hecho, había tenido tanto cuidado en no mencionar la palabra *bancarrota*, que Kate no entendió del todo la situación hasta que su padre se la explicó después, de manera bastante directa.

Perder el dinero justo después de perder a Robert le había parecido una broma de muy mal gusto para culminar la ruina absoluta de su alma. Ni siquiera le importaba. Durante semanas (que se convirtieron en meses) no notó nada dentro de ella. Incluso se le olvidó la promesa de encontrar al asesino de Robert. Aquel juramento se borró de sus recuerdos, igual que casi todo lo sucedido después de los acontecimientos del Eiger. Giancarlo fue a Zúrich tras la bancarrota; era la segunda vez que se encontraban desde la tragedia. Había encontrado mucha información sobre los austriacos, pero reconocía que no lo llevaba a ninguna parte. Kate escuchó, entumecida, todo lo que le contaba, ya segura de que nunca conocería la identidad del asesino de Robert.

Al separarse, Giancarlo le dijo a Kate que podía quedarse en su casa de Santa Margherita, un pueblo turístico al sur de Génova.

—A veces solo el mar tiene la respuesta —le dijo su padrino.

No quería ir. ¡Había conocido a Robert en Santa Margherita! No soportaría volver. Roland le dijo que precisamente por eso debería ir. No podía enfrentarse a la vida en Zúrich. No pensaba volver a la universidad, no tenía ningún plan, en realidad, así que llamó a Giancarlo para aceptar la invitación. Durante la primera semana en la casa tuvo para ella sola la gloriosa costa de Liguria y la gran villa de Bartoli. Once años después, ya no recordaba qué había hecho aquellos días, aunque sabía que se había mantenido cerca de la casa, como una inválida. Recordaba claramente haberse quedado mirando el lugar en el que había visto a Robert por primera vez. No recordaba las palabras que habían intercambiado aquella noche, pero sí la sensación de estar enamorándose. Once años después, el sentimiento seguía tan vivo como la noche que lo experimentó por primera vez. Frente a eso, las palabras no significaban nada. Ni tampoco las caricias, ni los sabores. Era un momento que se llevaba dentro para siempre, el último recuerdo que tendría antes de morir. El resto de su vida no significaba nada, en comparación. Lo sabía entonces y lo seguía sabiendo. Robert Kenyon era el único hombre al que realmente había amado con toda su alma.

Santa Margherita (Italia)
Septiembre de 1997.

Luca llegó un par de semanas después que Kate a la villa de Bartoli. Afirmó no saber que ella estaba allí, pero se presentó solo y se acomodó en la casa sin sus planes habituales para organizar fiestas o pedirles a los amigos que se pasaran de visita. No la invitó a nadar, ni a dar un paseo. Parecía querer darle espacio. Se reunían para preparar la cena y se tomaban una copa de vino mientras la hacían, pero durante el día cada uno iba por su lado.

Luca tenía la edad de Robert, así que era bastante mayor que Kate. Durante la infancia, Kate lo adoraba, aunque, en realidad, no sabía mucho sobre él. Al final de la adolescencia por fin logró seducirlo..., no le costó mucho. Luca estaba casado y tenía hijos, por supuesto, pero Kate era lo bastante joven para no pensar en las consecuencias de sus acciones. Además, tampoco era la primera aventura de Luca. Unas cuantas semanas bajo el tórrido sol italiano habían hecho que la vida pareciese perfecta, pero el romance empezó a desintegrarse cuando Kate por fin comprendió que no tenían mucho en común. No se le rompió el corazón, sino que, más bien, despertó. Sin embargo, Luca era encantador y estaba lleno de energía, de modo que siguió dentro de su círculo social e interpretó el papel de chica salvaje durante un par de veranos. Todo acabó la noche que vio a Robert Kenyon. No había pasado ni un año desde aquel primer encuentro, aunque a Kate le parecía toda una vida.

Luca había superado de sobra la conmoción por la muerte de Robert y había seguido con su vida, pero dedicaba a Kate una atención y un cariño extraordinarios. Cuando por fin mantuvieron una larga charla sobre él y sobre cómo lo llevaba ella, pareció entender lo que sentía. Aunque puede que todos lo entendieran, ya que solo había que perderlo todo para hacerlo, la empatía de Luca la permitió abrirse y decir las cosas que no podía contarles a los demás. Luca nunca había sido dado a las conversaciones profundas, pero conocía los disparates más extravagantes de la chica y no había secretos entre ellos.

—Creo que no podré volver a escalar —le dijo cuando él le preguntó si había pensado en volver a hacerlo desde el Eiger—. Salir de casa y venir a Italia ya me ha costado bastante.

Él la presionó para que se lo explicara, y ella le dijo sin rodeos que tenía miedo. Luca sintió curiosidad. ¿A Kate Wheeler le daba miedo algo? No le cabía en la cabeza. ¿El qué? Esa era la cuestión, que le daba miedo todo. Solo se sentía segura en lugares muy familiares, e incluso en ellos tenía fantasías horribles en las que hombres armados derribaban la puerta o entraban por las ventanas. A veces la observaban en silencio, escondidos tras alguna esquina. En los días malos, el suelo parecía ceder bajo sus pies mientras andaba. El efecto la dejaba al borde de un abismo alucinatorio.

Y lo peor de todo era que, al perder el valor para escalar, se había dado cuenta de que no le quedaba nada en la vida. Durante muchos años, escalar había sido lo único que sabía hacer, lo único que quería hacer. De repente se daba cuenta de que eso también lo había perdido, junto con todo lo demás.

—No hay un día en que no piense en suicidarme —susurró.

—¿Cómo lo harías? —preguntó Luca a pesar de lo grave de la confesión.

—¿Qué quieres decir?

—Quiero decir que estás pensando en ello, así que ¿cómo te ves haciéndolo?

—No sé...

—Cuchillo, pistola, gas, píldoras... Tienes que haber pensado en cómo pretendes hacerlo.

—¡Luca, se supone que no debes ayudarme a pensar en esas cosas!

—¿Por qué no? ¡Tengo curiosidad!

—¡Se supone que tienes que decirme que, si pienso en eso, debería ingresar en un hospital! ¡Buscar ayuda profesional!

—¿Y por qué iba a decirte algo que ya sabes?

—¡No me tomas en serio!

—No hablas en serio. Solo estás triste.

Kate se marchó a su habitación, exasperada, pero, pocos minutos después, volvió hecha una furia.

—¡Quiero morir de una caída! ¡Así voy a hacerlo!

—No funcionará.

—No veo por qué no.

—Miedo a las alturas. Seguro que ni siquiera eres capaz de subirte a una escalera.

Al oír aquello, Kate respondió con insultos. ¡Era su suicidio! ¡Podía imaginárselo como le diera la gana! Entonces los dos estallaron en carcajadas. Kate no recordaba haberse reído tanto nunca. Acabaron la noche proponiendo ideas para el suicidio perfecto y encontrándoles defectos a todos los métodos, hasta que los dos estuvieron de acuerdo en que ninguna salida era buena. Además, todavía querían saber qué pasaría después, aunque fuese malo.

A la mañana siguiente, Kate se despertó con resaca, pero sintiendo que algo se había roto dentro de ella o que el hielo que le cubría el alma por fin se había derretido.

—Quiero que me enseñes a disparar —le dijo a Luca mientras se recuperaban de la resaca.

—Ya has disparado alguna vez, ¿no?

—Pues no.

—No tiene mayor importancia, Katerina. Apuntas y aprietas el gatillo, como en las películas.

—Quiero que me enseñes todo lo que sabes, Luca: velocidad, calibración...

—Calibre.

—¿Ves? Necesito clases urgentes.

—¿Por alguna razón en particular?

—Me prometí que encontraría al asesino de Robert. Creo que ha llegado el momento de prepararme para enfrentarme a él cuando lo encuentre.

—Si quieres enfrentarte a él, no te bastará con aprender a disparar. ¿Y si está en una colina? ¿Cómo vas a llegar hasta él, teniendo en cuenta tu miedo a las alturas?

—¡Estoy hablando en serio, Luca!

—Yo también. Si quieres fantasear con la venganza, no me metas. No tiene sentido aprender a disparar, porque no va a pasar nunca y enseñarte sería una pérdida de tiempo. Si lo que quieres es venganza, si de verdad la quieres, debes aprenderlo todo.

—Haré lo que tenga que hacer.

—Vas a tener que aprender a escalar de nuevo. ¡No puedes perseguir a un asesino si tienes miedo y vas soñando despierta! Si algo te asusta, debes enfrentarte a ello. ¿Es que crees que las personas que enviaron a esos asesinos al Eiger no han visto nunca una pistola? Kate, hay gente en el mundo que ve una pistola y sabe qué hacer. Si vas detrás de alguien así, te conviene ser más fuerte, rápida y lista que él. Y será mejor que sepas cómo piensas hacerlo. Los asesinos que se libran de sus crímenes saben cómo cuidar de sí mismos. En una pelea las cosas nunca son como pensamos. Que una persona te haya hecho daño no quiere decir que vayas a poder acabar con ella. Las víctimas siguen siendo víctimas. Tienes que estar preparada para ganar a toda costa y por cualquier medio. ¿Es eso lo que quieres? ¿Ganar a cualquier precio?

¿O quieres coger una pistola y fingir que te vengas cada vez que aprietes el gatillo?

—Quiero ver a ese hombre en su tumba, Luca.

Luca estudió su expresión durante un momento y después se metió en su garaje. Regresó unos minutos después con un juego de cuchillos y una plancha de contrachapado que apoyó en una pared. Cogió tiza y dibujó, más o menos, la silueta de un hombre. Después sacó dos de los cuchillos y se puso de espaldas a la plancha, dios tres pasos largos, se volvió y tiró el primer cuchillo, que se clavó en la madera. Después dio otro paso y tiró el segundo cuchillo con la otra mano, clavándolo a pocos centímetros del primero.

Kate se quedó mirando los cuchillos durante un instante y después miró a Luca.

—Piensa que el hombre al que quieres matar puede ser igual de bueno que yo —le dijo su amigo—. Tú tienes que ser mejor… si no quieres abandonar tu fantasía.

Kate miró los dos cuchillos. Finalmente, se acercó al blanco y cogió uno con cada mano.

—Dime qué tengo que hacer.

Zúrich (Suiza)
Martes, 11 de marzo de 2008.

Once años después todavía recordaba la sensación de sacar aquellos cuchillos de la madera.

—¿Estás bien? —le preguntó Ethan.

—Sí —respondió ella sonriendo—. Aburrida —lanzó dos cuchillos más hacia el blanco, primero con la izquierda y después con la derecha. Los lanzamientos fueron buenos, justo en el centro.

377

—No parecías aburrida —repuso Ethan—, parecías estar pensando en algo.

—Luca no mató a Robert. Ni tampoco Giancarlo.

—Puede, pero saben quién lo hizo.

—Si lo sabían, ¿cómo es que no me lo dijeron? —preguntó ella; miraba por la ventana, intentando comprender las incongruencias.

—Forman parte de una sociedad secreta. No sé en qué estarán metidos, pero hay dos cosas seguras: cuando se unieron al Consejo de los Paladines hicieron un juramento de sangre para guardar los secretos de la Orden y para ayudar a cualquier otro miembro, al margen de los riesgos o el precio. Cuando se hace una promesa así, no hay excepciones. La familia y los amigos quedan en segundo lugar, incluso las ahijadas favoritas.

—Pero Robert era uno de ellos. ¿Por qué iban los paladines a matar a uno de los suyos?

—Si no fue por luchas internas, quizá traicionase a la Orden.

—¿Por qué me metieron a mí? Si querían matarlo por algo así, ¿por qué incluir a personas inocentes? Luca me lo enseñó... todo. Y no fue para que me ganase la vida de ladrona, eso llegó más tarde, después de que me enseñase cómo vengarme. ¡Él me enseñó a matar, Ethan! Cuando mataron a su hermano, él persiguió y asesinó a los responsables. Me contó cada una de las historias, cómo reaccionaron las víctimas, cómo se prepararon para recibirlo y qué hizo para atravesar sus defensas. No presumía, me daba ejemplos de lo que necesitaba saber para cuando encontrase al asesino de Robert.

—O asesinos.

—Se aseguraba de que entendiese todo lo que él sabía, para que estuviese lista. Podía estar exhausta, podía acabar siendo la perseguida. Podía faltarme una pistola cuando la necesitara. Tenía que aprender muchas cosas. Me enseñó todas sus técnicas. ¿Por qué hacerlo si pensaba usarlas contra él?

—No lo sé, pero él sabe qué pasó. Giancarlo y él te ocultan la verdad. Tienes que enfrentarte a ese hecho si quieres llegar a descubrir lo que pasó en realidad.

—Lo sé, pero no pienso tocarlos. ¡No quiero hacerlo! Solo lo haré si lo mataron ellos, y no creo que lo hicieran. No tiene ningún sentido.

Kate se movía por la habitación del hotel con las muletas cuando llegó Malloy, a última hora de la noche. Ethan le ofreció una copa y, esta vez, aceptó.

—*Whisky* escocés con soda, si tenéis.

Mientras el hielo crujía, Malloy se sentó en un cómodo sillón.

—Le he echado un buen vistazo a lo que han sacado del ordenador de Chernoff. Hay bastante material con información interesante. Vamos a descubrir quiénes son sus contactos clave y, al menos, parte de sus finanzas. El problema en estos momentos es que vamos contra reloj. Es decir, si encontramos un número de teléfono que nos lleve a una red de teléfonos, tenemos que dar con él antes de que el dueño lo tire. Si no, podemos acabar persiguiendo sombras y destrozando alias.

—Entonces, ¿estamos a un par de pasos de dar con el tío... y todavía a tres o cuatro pasos de saber algo? —preguntó Ethan al darle el vaso.

—Podríamos tener suerte, pero nada más —dijo Malloy después de dar un trago—. Carlisle no ha aparecido, al menos no como Carlisle, aunque, si transfirió dinero a Chernoff a finales del año pasado o se puso en contacto con Ohlendorf durante los últimos dos meses quizá encontremos uno de sus alias.

—Si ese tío es listo, sabrá que tiene un problema —repuso Ethan.

—Creo que sabe que tiene un problema desde hace meses. Por eso fue a por nosotros.

—Pero no tenía a todo el mundo detrás —dijo Ethan—. Si tu gente lo relaciona con Chernoff, tendrá que esconderse en un agujero. Si eso pasa, nada de lo que le saques a Chernoff te ayudará a acercarte a él.

—Lo sé.

—¿Cuál es el plan? —preguntó Kate.

—Encontré algunos archivos en el ordenador de Dale antes de limpiarlo. Aunque no había mucho más, sí descubrí unas fotos de vigilancia bastante buenas de nuestro hombre. Lo que publican en los informes anuales no nos servía. Con estas al menos podremos identificarlo. —Sacó un lápiz de memoria del bolsillo y se lo dio a Ethan—. Las tomaron en París, hace tres años.

—Así que nuestro fantasma sale de vez en cuando, ¿no? —preguntó Kate; después cogió las muletas y se colocó detrás de Ethan.

—Tenía una reunión con Hugo Ohlendorf —les dijo Malloy, mientras Ethan metía el lápiz en su ordenador—. La gente de Dale seguía a Ohlendorf, pero investigaron a Carlisle para identificarlo. —Señaló la pantalla cuando salieron los archivos—. Esos otros ficheros también son para vosotros. Cuando Dale dio con el nombre, reunió una carpeta de información sobre Carlisle. No estoy seguro de que haya algo que no sepamos ya, aunque a veces solo hacen falta un par de ojos nuevos.

—Cogeré todo lo que tengas —repuso Ethan, mientras abría el archivo de imagen y activaba la presentación de diapositivas.

La primera foto mostraba a Carlisle y Ohlendorf sentados en la terraza de una cafetería. Al parecer, Carlisle se había librado de sus raíces obreras, porque parecía pertenecer a la misma clase social que Ohlendorf.

—Un tipo apuesto —comentó Malloy.

Cuando la tercera foto apareció en pantalla, Malloy miró a Kate, que estaba paralizada detrás de Ethan, mirando el ordenador como si le hubiese caído un rayo encima.

—¿Qué te pasa?

Ethan también apartó la mirada de la imagen. Los ojos de Kate estaban pegados a la pantalla con una extraña fijación mientras avanzaban las diapositivas; no dijo nada.

—¿Qué es? —preguntó Ethan. Se le notaba la preocupación en la voz, y con razón, porque Kate parecía a punto de sufrir una apoplejía.

—Es... Robert —susurró.

—¿Qué? ¿Qué estás diciendo? —preguntó Ethan.

—Ese no es David Carlisle. Es... Robert Kenyon.

Curiosamente, el rostro de Kate recuperó la serenidad al aceptar el hecho de que estaba mirando a su primer marido ocho años después de su supuesta muerte en el Eiger.

—«Corta la cuerda» —susurró al fin y, cuando lo hizo, Malloy vio la primera lágrima en su mejilla—. Uno de ellos dijo algo. No lo entendí bien en aquel momento. «¿Y ella? ¿Qué hacemos con ella?», algo así. Y Robert respondió: «Corta la cuerda». Yo estaba atontada por el golpe en la cabeza, pero sabía que Robert no podía haber dicho algo así. Es decir... no me lo creí.

—Responde muchas preguntas —dijo Malloy, revisando las pruebas que nunca habían tenido sentido.

—Y plantea otras tantas —añadió por fin Ethan.

—En realidad no —repuso Malloy—. Piénsalo. Robert Kenyon hace una inversión estúpida y lo pierde todo, incluido el dinero de Kate. ¿Quiénes son los beneficiarios de la bancarrota? Sus amigos de toda la vida. Ellos no se quedaron con el dinero, lo canalizaron, al menos en parte, hacia nuevas cuentas en nombre de David Carlisle. Ese tío consiguió lo imposible: murió y se llevó el dinero consigo.

—Entonces, ¿qué pasó con Carlisle? —preguntó Ethan.

—David Carlisle era un mercenario en los Balcanes en 1994. Es el último dato oficial que tenemos de él hasta 1997, cuando se convirtió en el sucesor de Kenyon en el Consejo de los Paladines. Creo que lo mataron y está enterrado en algún lugar de Serbia o Bosnia. Kenyon le robó la identidad porque se parecían un poco.

—Robert salió de la montaña aquella noche —dijo Kate, todavía con la mirada fija en el hombre con el que se había casado hacía casi once años—. Ya estaría en la Travesía de los Dioses cuando la luna llegó a su punto más alto. Seguramente llegó a la cima a las tres o cuatro de la mañana y salió del Eiger antes de amanecer.

—No lo entiendo —insistió Ethan—. ¿Por qué iba Kenyon a cambiar de identidad?

Malloy esperó a que Kate contestase, pero ella no tenía ninguna teoría.

—Solo se me ocurre una buena razón —dijo él—: tenía problemas. Fuera lo que fuera, tuvo tiempo de arreglar sus finanzas, así que me da la impresión de que alguien iba a investigar sus actividades.

—Seis meses —comentó Kate—. Eso tardamos en enamorarnos y casarnos. Ese es el tiempo que tuvo.

—La adquisición de la empresa fue en ese mismo periodo —añadió Malloy.

—Entiendo lo de la estafa de la bancarrota —dijo Ethan—. Necesitaba dinero y no quería dejar un rastro en papel, pero, ¿por qué involucrar a Kate? ¿Por qué casarse?

Malloy miró a Kate, que ya no lloraba.

—Todos los magos saben que la clave para lograr una buena ilusión es distraer a la audiencia en el momento preciso —les dijo Malloy—. En este caso, la distracción fue el Eiger, en concreto la mala suerte de Kate en él. ¿Un viaje de novios bien publicitado para vencer a una montaña? ¿Qué podría ser mejor? Y, cuando fracasara la excursión, cuando los dos escaladores austriacos dijeran haber visto cómo Kate, su marido y su guía caían de la montaña, se suponía que todo el mundo hablaría de ello. La mala suerte de Kate con la montaña.

—Así que los escaladores solo iban a ser testigos —comentó Ethan.

—Pero los contrataron porque no tenían antecedentes, ni relación conocida con Kenyon, ni contigo, ni con el guía. La idea era que informaran de la tragedia y enseñaran a la gente el lugar donde podían encontrar dos de los cadáveres. Si no encontraban el cadáver de Kenyon... bueno, esas cosas pasan en el Eiger.

—Robert no se enteraría de lo que me sucedió hasta un par de días después —añadió Kate.

—Y, cuando vio que la historia que estabas contando era aún mejor que lo que él tenía planeado, no tuvo necesidad de eliminarte.

—Yo ya le había contado todo a Giancarlo. Giancarlo me escuchó sin parpadear y me prometió... me prometió que encontraría al asesino de Robert, aunque fuese lo último que hiciera.

—Él lo sabía todo —le dijo Malloy—. Luca, Jack Farrell, Hugo Ohlendorf, el padre de Farrell y él... todos los paladines en activo.

—Bueno, ¿y qué hacemos ahora? —preguntó Ethan—. Es decir, seguimos sin saber cómo encontrarlo. —Miró a Kate—. Porque iremos a por él, ¿no?

—Por supuesto —respondió Kate apretando la mandíbula—. Por supuesto que iremos a por ese hombre.

—De todos modos, seguimos sin saber cómo encontrarlo —murmuró Ethan.

—Giancarlo me lo dirá.

Berlín (Alemania)
1936-38.

Siempre había bebido mucho. Era algo que iba con la vida literaria, la necesidad de socializar después de muchas horas volcado en los textos. La cosa empeoró cuando tuvo dinero y compromisos sociales.

Himmler se percató del comportamiento del doctor Rahn a principios de 1937, poco después del ascenso de su subordinado, y se aseguró de que informasen al erudito de lo poco decoroso que resultaba su actitud. El verano de aquel mismo año, Rahn publicó su segundo libro, *La Corte de Lucifer*. Tuvo problemas con las pruebas de imprenta, mejoras y «aclaraciones» que no aceptó. Al ver que los cambios se hicieron de todos modos para que el libro encajara con la versión oficial sobre la pureza de la raza, Rahn no volvió a decir nada en público sobre los cambios, pero, en privado y entre amigos, dejaba clara su rabia. Eso hizo que creyeran esencial vigilarlo. Y, además, estaba lo del título del libro. Por mucho que Rahn explicara que Lucifer era el que había llevado la luz al mundo, una figura prometeica, siempre quedaba la duda de que el escritor hubiese pretendido clavarle una espina de refilón al *Reich* de Hitler, o peor, a las SS de Himmler.

Había llegado el momento de que Rahn hiciese frente a la realidad; cuando llegó septiembre, Himmler lo envió a Dachau para que trabajase como guardia hasta diciembre. Regresó escarmentado y obediente, pero por aquel entonces Himmler ya había examinado varios informes inquietantes sobre su comportamiento en el campo, comentarios hechos en confianza a otro guardia y que rozaban la traición; se hizo necesario intervenirle el teléfono y abrirle el correo.

En enero de 1938, uno de los asistentes de Himmler comentó que le daba la impresión de que el doctor Rahn no había entregado su certificado de origen racial. Todos los que se habían unido a las SS a partir de 1935 habían tenido que entregar el formulario. Obviamente, al doctor Rahn lo habían reclutado, por lo que no tuvo que hacer frente a ninguno de los requisitos habituales, y nadie pensó en preguntarle por su pureza racial al nuevo chico de oro del Reich. ¿Suponía un problema? El asistente no se echó atrás. ¡No suponía ningún problema, siempre que entregase el certificado! Himmler respondió que se aseguraría de que se informase al doctor sobre la situación. Se entregaron los papeles. La petición fue educada, aunque firme. Rahn, la *prima donna*, respondió que se ocuparía de ello y después procedió a hacer caso omiso de la solicitud, como había hecho con todas las solicitudes anteriores.

Berlín (Alemania)
Otoño de 1938.

La primavera de 1938, Hitler anexionó Austria. El hecho de que lo lograra sin disparar ni un solo tiro consiguió confirmar su política dentro del Reich y silenció para siempre las tímidas voces de protesta que pedían moderación. El movimiento hacia el este no era agresión, sino reunificación. Austria y Alemania no eran dos naciones, sino una. Como si quisiera confirmarlo, el destino hizo que hubiese dos equipos de escaladores en la inexpugnable cara norte del Eiger el mes de julio de ese año, uno austriaco y otro alemán. Después de subir velozmente por gran parte de la roca, los equipos ataron las cuerdas justo bajo la cima y finalizaron juntos la escalada en un solo equipo. Para conmemorar el triunfo, el Führer les dio la mano a todos ellos y aprovechó de nuevo la ocasión para hablar del destino de Alemania y, por supuesto, de la supremacía aria.

En un acto que apenas tuvo trascendencia en el mundo exterior, aunque fue celebrado con gran pompa en el *Reich*, Hitler trasladó la lanza de San Mauricio del museo de Schatzkammer en Viena a la catedral de Nuremberg, donde había estado tiempo atrás como parte de la insignia del Sacro Imperio Romano. Algunos creían que se trataba de la lanza que había atravesado el costado de Cristo, y se decía que la había encontrado la madre de Constantino en Jerusalén. Las narraciones de su historia la situaban en las manos de reyes guerreros como Atila el Huno, Carlomagno, Otto el Grande, e incluso Napoleón. La leyenda decía que el que la poseyera tendría el futuro del mundo en sus manos. Al llevarse la lanza a Nuremberg, Hitler estaba, en efecto, reclamando la autoridad del difunto Sacro Imperio Romano y asumiendo la gloriosa tradición de los reyes guerreros que habían portado la lanza del destino de triunfo en triunfo.

Una vez instalada la reliquia en Nuremberg, Hitler ordenó a los principales historiadores y eruditos de Himmler que preparasen una historia detallada de la lanza, que confirmasen con el examen académico las locas leyendas sobre aquella reliquia tan bien conservada. Obviamente, Himmler habló con su mejor hombre. En un tratado lleno de tediosa documentación, el doctor Rahn concluyó que la antigüedad recién adquirida por Hitler, aunque sin duda poseía una larga historia dentro de las casas reales europeas, se había fabricado en el periodo carolingio, en el tiempo de Carlomagno, unos ocho siglos después de Cristo. Según escribió, la lanza de Longino, que se guardaba en el Vaticano, era mucho más antigua y poseía un origen más creíble. Era probable que aquella lanza fuese la reliquia que los peregrinos que iban a Jerusalén en el siglo VII afirmaban haber visto. La habían llevado a Constantinopla después de la caída de la ciudad ante las fuerzas de Mahoma. Después de romperse de forma inexplicable, la punta había ido hasta París con la corona de espinas a través de Venecia, cuando Balduino II de Constantinopla vendió varios objetos sagrados a Luis IX, en el siglo XIII, para financiar las destrozadas defensas de su imperio. Aunque fue venerada durante varios siglos, desapareció al inicio de la Revolución Francesa, a finales del siglo XVIII. El asta de la lanza quedó en poder de los turcos en 1452 y se envió a Roma en 1492, cuando el sultán Bajazet se la entregó al papa Inocencio VIII. Rahn comentó que también era candidata a la autenticidad (y probablemente se trataba de la genuina) la llamada lanza de Antioquía, encontrada y perdida de nuevo durante la primera cruzada. La lanza podría haber salido de Jerusalén unas cuantas décadas después de la crucifixión.

Como Himmler era un hombre concienzudo, leyó el informe de Rahn antes de pasárselo a Hitler. Cuando se dio cuenta, con creciente horror, de que el doctor consideraba que la preciada reliquia era una falsificación medieval, no tuvo más elección que hacer que algunos de los subordinados de Rahn reescribiesen el informe. Por cuestiones de prestigio, mantuvo el nombre original en el documento, pero ordenó que enviasen al historiador al campo de trabajo de las SS en Buchenwald.

Solo la súplica apasionada del coronel Bachman consiguió que el doctor Rahn sirviese como guardia en la prisión, en vez de acabar como recluso.

Elise notó por primera vez el cambio de Rahn durante las Olimpiadas de 1936. Aquel verano todos estaban de un humor excepcional… salvo él. Al principio creyó que se debía a su tendencia a la melancolía; había visto la misma mirada vacía en él cuando dirigía su hotel en Francia. Después de la emoción de su súbita fama, era comprensible que se deprimiera un poco. Pero no se le pasó. De vez en cuando lo veía reírse, pero sin alegría, e incluso cuando miraba a Sarah, a quien adoraba, parecía nostálgico y triste. Su ingenio se agudizó. El cinismo de la mediana edad se hizo más continuo y cruel. Tenía un conocimiento enciclopédico de todos los enigmas, pero ya no le quedaba pasión.

Después de aquel verano hubo más mujeres y algunas historias realmente horrorosas, a decir verdad. Elise escuchaba las versiones censuradas de Bachman de los cotilleos que había visto y oído, e intentaba no parecer afectada. Ella decía que todo se debía a la bebida, y Bachman lo animaba a contenerse, aunque, en secreto, Elise sabía que el alcohol no era más que el disparador. Los problemas de Rahn eran mucho más profundos.

Después de su periodo de servicio en Dachau, a finales de otoño de 1937, intentó con ganas volver a ser el viejo Otto, pero se quedó en el intento. Su alegría era excesiva y a destiempo. Hablaba de escribir no un libro, sino cuatro o cinco a la vez. Incluso había vuelto a una novela que había iniciado años atrás. Obviamente, nada salía en claro de aquellos planes, y sus sonrisas, tan amplias y desesperadas, se volvieron tristes después de una temporada. Pareció envejecer, se le cayó el pelo, la piel se le tornaba cenicienta. Engordó. Seguía siendo un hombre atractivo, pero, con treinta y cuatro años, entró de repente en la mediana edad. Bachman y él ya no se diferenciaban tanto; empezaron a encajar como los ancianos desparejados que a veces se sentaban juntos en las peores cafeterías, incluso en el detalle de los hombros hundidos.

En un arrebato de pasión juvenil, Elise le había dicho una vez que quería pensar en él sentado para siempre en la hierba, bajo las ruinas de Montségur, con ella a su lado, escuchando el viento e imaginándose que eran las voces de los mártires de la fe. Eso ya no era lo que le venía a la mente cuando pensaba en Otto Rahn. La vida se había cerrado en torno a ellos, ensuciándolo todo. Lo recordaba vomitando después de beber demasiado. A veces pensaba en él en Francia, cuando era director de hotel. En sus pesadillas se lo imaginaba montando guardia en un centro de detención. En los días buenos, era el pesado académico que hablaba a las damas berlinesas sobre un Lucifer, que, al parecer, había tenido mala prensa en Roma, cuando en realidad era un tipo bastante fascinante...

Cuando examinaba las razones de su ruina, siempre pensaba en Bachman. Puede que no fuese justo, porque Rahn había elegido por sí mismo, pero era un espíritu libre, tan emocionado por... todo... ¿Cómo lo había perdido? La respuesta estaba clara, aunque no fuese del todo justa, ni precisa: Bachman se había pegado a la vitalidad de Rahn y le había chupado la vida, convirtiéndolo en una persona tan gris y vieja como él mismo. Elise se había enamorado de él, pero, al final, su alma había sido para Bachman. Las noches que pasaban con él, la comida del domingo a la que Rahn casi siempre asistía para ver a Sarah, era el modo en que Rahn presumía de su última conquista: el adúltero domado y roto.

Bachman se habría sorprendido de saber lo que su mujer pensaba. En realidad quería mucho a su amigo, nunca decía ni una mala palabra sobre él y le preocupaba de verdad que sus acciones lo enfrentaran a Himmler. Una vez, en pleno arrebato de inquietud, había dicho de Rahn: «¡Con toda esa inteligencia! ¿Por qué no se da cuenta de que se está destruyendo?». Hablaba de un informe que Rahn había enviado a Himmler, razón de su exilio en el centro de detención de Buchenwald, aunque también podría haberlo dicho sobre otra docena de incidentes similares.

Enero de 1939.

Cuando Rahn regresó de su visita a Buchenwald en enero de 1939, no intentó ser diligente en su trabajo, ni agradable en sociedad. Empezó a decir cosas que no era sabio decir. Bachman hizo caso omiso de algunas, aunque otras veces se enfadaba. ¿Es que quería que los matasen a todos?

—¿Acaso ahora matamos a las personas por lo que piensan, Dieter?

—Las matamos por mucho menos, Otto, como bien sabes. Por favor, ten cuidado. Estás caminando por la cuerda floja.

—¿Porque no le dije a Hitler que su lanza era genuina?

—Tus problemas son más graves que un simple informe, pero es una estupidez que prefieras la verdad al sentido común.

—Quería la historia de su lanza, y yo se la di.

—¡Quería que confirmasen su opinión! —Bachman esbozó una sonrisa muy fría—. ¿Y quién eres tú para decir que se equivoca?

—¡Un experto!

—¡Es por tu actitud, Otto! ¡Estás sentado a la derecha del segundo hombre más poderoso de Alemania y te comportas como si todo esto no fuese más que una enorme molestia para ti!

—¿Se te ha pasado por la cabeza que quizá el problema no sea mi actitud..., sino la de todos los demás?

—Tómate una copa, Otto. Me asustas cuando estás sobrio.

No era siempre así, por supuesto. No podrían haberlo soportado si su malhumor hubiera sido continuo. A veces les hablaba sobre una chica que había conocido, y llegó a afirmar que pensaba pedirle matrimonio. Ni Elise ni Bachman la conocían, porque él era muy reservado al respecto, pero les aseguró que les gustaría. Después sonrió y dijo que estaba pensando en invitar al *Heini* a la boda. El *Heini* era Heinrich Himmler, y solo sus amigos íntimos y los locos se referían a él por su apodo. Rahn no era un amigo íntimo.

Bachman contestó que el *Reichsführer* estaría encantado con la invitación.

—Al menos, eso hará que se fije en que estás sentando la cabeza. ¿Quién sabe? ¡Puede que asista! Me ha dicho más de una vez que tu problema es singular: debes casarte y tener hijos. Si no, no tendrás nada que ancle tus sentimientos.

—Astrid me anclará con fuerza al suelo —les dijo Rahn—. Cambiaré, ¡os lo prometo! ¡Ya lo veréis!

—¿Cuándo se lo vas a pedir? —le preguntó Elise.

—Estoy reuniendo valor, pero creo que pronto.

—Yo no lo retrasaría —repuso Bachman, con una mirada de advertencia que notaron tanto Elise como Rahn. Estaba a punto de suceder algo terrible.

Aquella noche, mientras se preparaban para acostarse, Bachman le dijo a Elise que estaba preocupado por Rahn, y ella intentó consolarlo. Las cosas mejoraban, apenas se había emborrachado, ¿verdad? Y parecía ir en serio con la chica, Astrid. Mientras lo decía, se le ocurrió que, efectivamente, Rahn hablaba de ella con una seriedad lúgubre, incluso se preguntó si no sería una broma morbosa, una oscura referencia al suicidio. Algo terrible acechaba tras sus ojos cuando hablaba de ella, y Elise se preocupó, porque, a pesar de todo, lo amaba.

—No estoy seguro de que pueda salvarse a estas alturas, Elise. Himmler ha ordenado una investigación. Tengo órdenes de no decirle nada, pero la situación es muy delicada, y nuestro amigo podría perderlo todo.

—¿Por qué? ¿Tan terrible es lo que haya hecho?

—No es lo que ha hecho, es lo que es. —Al ver que ella lo miraba, desconcertada, añadió—: Se teme que haya estado ocultando cosas.

—¿Qué clase de cosas?

—Que es judío, en primer lugar. Respondió con evasivas cuando lo presionaron para que entregase los documentos que prueban su pureza racial, así que Himmler ha decidido que tiene algo que esconder. Ha solicitado que alguien le eche un vistazo en profundidad a la historia de su familia.

Como entre sus propios antepasados había judíos de Europa oriental que habían tenido éxito en los negocios tras su llegada a Alemania, Elise se estremeció de miedo. ¿A eso habían llegado? ¿A desenterrar las historias familiares?

—Creo que ésta debería ser nuestra última cena con Otto durante un tiempo —comentó Bachman—. Deberíamos apartarnos un poco, por si el informe confirma lo peor.

—¿Y qué le decimos a Sarah? ¡Quiere mucho a su tío!

—Dile lo que le has dicho otras veces, que tiene trabajo y no puede venir con tanta frecuencia como antes.

—¡Pero estás hablando de cortar en seco sus visitas!

—Si resulta ser judío, Elise, ninguno de nosotros puede tener nada que ver con él, ¡y menos Sarah!

Soglio (Suiza)
Jueves, 13 de marzo de 2008.

El pueblo de Soglio estaba en la falda de una montaña que daba al valle Bregallia y a los glaciares perennes que culminaban la sierra del Piz Cengalo y el Piz Badile. El pueblo se había creado hacía trescientos o cuatrocientos años y estaba construido en su mayor parte con piedras grises y madera vieja. En el centro estaba el hotel Salis, antes el Palazzo Salis. El hotel llevaba funcionando más de un siglo, aunque el nombre de Salis era uno de los más antiguos de la región. La familia había hecho fortuna vendiendo soldados mercenarios suizos a los monarcas de Europa.

Había una sola carretera que subía por la montaña a través de exuberantes arboledas de enormes castaños y llegaba a una gran zona de aparcamiento a las afueras del pueblo. Para ir en coche por la aldea hacía falta un permiso especial. En aquella época del año, un día frío y soleado de marzo, el aparcamiento estaba prácticamente vacío, salvo por los coches de los treinta o cuarenta residentes fijos.

El hotel Salis estaba abierto, por supuesto. Era un palacio del siglo XVII con habitaciones para huéspedes que prometía buena cocina. En la parte delantera del edificio había una plaza en la que convergían tres callejones adoquinados. En la parte de atrás había un jardín con los dos árboles más altos de Europa: secuoyas traídas de vuelta al hogar por los emigrantes a finales del XIX. Más allá del jardín se veía una enorme ladera arbolada.

En marzo de 1997, Roland Wheeler llevó a su hija allí para reunirse con su padrino, Giancarlo Bartoli. Padre e hija pasaron la noche en el hotel, y Giancarlo cruzó la frontera italiana en coche a la mañana siguiente y se reunió con ellos en la habitación de Kate.

Kate pidió la misma habitación que en aquel viaje y, sorprendentemente, pasó una noche muy cómoda. Sin duda era por el aire fresco de la montaña y aquel silencio que tan poco experimentaba la gente moderna. Tomó un desayuno ligero a la mañana siguiente y volvió a su cuarto, cojeando con las muletas. Una vez allí se sentó y esperó al hombre en el que antes confiaba como en un padre.

Giancarlo llegó con un conductor y un guardaespaldas adicional. Su Mercedes verde oscuro no tenía permiso, pero nadie le pidió a su chófer que lo apartase cuando aparcó en medio de la plaza. Giancarlo parecía incómodo al cruzar la calle. Envió a uno de los guardaespaldas a la habitación de Kate, y Kate pensó que el hombre pensaba matarla, pero no era más que simple paranoia. A Giancarlo no le gustaba estar tan cerca de sus crímenes.

El guardaespaldas dijo que tenía que examinar el cuarto antes de que el *signor* Bartoli subiese. Kate le permitió hacerlo con libertad. Después de buscar dispositivos de grabación y armas tanto en ella como en la habitación, pasó un escáner electrónico por las paredes, en busca de cualquier dispositivo de transmisión. Una vez hubo acabado, cogió el móvil de Kate y bajó. Unos minutos después, Giancarlo subió las escaleras y entró en el cuarto de Kate. El anciano examinó el lugar con curiosidad, al parecer rebuscando en sus recuerdos, y al final asintió, como si apreciase el sentido de la ironía de su ahijada. Sí que era la misma habitación en la que le había prometido encontrar al asesino de Robert Kenyon.

No se besaron, como hacían siempre. Giancarlo se quedó junto a la puerta, incómodo, y dejó el móvil de Kate en una mesa cercana. Ella se quedó sentada en su silla. Sin sonrisas ni saludos.

—¿Maté yo a Robert? —le preguntó él esbozando una sonrisa falsa.

El mensaje de Kate decía que conocía la identidad del asesino de Robert y que quería reunirse con él en Soglio, en el hotel Salis, a las diez en punto de la mañana del jueves.

—Nadie mató a Robert —respondió ella—. Ya lo sabes, y ahora lo sé yo también.

El anciano esbozó una sonrisa casi auténtica.

—¿Ahora es cuando te digo que no sé de qué me hablas?

—No lo hagas —repuso ella, notando que la furia ante aquella traición la ahogaba—. No sigas mintiendo. Mátame si quieres, ¡pero deja de mentir!

—De acuerdo. Robert está vivito y coleando. ¿Contenta?

—Casi. Quiero saber por qué.

—Es una historia antigua —repuso Giancarlo sacudiendo la cabeza—. Ya no tiene importancia.

—Para mí sí.

—Algunas personas de la Cámara de los Lores empezaron a investigarlo. Se decía que iban a acusarlo de traición.

—Me dejaste subir a esa montaña, sabiendo que me matarían…, y todo por un traidor.

—¡No! Ayudé a Robert a solucionar sus problemas financieros. No me dijo que tú formabas parte de su desaparición.

—Fue un asesinato, no una desaparición.

—Luca y yo sabíamos lo del dinero, pero Robert se encargó del resto él solo. De haberlo sabido…

—Lo sabías. Lo vi en tus ojos el día de la boda. Pensé… ¡pensé que te habías puesto sentimental! Y no, era porque lo sabías.

—¡Sabía que te rompería el corazón! ¡Sabía que pensaba dejarte viuda!

—Viuda y pobre.

—Tú nunca has tenido problemas económicos, Katerina —repuso el anciano apartando la vista.

—Fue por el dinero, ¿verdad? Por eso se casó conmigo. Vio que acababa de hacerme con un fideicomiso de diez millones de libras, ¡y se lo llevó porque podía hacerlo!

—A Robert le importabas mucho.

—A Robert solo le importa Robert. Lo que no puedo comprender es por qué tú no lo ves.

—¡He visto el cariño en sus ojos! ¡Lo que le dolió perderte!

—Deja que te cuente lo mucho que le duele: envió a unos asesinos a matarme en Hamburgo.

—¡Porque no dejabas de buscar a su asesino! ¡Te dije...!

—Dime dónde encontrarlo.

—No puedo.

—¡Me lo debes!

—No puedo traicionar un juramento.

—¿Un juramento?

—Hice un juramento sagrado, igual que él —explicó Giancarlo—. No podemos romperlo, Katerina. No sé si lo entenderás, pero no puedo romperlo.

—Me parece que, hagas lo que hagas, estarás rompiendo un juramento sagrado. ¿Recuerdas estar en la casa de Dios y jurar protegerme si les pasaba algo a mis padres? ¿Recuerdas ese juramento? —Bartoli no respondió—. Mi padre y mi madre están muertos, Giancarlo. ¿Dónde está mi protección?

—Katerina...

—¡No soy tu pequeña Katerina! Ya no. Haz honor a tu juramento, ponte de mi lado, como un padre haría con su hija. ¡Dime dónde está!

—¡No sabía que pensaba hacerte daño!

—¿Estamos hablando de la primera o de la segunda vez que intentó matarme? ¿Estaba él allí? ¿Estaba en Zúrich observándonos mientras hablábamos? ¿Observándome?

—Deja que hable con él. Si aceptas dejarlo correr...

—No, no acepto nada. Su palabra y su juramento no valen nada. Dime dónde encontrarlo y terminarán tus obligaciones conmigo. Créeme, nunca más te pediré nada.

Giancarlo no respondió. A ella le pareció un hombre perdido en una encrucijada.

—¿Qué quieres? —le preguntó ella, al ver que no rompía su silencio—. ¿Quieres dinero? ¿Quieres… no sé… diez millones de euros? ¿Veinte? Ya sé lo importante que es para ti tener «suficiente» dinero. ¡Dios no quiera que lo pierdas todo y acabes en la cuneta!

—¿Hemos acabado? —preguntó él reaccionando al insulto con una mirada fría y oscura.

—No, tú y yo no habremos terminado hasta que me digas dónde está.

—¿Me estás amenazando?

—¿De verdad quieres ir a la guerra por un hombre que asesina a sus amigos? ¿Quieres saber por qué sigo con vida? Porque Robert es avaricioso. Podría haberme asesinado y poner fin a sus problemas, pero vio la oportunidad de hacerse con el dinero de Jack Farrell y no pudo resistirse. ¿Te contó esa parte, la parte en que asesinó a su propio primo para poder robarle quinientos millones de dólares?

—¡Eso no es cierto! Jack está...

—Jack está muerto. ¿No lo sabías? ¿Creías que se había escapado? Deja que te diga la verdad sobre tu amigo, el buen lord Kenyon: si supiera que podía salir airoso, también iría a por tu dinero. —Como Giancarlo no contestaba, siguió insistiendo—. ¿Sabes lo que pienso? Creo que quieres decirme dónde está. Creo que Robert te ha decepcionado con su traición, sus robos y sus intentos de asesinarme. Creo que te hace gracia que no lograse matarme en Hamburgo. Creo que le eres leal por un juramento que antes significaba mucho para ti, pero que ya no vale nada. ¡Creo que, en el fondo, lo odias a él y al juramento que hicisteis!

Giancarlo se volvió y se marchó sin responder.

Kate se asomó a la ventana para verlo cuando saliese del hotel. El conductor y el guardaespaldas se pudieron firmes en cuanto apareció Giancarlo, y ella contempló su figura alta y delgada mientras se dirigía a la plaza.

El guardaespaldas le abrió la puerta de atrás del Mercedes y volvió a posición de firmes, pero, antes de entrar, Giancarlo se quitó el abrigo y lo dobló con esmero, mirando a su alrededor. ¿Esperaba un tiro desde un tejado o era una señal para que sus hombres entrasen? No sabía leer su expresión y, de repente, se dio cuenta de que nunca había sabido hacerlo. Como con Robert, el cariño de aquel hombre era un engaño.

El anciano se sentó en el asiento de atrás, y el guardaespaldas se dirigió al asiento delantero. La aldea quedó en silencio durante un largo segundo.

Al final, como no podía ser de otra forma, el hombre miró hacia la ventana de Kate. Se miraron a los ojos brevemente, hasta que el coche se alejó.

Kate observó los tejados y callejones. La aldea seguía en silencio. Esperó hasta estar segura de que se había ido y, finalmente, decidió que había juzgado mal la educación del viejo, igual que todo lo demás. Estaba preparándose para llamar a Ethan y Malloy, que la esperaban a los pies de la montaña, cuando sonó el teléfono.

—¿Sí? —respondió.

—He estado pensando que llevas muchos años sin visitar mi granja de Mallorca —dijo Giancarlo—. Puede que te venga bien pasarte por allí un par de días, hasta que se te cure la pierna. Eso sí, asegúrate de llegar antes del lunes. Me han dicho que el tiempo podría empeorar por esas fechas.

—Gracias —susurró ella.

—Ten cuidado.

Mallorca (España)
Sábado, 15 de marzo de 2008.

La isla de Mallorca, famosa por sus playas, sus famosos y sus largas fiestas nocturnas, seguía siendo agrícola en gran parte de su zona interior. Unas cuantas carreteras buenas conectaban las costas, y otras tantas comunicaban los pueblos, pero el resto de la isla tenía bastantes carreteras desiguales y estrechas.

El estilo de vida era pausado. Los granjeros paraban los camiones para hablar con los vecinos. Era una existencia tranquila y pacífica que seguía más o menos igual que cuando el padre de Giancarlo Bartoli construyó su gran casa en lo alto de una meseta elevada con vistas a varias paratas de olivos.

Robert Kenyon nunca había sentido ningún aprecio por la granja, era demasiado tranquila, demasiado aislada. Luca y él montaban fiestas en la casa para hacerla más soportable cuando iban de jóvenes a la isla. La primera vez que había ido con su nueva identidad, después de cortar con su antigua vida, David Carlisle comprendió lo que le gustaba a Giancarlo de la granja. Poco después lo dispuso todo para alquilarle la propiedad a una de las empresas de Bartoli. Durante los últimos años había pasado allí todo el tiempo posible, porque era un lugar seguro. Allí no le preocupaba encontrarse por accidente con un rostro de su pasado, ni tampoco tenía que cambiar de pasaporte para cruzar las fronteras. Sabía que algo iba mal si el vecino no pasaba por delante de su cancela a las diez de la mañana y volvía a las once. El vino era bueno. Podía escalar las rocas, y el calor, incluso en primavera, hacía que se disolvieran los miedos que acosan a todos los fugitivos.

En aquellos momentos, el aislamiento de la granja era un lujo. Helena Chernoff había desaparecido. Como hablaron por última vez antes de que fuese tras Malloy, se imaginaba que la estaban interrogando. Era una tontería pensar que alguien podía resistirse a un interrogatorio, porque, al final, todo el mundo hablaba. ¡Todo el mundo! En aquel tipo de situaciones se podía medir el valor en horas.

El alias de Chernoff, Christine Foulkes, saldría a la luz. Si eso pasaba, todos querrían hablar con los paladines. Los paladines confesarían no saber nada sobre la implicación de Chernoff, pero se reunirían con los investigadores. Desde la muerte de Robert Kenyon habían procurado evitar cualquier contacto público con David Carlisle y Christine Foulkes, y enviaban a sus representantes a las reuniones anuales de los paladines. Podían afirmar (y nadie lograría probar lo contrario) que no tenían ni idea de que Foulkes era Helena Chernoff o que David Carlisle era en realidad Robert Kenyon, de vuelta de entre los muertos. Por otro lado, Carlisle no sobrevivía a una investigación, aunque fuese solo superficial. Tendría que deshacerse de su identidad y empezar de nuevo. Casi todo su efectivo estaba a salvo, porque había trasladado su dinero a bancos que lucharían con uñas y dientes antes que delatarlo, pero perdería sus inversiones menos líquidas, unos cincuenta millones de libras en bienes inmuebles. Era el precio de los negocios.

Luca iría a verlo a Mallorca el lunes con tres pasaportes inmaculados, le quedaban menos de cuarenta y ocho horas de espera. Aunque Chernoff se rindiera rápidamente, lo que no era probable, creía poder disponer de ese tiempo, aunque, claro, no estaba seguro. La asesina podía haber llegado a un acuerdo. A cambio de una celda privada con ventana podría haberles contado dónde encontrarlo. En cualquier caso, esperar allí era mejor que arriesgarse a cruzar alguna frontera. Quizá hubieran descubierto ya sus alias. Ni siquiera los pasaportes lo libraban de todos los problemas. Los números de teléfono y pisos francos en los que antes confiaba podrían convertirse en trampas. Sus amigos y contactos podrían estar vigilados o listos para entregarlo a cambio de su propia libertad. Casi todas las personas que conocía se habían convertido en amenazas en potencia, así que no se trataba tan solo de un cambio de nombre: iba a tener que empezar de nuevo.

Mallorca (España)
Domingo, 16 de marzo de 2008.

Armados con gafas de visión nocturna y chalecos antibalas, Ethan y Malloy ascendieron por las colinas en paratas de la granja de Bartoli, bajo la luz de una pálida media luna. Finalmente se detuvieron en una cresta a poco más de cien metros del muro exterior.

—Esta es la zona —dijo Ethan comprobando el GPS. Aparte de la Colt del ejército que llevaba en el cinturón, cargaba con un fusil DobleStar Patrol con silenciador. La mira de visión nocturna acoplada era una Morovision-740 G3. El arma estaba configurada como el popular M-4 que usaban los pelotones de tanques estadounidenses. Tenía un cañón corto y un cargador curvo similar al del Kalashnikov. Contaba con varios cargadores de recambio, aunque ninguno de los dos esperaba necesitarlos. Tras cargar el primero, metió una bala en la recámara y echó un primer vistazo por la mira.

—Bonito —susurró.

Malloy sabía que estaba examinando un paisaje nocturno que, de repente, se había vuelto verde. Un punto rojo de luz servía para apuntar.

—Puedes probar a mirar por allí —comentó Malloy, señalando a las paratas, a un punto equidistante de la casa.

Examinó de nuevo el área para asegurarse de que no había nadie. Ethan colocó el fusil en un trípode y seleccionó un solo disparo. Se tomó un momento para calmarse y apretó el gatillo, apuntando a un grupo de olivos retorcidos. El silenciador era de última generación, y solo el mecanismo que expulsaba el casquillo hacía un poco de ruido. Ethan jugueteó con la mira y volvió a probar. Después de un tercer disparo dijo:

—Todo bien.

Después se volvió hacia la casa.

Malloy llevaba un escáner térmico MilCam LE. Era capaz de encontrar imágenes térmicas incluso a través de muros de piedra. En la primera exploración de la casa no encontró a nadie en la planta baja. En lo que Kate había dicho que era el dormitorio principal, en la planta de arriba, descubrió dos lecturas de calor, de un hombre y una mujer, ambos en la misma cama. En la caseta de entrada, a unos ochenta metros al sur de la parte delantera de la casa, encontró a dos hombres en dormitorios separados. Según Kate, la caseta la utilizaba el personal de seguridad, normalmente gente de Bartoli cuando él ocupaba la casa. De lo contrario, no había nadie. Aquellas personas eran, sin duda, los guardaespaldas de Kenyon.

Malloy le pasó a Ethan el escáner y señaló a la casa, dejando que localizara al hombre y la mujer.

—¿Qué te parece? ¿Irina Turner?

—Con mucha suerte, sí —susurró Ethan.

Malloy utilizó su móvil y oyó la voz de Kate.

—Sí.

—Hay un hombre y una mujer el dormitorio principal. Dos hombres en el piso de arriba de la caseta, dormitorios separados.

—Tres minutos —contestó ella.

Él se lo dijo a Ethan y siguió examinando el patio. Había una amplia zona de césped bien iluminada delante de la casa, después la caseta y el muro. Al otro lado del muro, al este, había unas rocosas tierras de pastos que daban a una pared de roca natural y a la montaña que quedaba detrás. Al oeste, la meseta continuaba casi un kilómetro antes de elevarse abruptamente y convertirse en terreno montañoso. En aquella zona, Malloy encontró algunos edificios, incluida la cabaña del guardés. El guardés estaba en la cama con su mujer, que también era gobernanta y cocinera. Según Kate, era una granja en funcionamiento, aunque, aparte del guardés y su esposa, todos los trabajadores vivían en el pueblo, a cinco kilómetros montaña abajo.

Siguió observando las lecturas de calor en busca de un vigía, pero la colina estaba tranquila. Poco más de un minuto después de la llamada a Kate, Malloy oyó el gemido lejano de una avioneta. Movió el escáner para apuntar por encima de la casa y vio las formas frías y oscuras de los cantos rodados que fortificaban la parte de atrás de la granja. Las rocas se elevaban de manera casi vertical unos treinta metros. Más allá de los cantos rodados solo veía más rocas y ascensos escarpados, un refugio seguro para un escalador. Los cantos rodados estaban a unos trescientos metros, todavía dentro del alcance del arma de Ethan.

Bajó por los muros exteriores con el escáner y se detuvo para echarle otro vistazo a la caseta. Los dos hombres seguían sin moverse. En la casa, Kenyon daba vueltas en la cama.

Malloy oyó a Kate por el intercomunicador.

—Estoy a quinientos metros.

Un instante después se apagaron las luces de seguridad que rodeaban la casa, y toda la montaña quedó a oscuras.

David Carlisle no había vuelto a dormir bien desde que saliera de Nueva York. Quería echarle la culpa a los vuelos de Hamburgo a Nueva York y de Nueva York a Mallorca, con las seis franjas horarias en medio, pero sabía que no era eso. Lo cierto era que, de repente, se sentía vulnerable y, peor aún, no podía hacer nada para remediarlo, salvo esperar. Dos noches sin dormir se habían convertido en tres.

Se levantó y arrastró los pies a oscuras hasta el baño del dormitorio principal. Mientras se lavaba las manos con la luz encendida, examinó su rostro en el espejo. Había sido David Carlisle durante once años, incluso para sus amigos íntimos. Lord Robert Kenyon estaba muerto. No quiso ni deslices, ni rumores. Nadie lo había llamado Robert ni una sola vez. Hasta él mismo se consideraba David Carlisle, aunque, claro, no había sido difícil. El nombre no forma parte de la esencia de un hombre. El nombre se puede cambiar y seguir siendo la misma criatura. La voz interior no tenía nombre, cosa que descubrió después de matar a Robert Kenyon. Un nombre no era más que una comodidad para uso del mundo exterior, no un camino hacia el interior. Lo curioso era que había llegado a comprender que un nombre sí servía para unirte al mundo. Sin él, su esencia seguía inalterable, pero no estaba conectado a nada. Eso significaba que, en aquel preciso instante, se encontraba sin identidad y, por tanto, sin anclaje. ¿Era David Carlisle o un fugitivo? ¿O debería considerarlo en términos de su siguiente alias..., sean cuales fueran el nombre y la nación que Luca decidiera asignarle? ¿O se había convertido en el resucitado lord Kenyon, a pesar del nombre de su pasaporte nuevo? En las listas de los más buscados, seguro que aparecería como Robert Kenyon, con todos sus títulos incluidos. Se imaginaba cómo utilizaría la prensa amarilla el asunto, con el inevitable sobrenombre de «el asesino inglés». Sin embargo, como todavía no había pasado nada, ¿seguía siendo David Carlisle?

Apagó la luz. Hasta entonces nunca había tenido problemas para distinguir el yo, el mí y el tú de sus pensamientos, la sagrada trinidad de su cabeza. Los alias no habían sido más que instrumentos, pero ya no estaba tan seguro: era un hombre en una isla viviendo en lo alto de una montaña..., nada más.

Volvió a la cama y miró la hora en el reloj digital: las doce y cincuenta. Allí estaba él, en plena noche, pensando en chorradas. En realidad, era una hora muy apropiada para irse a dormir, de no haber estado tan cansado por culpa de las dos noches en vela. Se dejó caer en la cama y abrió los ojos. Tenía insomnio. Sonrió. En los viejos tiempos, cuando le hacían algo despreciable a una mujer, se pinchaban diciendo: «¡Espero que puedas dormir por las noches!». ¡Eso sí que era una estupidez! La culpa no impedía dormir a nadie, sino el miedo y la preocupación. Miró a Irina, sin verla. La mujer había hecho todo lo posible por cansarlo antes, y ahora dormía el sueño de los justos, aunque fuese una zorra asesina. Todavía recordaba su rostro al ejecutar a los agentes españoles y estadounidenses en el aparcamiento de Newark. Se notaba que le gustaba. Para él, matar no era nada agradable. Mataba por una razón y, cuando acababa, punto. Aparte de la adrenalina que generaba el miedo a que lo cogieran o asesinaran, no sentía nada cuando quitaba una vida.

En vez de encender la luz y leer, como seguramente habría hecho de estar solo, se quedó tumbado en silencio, intentando poner la mente en blanco. No tenía nada de lo que preocuparse. El mundo seguiría adelante, daba igual lo que sucediera. Iba a tener que hacerlo como siempre o perecer, como le pasaba a todo el mundo. No había motivo para perder el sueño por ello.

Para Irina, empezar de cero siempre había sido parte de su plan. Se había llevado un tercio de la fortuna de Jack Farrell a cambio de su trabajo y había renunciado a una vida de confidencias al servicio de uno de los capitanes de Hugo Ohlendorf. Así se había ganado una nueva identidad y un asiento en el consejo. Él le había llevado su nuevo pasaporte a Nueva York, y juntos habían salido del país, después de teñirle un poco el pelo para disfrazarla. Ella decía que le resultaba liberador convertirse en otra persona. Por supuesto, mientras lo decía todavía estaba manchada con la sangre y el hedor de los asesinatos. ¿Era liberador? Pensó en sus primeros días como David Carlisle. Había sentido algo de placer, sí. Volver para asesinar a los que habían ido tras él resultó ser una experiencia especialmente liberadora, pero, en general, no tenía claros sus sentimientos al respecto y, sin duda, no era algo que quisiera hacer dos veces en la vida.

Contempló la sombra de Irina a su lado. Podría haberse ido después de los dos primeros días en la granja, como tenían previsto inicialmente: celebrarlo un poco y separarse, para que ella pudiera empezar con su nueva vida. Cuando tuvieron noticia de lo precario de la situación de Carlisle, Irina decidió quedarse. Podría pensarse que lo había hecho por lealtad, pero conocía demasiado bien la naturaleza humana y sabía que la mujer estaba tomando posiciones. Con Helena descartada, alguien tenía que sustituirla. ¿Quién mejor que su protegida? Incluso había mencionado que podría quedarse con la red de Hugo Ohlendorf. Al menos no le faltaba ambición.

No sabía cuánto tiempo llevaba tumbado en aquella penumbra, entre el sueño y la conciencia, intentando resolver asuntos que tenían que resolverse. Puede que lograra dormirse en algunos momentos, aunque siempre acababa despertando. Quizá fuese una crisis de identidad. Entonces pasó algo, un sonido. Se espabiló y prestó atención. No, un sonido no. En realidad había estado oyendo un sonido que, de repente, había cesado. La casa estaba demasiado en silencio. Entonces cayó en la cuenta: antes funcionaba una bomba, que se había parado a medio ciclo. Se volvió y vio que el reloj digital estaba apagado. Miró por la ventana y contempló el cielo de color gris. Las luces de seguridad que siempre iluminaban la noche tampoco funcionaban.

Alguien había cortado la electricidad.

Capítulo doce

Mallorca (España)
16 de marzo de 2008.

KATE SE DEJÓ CAER DEL CESSNA A DOSCIENTOS METROS de altura. El viento le soplaba en los oídos como si fuese un huracán y el corazón le latía a mil por hora, a reventar de adrenalina, como siempre le sucedía cuando saltaba de un avión y empezaba la caída libre. Adoraba el terror de la aceleración, los segundos que se alargaban eternamente en su camino hacia el suelo.

Hasta el salto, Kate solo pensaba en acabar con su objetivo. Su objetivo. Bonita forma de llamar al hombre con el que se había casado. Se había ocupado de los detalles como hacía siempre que planificaba un trabajo. Una vez terminada aquella fase, todo salía según lo previsto... o no. No podía ajustarse ni modificarse nada, y no se podían prever más contingencias de las contempladas. De repente, dejó de ser el objetivo para convertirse en Robert: el traidor, el mercenario, el asesino, el mentiroso, el ladrón. Su ex, en todos los sentidos negativos que podía tener la palabra.

Cuando todavía estaban hablando del hombre que había matado a Robert, T.K. elaboró un perfil del culpable y sugirió que se trataba de un cobarde sin el valor suficiente para ocuparse de sus propios problemas. Era un insulto reconfortante contra un adversario odiado y todavía desconocido. Ahora que sabía quién era el hombre que buscaba, Kate no estaba todavía lista para reconocer nada parecido. Estaba convencida de que Robert tenía valor. Se defendería y la mataría, si podía. Sin embargo, había algo en su carácter que no lograba definir. Por muy sociópata que fuera, aquel hombre tenía sentimientos. «Corta la cuerda». La había empujado a posta y la había lanzado al precipicio. Kate era consciente de ello, pero Robert sabía que estaba atada a un anclaje. Empujarla no era un intento de asesinato, y no había cortado la cuerda, como tendría que haber hecho de haber deseado asesinarla. Le había dicho a uno de los austriacos que lo hiciera, casi como una idea de última hora.

¿Por qué? El rostro que veía ante ella mientras caía al abismo todavía la preocupaba. Nunca había entendido aquella expresión, aunque le daba la impresión de que quizá su marido se hubiese enamorado de ella, en cuyo caso, sería una expresión de pesar. Sin duda, había representado muy bien el papel de amante cariñoso y, en aquellos últimos días, lo había visto cada vez más pensativo, como si le diese vueltas a alguna decisión. La noche del Eiger parecía melancólico. ¿Había estado considerando sus opciones, preguntándose si, aparte de todo lo demás, debía perderla a ella también? ¿Había estado pensando en... no matarla? ¿En decirle que tenía problemas y esperar que no lo abandonara? Debería haber sabido que solo tenía que preguntarlo, que ella se habría ocultado con él. No albergaba duda alguna sobre el hombre al que amaba; la única moralidad que le importaba era el amor. Entonces, ¿por qué Robert no le había dicho nada? ¿Por qué la había llevado a la montaña para matarla?

Se decía que daba igual, que él había elegido su camino aquella noche y que los dos tuvieron que vivir con las consecuencias, pero seguía dándole vueltas a por qué se había negado a cortar él mismo la cuerda. Le habría resultado fácil, puesto que no veía a Kate, sino tan solo el trozo de cuerda que tenía delante. Podría haberlo hecho él mismo, en vez de pedirle a uno de los austriacos que lo hiciera. La única conclusión lógica era que sentía algo por ella y no era capaz de matarla con sus propias manos.

Lo que más odiaba de él era aquella chispa de humanidad que vislumbraba en su alma… si eso es lo que era. Hacía que dudase de sí misma y de lo que pretendía. Lo convertía en algo más que un cobarde despreciable al que tenía que destruir. Después de los años de luto que le había dedicado, quería que el final quedase muy claro. Quería que Robert sintiera el daño que había causado. Sin embargo, se pasó los últimos instantes de la caída libre pensando en por qué no había cortado la cuerda.

Robert se había convertido en la persona más importante de su vida, más incluso que su propio padre. No había dejado que Ethan le hiciera sombra, y Ethan, que era el hombre más listo y valiente que había conocido, soportó sus comparaciones silenciosas sin una palabra de queja. Había aceptado que un hombre muerto lo dejase en segundo lugar porque era el único lugar que ella estaba dispuesta a ofrecerle. Y, a pesar de todo, Ethan se enfrentaría a cualquier peligro por ella. Incluso la había dejado ir sola, porque sabía que era su batalla. T.K. se resistió, pero Ethan lo entendió perfectamente. Era lo que Kate necesitaba, aunque le costase la vida: era su venganza, algo que llevaba esperando más de una década.

Robert había jugado a amar. Si al final el amor lo había atrapado, si de verdad había llegado a sentir algo, no dejó que eso lo detuviese. Se olvidó de su afecto por dinero. Aquel era el quid de la cuestión. En el fondo era un estafador, usaba las emociones de los demás en beneficio propio. Era una cara bonita; sus sonrisas eran bellas y excepcionales; su ingenio rápido, sin llegar a resultar cruel. Sin embargo, en vez de alma y corazón tenía huecos vacíos.

Hasta Luca lo sabía, por eso la había enseñado a luchar. No traicionaría a Robert, porque hacía honor a su juramento, igual que Giancarlo, pero, si Kate lograba encontrar a Robert sola, Luca quería que estuviese preparada.

Aquella era la clase de amistad que Robert Kenyon inspiraba en los que de verdad lo conocían.

Carlisle rodó hacia Irina en cuanto entendió lo que sucedía. La tocó y susurró:

—¡Ha entrado alguien!

No lo dijo en voz alta, pero pensó que se trataba de Kate.

Oyó a Irina moverse sin verla hasta que pasó por delante de una ventana y distinguió su silueta desnuda contra el cielo gris. Carlisle le dio la espalda, y cogió los pantalones y la sudadera que tenía en una silla cerca de la cama. Buscó en el armario sus zapatos de escalar y una chaqueta, y sacó la pistola y la pistolera de la mesita de noche.

Entonces oyó cómo se rompían cristales de la caseta.

El paracaídas de Kate se abrió con un chasquido tranquilizador que frenó su caída a ciento sesenta kilómetros por hora en los últimos metros. Con las gafas de visión nocturna en su sitio, se pasó los segundos siguientes examinando la casa y maniobrando. Aunque iba bien para aterrizar en el tejado, estaba deseando comprobar la dirección del viento antes de bajar más. Siempre había corrientes en las cercanías de las montañas, pero eran silenciosas y, a veces, tan impredecibles como la lluvia de primavera.

Se arriesgó a mirar hacia la caseta y después a la montaña que se erguía detrás de la granja de Bartoli. Cuando estuvo allí con Luca para aprender a luchar, pasó muchas horas en aquellas rocas sin usar cuerdas, ante la insistencia de Luca. Había estado varias semanas practicando con armas y reventando alarmas. Al principio, las rocas la aterraban, aunque después empezaron a aclararle la mente y a devolverla durante una hora a la inocencia perdida en el Eiger.

A quinientos metros, Kate avisó sobre su posición. A los trescientos se dejó caer trazando un perezoso círculo, hasta por fin dar con algo de viento. Antes de bajar demasiado, cogió los mandos con la izquierda y saco el lanzagranadas de una de las pistoleras que llevaba en los muslos. El arma parecía un revólver grande. Disparó tres granadas contra la ventana del piso superior de la caseta. Cuando oyó ruido de cristales rotos, tiró el arma.

Carlisle se acercó a la ventana del dormitorio. El patio estaba a oscuras, no podía distinguir ni los árboles, ni la caseta. Kate estaba allí fuera, aunque todavía no pudiera verla. Siempre había sabido que así sería como iría a por él… las pocas veces que se había permitido pensarlo. «No hay furia mayor que la de una mujer desdeñada».

Tres explosiones sacudieron la caseta, una detrás de otra; después estalló una tubería de gas, y el fuego iluminó brevemente el patio delantero.

—¿Qué ha pasado? —preguntó Irina.

—La caseta —respondió.

La policía no funcionaba así, tenía que ser Kate.

—¿Cuántos vienen, David?

Él examinó las sombras. Pensó en Kate, Ethan Brand y Malloy. Habían logrado salir de Hamburgo de una pieza y se disponían a matarlo, justo lo que Giancarlo le había advertido que sucedería.

—No lo sé. No veo a nadie...

Kate bajó flotando hasta el tejado inclinado, moviéndose para que su paracaídas aprovechase la brisa en el último momento y la dejase aterrizar suavemente, apoyando el peso en la pierna buena.

En cuanto lo hizo, recogió la tela y la enrolló en una de las chimeneas, para evitar que traicionase su posición. Sacó una larga cuerda del cinturón y la ató a la chimenea del dormitorio principal. Después bajó por el tejado agarrándose de la cuerda, manteniéndola tensa. Se asomó a las canaletas para echar un vistazo a la ventana del dormitorio. A continuación, dejó la cuerda caer al lado de la ventana para calcular la cantidad que necesitaba.

Subió de nuevo la cuerda, sujetándola justo por debajo del punto que había quedado bajo el marco. Volvió a subir un par de pasos por el tejado y susurró:

—¿Dónde están, T.K.?

—Estás justo encima de ellos —respondió Malloy por el intercomunicador.

Kate sacó la Uzi de la pistolera del otro muslo, quitó el seguro, respiró hondo, apuntó hacia el tejado y disparó.

Unas cuarenta balas atravesaron el techo durante los primeros segundos del ataque. Arrancaron trozos de yeso y cayeron sobre el suelo de madera. Carlisle e Irina se lanzaron sobre el pasillo antes de responder disparando al techo.

—¡No veo lecturas de calor! ¿Chica? Hazme una señal si me oyes.

En cuanto cayeron los cargadores, Kate salió por el hueco de la chimenea del cuarto y descargó el Colt contra la pared: siete disparos a la altura de la cintura. Después rodó hacia la puerta abierta, soltó el cargador vacío y metió el segundo.

De repente, la casa se quedó en silencio. Notaba que seguía cayendo polvo de yeso y veía el marco de la ventana de la habitación que tenía en frente, un cuadrado gris de luz pálida. Todo lo demás estaba a oscuras.

Esperó, oyó algo (el crujido de una persiana, creyó distinguir) y disparó de nuevo contra las paredes. Esta vez, mientras recargaba, una pistola respondió: diez disparos a intervalos regulares. Uno de ellos le acertó en el chaleco, a punto de darle en la cabeza. Kate retrocedió de un salto, asustada y sorprendida, y después se apartó de la línea de fuego. Oyó que la madera crujía detrás de ella, así que vació el tercer cargador en la pared y volvió a cargar rápidamente.

Del otro cuarto no llegaron más disparos. ¿Habían huido? ¿Estaban muertos? ¿O reservaban la munición? Necesitaba las gafas de visión nocturna, pero no se atrevía a ceder el terreno que tanto le había costado ganar. Si se retiraba al centro de la habitación quedaría expuesta y sería vulnerable a un contraataque. En aquellos momentos se escondían de ella, y quizá se estuviesen quedando sin balas.

Tenía que llevar la lucha hacia delante, no retroceder.

—Sigo sin encontrar a la mujer.

—Quizá salió por la ventana —le dijo Ethan.

—Veo todas las ventanas —repuso Malloy—. Chica, ¿me oyes? —preguntó. Como Kate no respondía, le dijo a Ethan—: esto no me gusta.

Irina Turner estaba de espaldas a las pesadas piedras de la chimenea, en el dormitorio de invitados. Había vaciado la mayor parte de dos cargadores, puede que le quedasen de cinco a siete balas. No había más cargadores, ni tampoco chaleco. Y no sabía nada de David, ni tampoco de la caseta, aunque no esperaba que hubiese sobrevivido nadie a la explosión. Eso significaba que estaba sola. Lo bueno era que su atacante también parecía estar solo. Era consciente de que llegarían más, pero, por el momento, Irina tenía una oportunidad. Palpó la chimenea hasta dar con un asa metálica y levantarla con cuidado. Era la pala. La dejó con precaución en su sitio y buscó la pieza que la acompañaba. Por fin la localizó: el atizador.

—¡Me rindo! —gritó en español, y después lo repitió en inglés.

—¡Tira la pistola! —le gritó una mujer. Británica, y la voz no le temblaba en absoluto. Tenía que ser Kate.

—¡La tiro! —respondió Irina. Puso el arma en el suelo y la empujó hacia la puerta—. ¡Estoy en el dormitorio que tienes delante, al otro lado del pasillo! Acabo de tirar la pistola.

—¡Quiero que salgas con las manos sobre la cabeza y te pongas en el umbral!

—No puedo levantar las dos manos, ¡estoy herida!

—¡Sal y pon una mano en la cabeza!

—No me dispararás, ¿verdad? —repuso Irina asustada, cosa que procuró reflejar en su voz.

—No te haré daño, ¡pero vas a tener que salir!

Kate salió a rastras del dormitorio principal, con el arma a punto. Veía la sombra de la pistola en el pasillo, al lado de la habitación de enfrente.

La mujer salió de las sombras, con una mano detrás de la cabeza. Cuando su cuerpo quedó enmarcado por la ventana, formando una silueta perfecta, Kate le ordenó:

—¡Párate ahí! —«Rusa —pensó—. Irina»—. ¡Si te mueves, disparo! ¡No te muevas!

—¡No me estoy moviendo!

—¿Dónde está Robert?

—¿Quién?

—¡El hombre con el que estabas durmiendo!

—¡No lo sé! Creo que lo has matado.

Robert podía estar escondido detrás de la puerta o de espaldas a la pared, bajo la ventana, esperando a que diese un paso adelante.

Kate disparó dos veces a la pared a ambos lados de la puerta y después al rodapié a ambos lados de la silueta de la mujer. Soltó el cargador y metió otro.

La mujer chilló y se encogió al oír el arma.

—¡Por favor, no me dispares! —gimió.

—¡La Chica tiene a la mujer! —dijo Malloy.

Ethan llevó el punto rojo hasta la espalda de Kenyon y tensó el dedo en el gatillo.

—Tengo a Kenyon.

—Pues derríbalo.

—De rodillas —le ordenó Kate a la sombra.

—Por favor, no me hagas daño.

—Te voy a esposar —le dijo Kate—. No voy a hacerte daño.

La sombra se arrodilló, sin dejar de gemir.

—Por favor, ten cuidado, estoy herida.

Kate se puso al lado de la mujer y le cogió la muñeca. Tenía que meter el arma en la pistolera para coger las esposas. Mientras lo hacía, Irina se movió con una agilidad sorprendente, y Kate sintió un dolor inmenso en la espalda y el codo.

—¡La Chica ha caído! —gritó Malloy—. ¡La Chica ha caído! ¡Abre fuego!

Ethan apartó el arma de Kenyon, la colocó mirando hacia la casa y la puso en automático.

—¡¡Cúbrela ya!!

Kate cayó al suelo. El chaleco le había protegido la columna, pero tenía el codo derecho roto y nunca había sentido un dolor tan horrible. Intentó centrarse y comprender lo que pasaba, pero aquel suplicio le embotaba las ideas...

Oyó yeso romperse, balas que atravesaban el aire sobre ella, aunque no el ruido de los disparos, así que era Ethan. La estaba cubriendo, ¿por qué?

Entonces lo entendió. Rodó para alejarse justo cuando la barra de acero que le había roto el codo caía sobre la madera junto a su cabeza. Siguió rodando, buscando distancia, y vio que la figura en sombras de la mujer cogía la pistola del pasillo y rodaba por el suelo hacia la chimenea y la oscuridad. Las balas siguieron llegando hasta que se vacío el cargador. De repente, la habitación quedó en silencio. Kate estaba respirando polvo de yeso que hacía que le picasen los ojos. Había sacado el cuchillo de combate por puro instinto, ya que no recordaba haber perdido la pistola, ni haber agarrado el cuchillo.

Miró detrás de ella y examinó la habitación. Tres ventanas. La habitación era grande, casi del tamaño del dormitorio principal. La luz gris que se reflejaba en el suelo y las ventanas ofrecía a Irina la iluminación ambiental suficiente para percibir cualquier movimiento, a pesar de las sombras. El crujido de una tabla del suelo, el susurro de la ropa, un trozo de yeso pisado, lo que fuera, y Kate estaría muerta.

—¡Alto el fuego!

—¿Está bien la Chica?

—Está herida. ¡Está herida!

—¡Voy a entrar! —le dijo Ethan.

Los disparos solo duraron unos segundos, pero fueron como un enjambre de abejas. El yeso de los primeros balazos seguía flotando en el aire, así que ahora parecía una tormenta de nieve.

En el silencio, Irina tuvo tiempo para pensar. Las balas habían llegado desde algún lugar en el exterior de la casa, seguramente desde los olivares. No se oía entrar a ningún equipo por la planta baja, nada se movía en el patio. Ni luces, ni helicópteros.

Todavía tenía tiempo. Examinó la habitación que tenía frente a ella. Le quedaban siete balas, más o menos. Solo necesitaba un movimiento, un ruido, y tendría a Kate.

Escudriñó las sombras, esperando y escuchando, pero no dio con nada. ¿Estaría muerta? ¿O se haría la muerta?

Tras dejar atrás el fusil, Ethan bajó a toda prisa una pendiente de tierra seca salpicada de raíces de olivos. A pesar de tropezar continuamente y de caerse una vez, no dejó de correr hacia el muro. Temía lo peor, solo podía pensar en el pánico de Malloy: «¡Está herida!».

¿Qué significaba eso exactamente? En peligro, herida… ¿muerta? ¿Cuánto tiempo le quedaba antes de que la mujer la rematase? ¿Qué posibilidades tenía? Si Irina Turner era la mujer de la casa, estaba luchando a oscuras, y Kate tenía sus gafas de visión nocturna. Si es que seguía teniéndolas, y si es que seguía teniendo un arma…

Soltó una palabrota entre dientes al ver que se resbalaba de nuevo y caía dando tumbos por una pendiente más empinada que las demás. Se puso en pie e intentó ir más deprisa, aunque se darse de bruces contra una rama baja.

Mientras salía dando traspiés de entre las ramas retorcidas, se dijo que aquello era lo que Kate quería. Había esperado once años, se lo merecía. Era el argumento que Ethan había apoyado, a pesar de las protestas de Malloy. ¿Por qué no lo habría pensado mejor? Las cosas nunca salían como estaban previstas en situaciones como aquella. Lo mejor era entrar con un compañero, cubrirse mutuamente y enfrentarse a lo inesperado. Sin embargo, había querido creer lo que Kate le contaba, que era su lucha, no la de él. Lo único que deseaba Ethan era curarla para siempre, dejarla disfrutar de su venganza y olvidarse de Robert Kenyon de una vez por todas. En aquel momento se daba cuenta de que había pedido demasiado y el error le iba a costar la vida a su mujer.

Insistir en ir con ella solo habría supuesto herir su orgullo, nada más. Siempre habían trabajado juntos. ¿Por qué creía Kate que tenía que hacer aquello sola? Tendría que haberle dicho que...

Tendría que haberle dicho que Kenyon no se lo merecía. ¡Que la policía se encargase de él, como había sugerido Malloy! Pero, por supuesto, ella nunca habría aceptado. No, lo había encontrado y lo obligaría a responder de sus acciones..., aunque eso acabara con ella. Sin embargo, Ethan podría haber ido con ella, de haber insistido lo suficiente. ¡Tendría que haber ido con ella!

Kate mantuvo el cuchillo a la altura de la cintura, sosteniéndolo con el pulgar cerca de la hoja. Podía darle un navajazo a Irina si la mujer se acercaba de repente, o lanzarlo si era necesario.

Pensó que lo mejor era crear la situación ella misma, así que, lentamente para que el ruido de la ropa no la delatara, se puso la hoja del cuchillo entre los dientes y sacó el último cargador del chaleco. Empezó a sacar las balas para depositarlas en la mano derecha, aunque la tenía dormida. Después de vaciar el cargador, cogió las balas y el cargador con la izquierda, y lo lanzo todo al otro lado de la habitación, con la suficiente altura para ganar algo de tiempo.

Cogió el mango del cuchillo con la izquierda justo cuando las balas empezaron a caer como canicas en el suelo de madera. Kate utilizó la distracción para acercarse más. Vio un cañón que disparaba a unos cinco metros de ella, hacia el sonido, y, tras dar un paso, levantó el cuchillo por detrás de la oreja y lo lanzó hacia el lugar del que salían los chispazos.

Oyó un grito de dolor y se lanzó hacia él. Después oyó dos disparos más (al azar, en apariencia) y que la pistola caía al suelo. Chocó con las piernas de Irina y derribó a la mujer. Kate colocó la mano buena sobre el cuerpo desnudo, escuchó los estrangulados gritos de dolor de Irina y vio que tenía el cuchillo clavado en el hombro.

—¡Por favor! —gruñó la mujer—. ¡Estoy herida!

Kate le arrancó la hoja de golpe y fue a por su cuello.

Kate oyó las balas que destrozaban la puerta principal y a Ethan gritar:

—¡¡Chica!!

—¡Estoy aquí arriba! —respondió ella, y rodó para apartarse de Irina Turner mientras la mujer se desangraba, agitando las extremidades débilmente.

De repente, lo único que Kate sentía era el paralizante dolor de un hueso roto. Incluso estar de pie era demasiado. Ethan volvió a llamarla desde el pasillo, en lo alto de las escaleras.

—Estoy aquí —respondió ella, dejando patente en su voz todo el cansancio que, de repente, se le había venido encima.

Cuando Ethan se arrodilló a su lado, su mujer se dio cuenta de que había perdido el conocimiento durante un instante.

—¿Estás herida? —le preguntó él, sosteniéndole la cabeza.

—Me ha roto el codo. —Sin dejar de sostenerle la cabeza, Ethan le tocó el hueso. El dolor fue como una descarga eléctrica—. ¡Ese!

—¿Dónde está tu intercomunicador? —le preguntó él, dejándole la cabeza en el suelo.

—En el dormitorio principal, en algún lugar cerca de la ventana...

Ethan cogió el intercomunicador y abrió el canal.

—¿Estás ahí, T.K.?

—¿Está muy mal, Chico?

—Tiene el codo roto, pero está consciente. La mujer está muerta. ¿Has derribado a Kenyon?

—Lo vi cerca de la cima de las rocas, pero no pude disparar. Voy a llamar, Chico. Creo que no nos queda otra alternativa.

—Dame cinco minutos de ventaja antes de hacerlo.

—Deja que la policía se encargue de él.

—Eso no es una opción, T.K.

—Voy a por Kenyon —le dijo Ethan a Kate, pasándole el intercomunicador—. Quédate aquí y sigue hablando con T.K.

—Deja que se vaya —respondió ella suspirando—. No merece la pena. No... no vale nada.

—No puede hacerte esto y marcharse sin más.

—Fue ella la que me lo hizo.

—No, esto es obra de Kenyon, y va a pagar por ello.

Antes de que Kate pudiera detenerlo, Ethan echó a correr escaleras abajo y salió de la casa. Las rocas estaban a unos cincuenta metros de la parte de atrás de la edificación y se elevaban unos cien metros. Había cantos rodados enormes y bloques monolíticos de piedra negra porosa. Aunque algunas paredes ofrecían cierta dificultad técnica, las ranuras y pendientes suaves permitieron a Ethan subir rápidamente la mayor parte del camino. Atravesó una pared que le resultó complicada, pero solo porque llevaba botas de *trekking*, en vez de calzado de escalada. Cerca de la cumbre tuvo que saltar por encima de un pequeño abismo, para poder terminar su ascenso en una columna de suave inclinación que lo llevó hasta la cima.

Antes de salir de las rocas, Ethan le echó un vistazo al terreno. Delante tenía un campo iluminado por la luna y cubierto de rocas, árboles, arbustos, hierbas y cauces poco profundos. Medio kilómetro más adelante, la cima de la montaña se convertía en una serie de puntas irregulares, un paraíso de formas exóticas para cualquier escalador. Aquel era el patio de atrás de Robert Kenyon, su refugio si alguien atacaba la granja, y, por un instante, Ethan vaciló.

Sin ser del todo consciente de su repentino miedo a enfrentarse a su enemigo, miró atrás. Vio el perfil de la casa de Bartoli justo debajo de él. Las oscuras paratas de olivos donde esperaba Malloy estaban a unos trescientos metros de distancia. Malloy todavía podía verlo, pero, una vez abandonase las rocas, llegaría a tierra de nadie. Allí no tendría cobertura, ni refuerzos. Ni siquiera un plan.

—Dime una cosa —dijo una voz detrás de él—. ¿Sigue viva Kate?

Ethan sacó el arma y se volvió hacia la voz de Kenyon, pero, a pesar de llevar las gafas de visión nocturna, no lo localizó. Estaba por debajo de él, en alguna parte; solía ser la peor posición, aunque, en aquel momento, parecía estar bien a cu-

423

bierto. Por otro lado, Ethan estaba expuesto; se veía perfectamente su silueta recortada contra el cielo, clara como una diana. Peor todavía, no tenía plan alternativo. Su única posibilidad de esquivar una bala era intentar deslizarse nueve metros por la columna y acabar con una caída de otros tres sobre un abismo de cantos rodados.

Así que se quedó donde estaba y se enfrentó a su adversario. Era lo menos que podía hacer.

—Está viva —respondió—. Y da igual lo mucho que te alejes y lo rápido que corras, te encontrará aunque tarde toda la vida.

—Pero lo hará sola, ¿verdad? —Ethan sintió un escalofrío. Se dio cuenta de que Kenyon se tomaba su tiempo para disfrutar de la situación antes de acabar con él—. Saber que estaba enamorada de mí durante todos estos años, aunque se acostase contigo, debe de escocerte. ¿Cómo puedes vivir así, Ethan?

—Kate habría ido hasta el fin del mundo por ti, si se lo hubieses pedido. Tengo curiosidad, ¿lamentas no haberlo hecho?

—Puede que no sea demasiado tarde. Una vez te haya enterrado... y haya tenido algún tiempo para hacerse a la idea... quizá comprenda que lo único que tiene sentido es volver conmigo.

—¿De verdad eres tan estúpido?

—¿Crees que no sería capaz de tentarla?

Ethan había descubierto la posición de Kenyon, pero no tenía línea de tiro. Solo veía rocas.

—Si crees que Kate sigue enamorada de ti, ¿por qué has huido?

—Lo cierto, Ethan, es que vine aquí con la esperanza de que me persiguieras.

—¿Sabes qué, Bob? Todos los cobardes que he conocido tienen una excusa preparada para salir corriendo.

El disparo que alcanzó a Ethan lo hizo tambalearse de espaldas por la columna. La segunda bala lo derribó. Mientras se resbalaba y caía por la pendiente, mantenía la vista fija en las rocas de abajo, calculando su caída, aunque sin controlarla del todo.

Consiguió permanecer en la columna hasta llegar a la base, pero nada más. Cuando cayó por el borde, se golpeó con un canto rodado que estaba un metro más abajo. El chaleco le protegió las costillas, aunque se dio de bruces contra la piedra y perdió el sentido durante los últimos dos metros.

Ethan recuperó el conocimiento y movió la pierna muy despacio, casi con curiosidad. No estaba paralizada, pero le dolía el cuerpo y no sabía si tenía algo roto. El dolor era demasiado general para estar seguro. Intentó sentarse y se preguntó si Kenyon estaría cerca. Miró hacia arriba y se dio cuenta de que el asesino podría estar apuntando. Solo vio el cielo gris.

—¿Sigues ahí, Bob? —no respondió nadie—. No pasa nada, colega. Solté el arma al caer, y no te lo pondré difícil, si eso es lo que temes. Pero vas a tener que mirarme a los ojos cuando lo hagas. Sé que algo así puede resultarle difícil a un hombre que contrata a otros para que le hagan el trabajo sucio, pero es lo que hay...

La sombra de Kenyon se recortó contra el cielo. Estaba de pie en la base de la columna, tres metros por encima de él. Ethan lo vio mover el brazo, apuntando.

—Dime, Ethan, ¿merecía Kate el esfuerzo?

Malloy supo que Ethan tenía problemas al ver que sacaba su arma y no se movía, pero no podía hacer nada más que observar y prepararse para disparar, por si Kenyon revelaba su posición. No oía nada de su conversación, claro, aunque podía imaginarse lo mucho que se odiaban aquellos dos hombres. Era lo único que explicaba que Kenyon hubiese vuelto, arriesgándolo todo, para tener la oportunidad de matar a Ethan.

Ethan se tambaleó antes de que Malloy oyera el disparo. Un segundo disparo se solapó con el eco del primero, y vio que su amigo resbalaba roca abajo. Desde su punto de observación, Malloy no tenía ni idea de si el chaleco lo había protegido, o si Kenyon le había disparado en la cabeza. Ni siquiera sabía a qué distancia había caído Ethan después de perderse de vista.

Sintió un nudo en el estómago al pensar que quizá hubiese perdido a un hombre al que ya consideraba un gran amigo. Sin embargo, no podía permitirse el lujo de lamentarse. Kenyon tendría que moverse, si no quería arriesgarse a acabar en manos de la policía, y él debía estar listo para ese movimiento.

Su primera oportunidad fue breve. El cuerpo de Kenyon quedó a la vista, pero solo un segundo, antes de que se escondiese detrás de otro canto rodado. Como no quería que un tiro malo revelase su posición, Malloy esperó a que se presentara otra oportunidad mejor.

Entonces Kenyon salió de las rocas y se quedó quieto durante un par de segundos, en la columna de la que había caído Ethan. Estaba de cara a Malloy, apuntando hacia abajo, a Ethan.

Dirigió el punto rojo del fusil al corazón de Kenyon y apretó el gatillo sin vacilar. Oyó el suave chasquido de la bala, vio a su enemigo caer casi al instante y oyó cómo el bien engrasado mecanismo de su arma escupía el casquillo vacío.

Malloy, Kate y Josh Sutter estaban esperando a Ethan en la puerta principal cuando el helicóptero de la policía lo sacó de las rocas y lo llevó al patio delantero. En cuanto tocaron tierra, Ethan salió del armazón que colgaba del helicóptero y fue hacia Kate, que se acercó a él como si le doliese cada paso que daba.

—La policía me ha dicho que Kenyon pidió hablar contigo. Están dispuestos a daros un par de minutos, si quieres verlo.

—Que se vaya al infierno —respondió ella.

—No tendrás otra oportunidad igual en mucho tiempo, Kate. Puede que en años.

—Ese hombre está muerto para mí, Ethan. No quiero volver a verlo. Ni siquiera deseo volver a oír su nombre. —Ethan intentó rodearla con un brazo—. Cuidado —repuso ella, haciendo una mueca—, me duele todo.

—Sé lo que se siente —repuso él, rozándole la frente y el pelo con los labios, mientras pensaba: «Sin duda, merece el esfuerzo».

Malloy acompañó a Josh Sutter de vuelta al helicóptero en el que iban Robert Kenyon, dos agentes españoles y un sanitario que estaba muy ocupado con su paciente.

—Me tomas el pelo —exclamó Josh incrédulo. Su voz era tan alegre como el día en que se conocieron—. ¿Estabas apuntando al corazón?

—¿De verdad creías que quería darle en el pie?

—Los españoles me habían contado que le diste en el pie porque querías asegurarte de cogerlo con vida.

—Supongo que es una buena historia —repuso Malloy entre risas—, pero no es verdad. Intenté cargármelo y la cagué.

Se detuvieron lejos de las aspas giratorias del helicóptero. Josh tenía que irse, pero parecía querer decir algo más.

—Te agradezco que insistieras en que viniese para la detención, T.K. Ha sido… significa mucho para mí.

—Te dije que lo haría.

—Sé que lo hiciste, pero, ya sabes, todos decimos cosas y después lo olvidamos. No tienes ni idea de lo bien que me ha sentado esposar a ese tío y leerle sus derechos.

—Supuse que querrías verlo en el suelo. A mí me ha gustado.

—Jim siempre decía que era mejor coger vivo a un cabrón. Así los abogados se encargaban de destrozarlo durante unos cuantos años antes de atarle las correas, ponerle la inyección y librarlo de su miseria.

—Jim era un hombre duro pero una buena persona.

—Era la sal de la tierra, T.K.

—¿Te irá bien con el FBI después de lo de Hamburgo?

—Mi supervisor me dijo que quería enviarme de vuelta a Alemania para que me enfrentase a los cargos cuando pedían mi extradición a gritos, pero después los alemanes decidieron que ya no necesitaban hablar conmigo. Incluso llegaron a decir que no creían que hubiese hecho nada inapropiado, así que se relajó un poco. Por casualidad no sabrás por qué los alemanes cambiaron de opinión, ¿verdad?

—Alguien les dio una lista de nombres del ordenador de Chernoff.

—¿Alguien?

—Uno de los contables para los que trabajo. De todos modos, los alemanes estaban tan contentos con la información que decidieron aceptar nuestra explicación de los sucedido.

—¿Que Jim y Dale fueron por su cuenta, y nosotros dos nos fuimos a casa?

—Es la versión que más me gusta.

—¿Y la noche de sitio en el parque? —preguntó Josh, después de pensarlo un momento—. No podemos echarles también la culpa a Jim y Dale, ¿no?

—Seguro que fue la gente de Chernoff, ¿no te parece?

Berlín
Febrero de 1939.

La carta no tenía remitente, pero, como todo su correo del último año, estaba claro que se la habían abierto. Dentro, Rahn encontró una nota que decía: «Te están investigando».

Elise no la había firmado, pero él conocía su letra. También sabía que se había arriesgado mucho al enviarle semejante advertencia. Él sospechaba desde hacía tiempo que leían su correo y escuchaban sus llamadas, por supuesto. Si Himmler había ordenado una investigación, el tema era más serio. Significaba que no se sentirían satisfechos hasta tenerlo todo: un comentario aislado, una cita imprudente, una carta interceptada como aquella, y, por supuesto, un detallado perfil racial...

El mundo había cambiado en los últimos dos años, no tanto en dirección como en velocidad. Había visto cosas horribles en Dachau en 1937, pero eran cosas que palidecían al lado de la hostilidad abierta en el campo de trabajo (el campo de esclavos) de Buchenwald. Ya no estaban interesados en la contención. Aunque el nombre no lo indicara, Bunchenwald era un campo de muerte. Obviamente, no llevaban a la gente al paredón para fusilarla, sino que se limitaban a matarlos a trabajar. Al final venía a ser lo mismo. Cansaban a los prisioneros, y los que no se morían enseguida, los jóvenes y los fuertes, morían de hambre. Después estaban los que se ganaban el tratamiento especial de la esposa loca del director del campo, a la que incluso los guardias llamaban la Bruja de Buchenwald.

Lo que todavía no lograba comprender era cómo se había metido él en todo aquello. ¡No era de esa clase de personas! Sin embargo, claro está, había muchos grandes hombres que no eran de esa clase. En realidad, lo habían moldeado a su imagen y semejanza dándole lo que más quería. Había disfrutado de las comodidades que Himmler le ofrecía; le gustaba su sueldo; le gustaba la notoriedad; disfrutaba con la compañía de los intelectuales; le gustaban las mujeres que acudían a él y hacían... cualquier cosa; apreciaba los buenos restaurantes y los mejores asientos en la ópera; incluso era feliz dando discursos a las damas y respetables ancianos que lo adoraban.

Podía reprenderse por el trato al que había llegado con Himmler, pero había disfrutado cada segundo, antes de comprender que, en el proceso, se había convertido en un asesino como el resto. Se trataba de un pacto con el diablo: ¡su alma a cambio de la libertad para escribir! Lo gracioso era que ya no podía seguir escribiendo. Casi todo su segundo libro lo había escrito antes de que Heinrich Himmler lo convirtiera en caballero de la Orden de la Calavera. El resto se lo llevaron para reescribirlo y hacer que pareciese que despotricaba contra los judíos. ¿Por qué no había renunciado después de ver cómo reescribían su libro? Sabía la respuesta, lo que pasaba era que no le gustaba oírla. En realidad no hacía falta preguntarlo. A pesar de que odiaba lo que le habían hecho a su libro, seguía disfrutando del esplendor de los caballeros, de las SS rúnicas, de los apuestos hombres que lo observaban, de las bellas mujeres que lo deseaban..., de todo el gran espectáculo que el Reich había levantado, ante el terror de sus enemigos. Hasta que la sangre de los doce mineros le salpicó el alma, ¡había sido un gran viaje! Después, al ver lo que había hecho, llegó a odiar la doble S rúnica más que las puertas del infierno. Le revolvía el estómago mirarse la mano y ver el anillo que lo unía en un juramento de sangre al mismísimo diablo.

No tendría que esperar mucho a que terminasen la investigación. Lo sabía. Lo encontrarían rápidamente, averiguarían su secreto más oscuro: que, aparte de paganos y herejes, entre sus antepasados había también judíos. En 1935, aunque era obligatorio hacerlo, nadie se había molestado en pedirle que rellenase un certificado de pureza racial, y nadie había preguntado por sus abuelos. ¿Por qué iban a hacerlo? No intentaba unirse a las SS, ¡lo habían reclutado ellos mismos! Obviamente, en los primeros días de su ingreso en la Orden nadie se había atrevido a pedirle los papeles necesarios. Había recibido el formulario algunos meses después y, al darse cuenta del problema, no le había prestado atención. Nadie dijo palabra, como él esperaba. Era el preferido de Himmler. Lo que hiciera con su tiempo era cosa suya, y puede que no le agradara rellenar papeleo rutinario. Sin embargo, la situación había cambiado. *Krystalnacht*, la noche de los cristales rotos del otoño de 1938, había sido una declaración de guerra contra los judíos de Alemania, y la elevada posición de Rahn ya no era la misma. No podía seguir haciendo caso omiso de la petición de información sobre sus antepasados. Lo que él no proporcionara, lo descubrirían ellos solos, era cuestión de tiempo.

Resultaba extraño darse cuenta de que era un enemigo del Reich. Absurdo, en realidad. Recordaba a los mineros que Bachman había asesinado. No se preguntó sobre la mirada vacía de sus ojos mientras comían en silencio. Lo había tomado como señal de cansancio, pero después vio la misma mirada en Buchenwald; era la mirada del que se sabe condenado. A veces, al mirarse en el espejo, la veía en sus propios ojos. Nadie sobrevivía a los campos, todos caían tarde o temprano, así que siguió con sus asuntos diarios, todavía miembro del personal civil de Himmler, preguntándose qué día y a qué hora irían a detenerlo para llevarlo con el resto.

A veces se reía de lo absurdo que era todo. ¡No se lo podía creer! A veces le dolían las tripas de miedo, pensaba que iban a por él y que lo mejor era suicidarse. Una investigación burocrática era lenta, pero también meticulosa. ¡En algún momento se darían cuenta de que habían reclutado a un judío! Vio que la gente lo miraba y supo que se había corrido la voz sobre la investigación. Se les daban bien aquellas cosas. Todos guardaban silencio al verlo llegar, y Bachman se pasó por allí para decirle que Elise no se encontraba bien.

—¡Me temo que esta semana nos quedamos sin cenas! —le dijo, y desapareció. A la semana siguiente le tocó a Sarah ponerse enferma.

Una vez se acercó sin invitación a su casa, sabiendo que Bachman no estaba. La doncella le dijo que *frau* Bachman estaba ocupada y no podía recibirlo. ¿Tenía algún mensaje para ella? Él creía que Elise lo dejaría entrar, así que, cuando se negó, supo que todo estaba perdido.

No se decidió a actuar por eso, sino que la idea se presentó sola un día, mientras examinaba los informes que solían llegarle: una nota sobre el trabajo en Berchtesgaden. El Nido del Águila, una espléndida cabaña de estilo bávaro en lo alto de las montañas, se terminaría aquella primavera, en lo más profundo del complejo. Se le entregaría al Führer el 20 de abril, como culminación de la celebración nacional de su cincuenta cumpleaños.

Berchtesgaden estaba vigilado por las tropas de las SS.

La primera semana después de que surgiera la idea de entre el caos de sus miedos, Rahn consiguió apartarla por completo. Iba a su despacho todas las mañanas, trabajaba mucho, con la cabeza metida en los libros. Comía y bebía solo por las noches, observando la puerta con la curiosidad de un fugitivo que se pregunta si irán a por él esa noche o quizá le quedasen algunos días más. Los viejos amigos parecían no fijarse en él cuando se

los encontraba por la calle. Incluso los de peor calaña afirmaban estar ocupados y no poder verlo en sociedad.

Las secretarias procuraban no mirarlo a los ojos cuando
aparecía, o corrían a realizar recados que las alejaban de sus
puestos.

—Soy un fantasma —murmuró frente al espejo una tarde
y, al decirlo, se dio cuenta de que debía hacer algo.

Al menos, tenía que intentar salir. Entonces recordó de
nuevo la idea, aunque ya sin considerarla una fantasía. Huir no
era la respuesta, no para un caballero de la Lanza Ensangrentada.

28 de febrero de 1939.

Los últimos días de aquel mes, Rahn le entregó un sobre a uno
de los ayudantes de Himmler.

—Asegúrese de que el *Reichsführer* lo vea mañana a primera hora —pidió.

—¿Qué es? —preguntó el hombre, con una suspicacia
que inquietó a Rahn.

—Mi carta de renuncia.

—¡Pero prestó un juramento! —exclamó el hombre poniéndose blanco.

—Si el *Reichsführer* está interesado, será un placer explicarle mis razones en persona. Por el momento, si no le importa,
limítese a entregarle mi carta.

Rahn no estaba seguro de poder salir sin más del edificio,
pero había decidido que debía dimitir. Si lo demás fallaba, si la
Gestapo lo detenía antes de poder actuar, al menos habría declarado que ya no era un caballero juramentado de la Orden
de la Calavera. Con su carta todavía cerrada en el escritorio de
Himmler, se dirigió al almacén de coches oficiales y pidió uno

de ellos para hacer una excursión por la mañana temprano. Como había falsificado a la perfección la firma de Himmler, los papeles eran impecables, y Rahn salió de Berlín conteniendo el aliento durante todo el camino.

La tarde siguiente, Rahn presentó otra carta con la firma de Himmler al guardia de las SS de la entrada de Wewelsburg. El cabo hizo una llamada y pareció tardar más que la última vez. Mientras observaba al soldado asentir y responder, la imaginación de Rahn veía cada vez más cerca la condena. Sin embargo, al final, le hizo un gesto para que entrara.

—Puede aparcar dentro, doctor Rahn.

Como esperaba, su dimisión tardaría varios días en pasar el filtro de la burocracia. En aquellos momentos, al menos fuera de Berlín, el doctor Rahn seguía siendo un hombre importante.

Himmler guardaba la reliquia que Rahn le había entregado en una habitación cerrada cerca de los apartamentos de los oficiales, en la planta superior de la fortaleza. Un sargento le dio indicaciones e incluso le abrió la puerta. Después esperó mientras Rahn cogía aquella cosa.

Himmler no había respondido bien ante la lanza de Antioquía porque, en realidad, era un hombre sin imaginación. Eso no quería decir que no le interesara el objeto. Adoraba las ceremonias ocultas, las sociedades secretas y cualquier cosa que tuviese alguna posibilidad de ser un talismán mágico. Creía en los fantasmas y en el poder de los objetos tocados por la mano del destino. Y, aunque Himmler pudiera decirle al Führer que la lanza de San Mauricio había atravesado el costado de Cristo, en el fondo creía en Rahn, creía que poseía la lanza verdadera... y, con ella, el destino del mundo. Sin embargo, por el momento, como era un hombre joven, había guardado su talismán secreto en su castillo secreto.

Rahn sabía que nada podía hacerle más daño que perderlo, sobre todo si se lo robaba un judío.

Elise le dijo a la doncella que no dejara entrar al doctor Rahn. Cuando apareció, con la doncella corriendo detrás, Elise le pidió a la mujer que subiera a la otra planta.

—¿Quiere que llame a la policía, señora?

—No —respondió Elise, con una calma que no sentía—. Yo me encargo.

Solos, los dos se sentaron en el sofá del salón, y ella le dijo:

—Otto, no podemos seguir viéndote. Lo siento, pero Dieter insiste en que mantengamos las distancias, al menos hasta que las cosas se aclaren.

—No he venido por eso —respondió él—. He venido a preguntarte si Sarah es nuestra.

—Estaba segura de que ya conocías la respuesta —respondió ella con sinceridad, tras la sorpresa inicial.

—¿Lo sabe también Dieter?

—Hace años que no pasa nada entre nosotros, así que es imposible que la suponga hija suya.

—¿Protegerá a Sarah… si alguien la amenaza?

—¿Protegerla? ¿Crees que está en peligro?

—Si alguien descubre que es mi hija, sí.

—Nadie lo sabrá nunca. Dieter ha ocultado muy bien nuestro secreto. También le interesa a él, como ya habrás supuesto.

—No lo entiendo.

—¿Nunca has notado su afinidad con los hombres jóvenes?

Rahn se sorprendió. Siempre había… bueno, había visto cosas, pero no estaba dispuesto a creer que Bachman de verdad pudiera…

—Supongo que, en el fondo, lo sabía…

—Sarah y yo lo protegemos del escándalo, aunque su amor por nosotras también es genuino. Sarah lo es todo para él, y es muy bueno conmigo. Es un hombre muy cariñoso, Otto.

Rahn levantó la mochila que había dejado a sus pies y la colocó entre ellos.

—Si le enseñas esto a Dieter, él te lo quitará, y no tendrás nada que pueda ayudaros a Sarah y a ti si vienen a por vosotras.

—No lo entiendo, ¿por qué iban a...?

—Si lo escondes hasta que lo necesites, creo que él podrá usarlo para salvaros.

—Otto, ¡nadie va a venir a por nosotras! ¡Nuestro secreto está a salvo!

—Ya no hay ningún secreto a salvo. Con que una doncella lea tus cartas o un burócrata investigue a tu familia...

—¿Crees que soy judía?

—Sé cómo hacer una investigación genealógica básica, Elise.

—Entonces, ¿lo sabes?

—Vamos —dijo él—, échale un vistazo. Podría salvarte la vida.

Ella observó la mochila con interés.

—¿Qué es?

—Ábrela.

Ella sacó la maltrecha caja dorada de la bolsa y la dejó sobre su regazo.

—Mira dentro —le pidió él.

Tras abrir la tapa, Elise vio el trozo de hierro y la tela de lino podrida que tenía debajo. Miró a Rahn sin entender nada. Estaba claro que Bachman no se lo había contado.

—Estás muy misterioso, Otto.

—Prométeme que esconderás esto en un lugar donde nadie lo encuentre.

—¡No lo entiendo!

—Es algo que Himmler quiere, y con esto Dieter podrá salvaros si no lo ha devuelto antes.

—Otto, ¿qué has hecho?

—Elise, prométeme que solo se lo contarás a Dieter si Sarah y tú tenéis problemas..., si no por ti, ¡al menos hazlo por el bien de Sarah!

—¿Crees que no puedo confiar en él? ¿Ni siquiera aunque él sepa que podría salvarle la vida a Sarah?

—Se convencerá de que a Sarah no le va a pasar nada. Se le da muy bien mentirse a sí mismo. Creo que se nos da bien a todos nosotros, en realidad.

—¡Si Himmler lo quiere, lo encontrará! ¡No me estás salvando con esto, Otto! ¡Vas a meterme en algo horrible!

—Todos estamos metidos en algo horrible, Elise. Además, no se le ocurrirá buscarlo aquí. Me estará persiguiendo a mí.

Ella se quedó mirándolo, con la tragedia pintada en el rostro. Rahn no la había visto así nunca.

—No vas a volver, ¿verdad?

—Quiero ver a Sarah antes de marcharme.

Kufstein (Austria)
15 de marzo de 1939.

Himmler tardó dos días en darse cuenta de que Otto Rahn había robado un coche oficial y tres en descubrir que se había llevado la lanza de Antioquía de Wewelsburg. En cuanto se dio cuenta de lo que Rahn le había hecho, llamó a la Gestapo y puso al coronel Bachman al cargo.

—Me da igual lo que cueste, me da igual lo que tarde: ¡quiero que descubra dónde la ha escondido!

—¡Por supuesto, *Reichsführer*!

—En cuanto al doctor Rahn, en cuanto recupere lo que se ha llevado, quiero que lo traiga a Berlín para que pueda intercambiar algunas impresiones con él antes de fusilarlo.

Bajo órdenes directas de Himmler, Bachman dirigió una persecución por todo el país. Además, envió hombres al sur de Francia y a Ginebra, en Suiza, donde sabía que Rahn contaba con algunos viejos amigos. Bachman estableció su cuartel general en Berlín, desde donde coordinaba a varios equipos. Tenía un avión siempre disponible, día y noche. Dio orden de que lo avisaran en cuanto detuvieran a Rahn. El quinto día después de la huida, Bachman estaba pasando otra noche de insomnio cuando, de repente, se sentó de golpe en la cama, completamente despierto. Se dio cuenta de que no habían encontrado a Rahn ni en Francia, ni en Suiza, ni en ninguno de los puestos fronterizos porque Rahn no estaba huyendo, sino que seguía en Alemania.

«¡Tramamos el asesinato de Hitler!», había dicho de broma una noche, cuando Bachman lo pilló susurrándole algo a Elise. Y vio algo en sus ojos mientras lo decía...

A la mañana siguiente, Bachman ordenó que revisaran de nuevo todo lo que contenían el despacho y el piso de Otto. Tardó tres días y diez agentes en descubrir que le había echado un vistazo al Nido del Águila. Hitler iría allí para su cumpleaños en poco más de un mes, y Rahn, aquel condenado romántico con sus fantasiosas ideas sobre el bien y el mal, ¡pretendía estar allí!

Bachman voló a Berchtesgaden el lunes 13 de marzo y empezó a registrar discretamente las aldeas y pueblos. Buscaban a un soldado de permiso que disfrutaba con calma de su tiempo. A última hora del miércoles, uno de sus agentes le informó de que un capitán de las SS joven y bastante alto tenía una habitación alquilada en casa de una viuda de la aldea de Kufstein, a menos de cuarenta kilómetros de Berchtesgaden.

Bachman fue allí justo después de anochecer.

Rahn viajó en coche hasta el centro de Alemania, después en tren hasta Múnich. Llegó antes que los primeros investigadores e hizo autoestop hacia el sudeste, hasta la aldea de Kufstein, en el lado austriaco de la frontera. Comprobaron sus papeles falsificados en el paso, pero no despertaron mayor interés. Consiguió una habitación en la casa de una viuda, después de contarle a la mujer que estaba de permiso médico del ejército y que deseaba hacer excursiones por la zona durante unas cuantas semanas, antes de presentarse en Berchtesgaden para regresar al servicio activo. Ella no le pidió pruebas, pero, para satisfacer su curiosidad, dejó encima del escritorio, para que ella las viera, sus órdenes de presentarse en Berchtesgaden el 19 de abril. El uniforme lo colgó en el armario.

A veces hablaba con la mujer sobre sus padres y su novia, que había roto el compromiso con él sin darle explicaciones. Le contó una buena historia y se ganó la simpatía de la anciana. Ella le aconsejó que se reconciliase con sus padres antes de que fuera demasiado tarde, ya que en algún momento se arrepentiría de la pelea. En cuanto a la joven, ella se lo perdía. ¡Los corazones rotos solo necesitaban algo de tiempo para recuperarse! Él contestó que seguramente estaba en lo cierto, pero que, por el momento, necesitaba estar solo. Ella pareció entenderlo y, sin duda, no daba muestras de preocupación cuando veía que se encerraba en su habitación o que se iba solo a andar por el bosque, semana tras semana.

La noche que fueron a por él, Rahn la oyó abrir la puerta y después gritar sorprendida cuando la empujaron al interior de la casa. Sacó su uniforme militar y sus papeles antes de que golpearan la puerta del dormitorio. Fue lo único que pudo llevarse en la apresurada huida. Salió por una ventana, tiró las botas y el uniforme al suelo, y se arriesgó a bajar por la tubería del desagüe. Ninguno de sus perseguidores se atrevió a hacer lo mismo, así que lo observaron correr. Podrían haberlo derribado de un tiro fácilmente, por lo que Rahn dedujo que Elise había hecho lo que le había pedido. Si Himmler seguía teniendo esperanzas de recuperar la lanza, lo necesitaba vivo.

Se puso su uniforme cuando llegó a la base del Wilder Kaiser. Se escondió cerca de un delgado saliente, desde donde, en los tiempos antiguos, lanzaban a los prisioneros de guerra. Un buen lugar para la muerte de un soldado.

El Wilder Kaiser (Austria)
15-16 de marzo de 1939.

Bachman ordenó que varios pelotones que vigilaban las carreteras se uniesen en la montaña. Una vez iniciada la búsqueda, hizo lo que pudo por asegurar la zona de manera discreta. No quería que Rahn huyera, pero tampoco que los aldeanos notasen movimiento militar.

Encontraron ropas de civil una hora después de la medianoche. Veinte minutos más tarde encontraron a Rahn. Llevaba puesto un uniforme de capitán, aunque se escondía como un esclavo huido, dentro de un tronco hueco. Cuando llegó Bachman, los soldados llevaban vigilando al prisionero casi una hora y, siguiendo sus instrucciones, no le habían hecho daño, aunque sí le habían quitado el sombrero de capitán y, por supuesto, su anillo *Totenkopf*. Un sargento entregó a Bachman los papeles de traslado falsificados.

Bachman examinó los papeles con su linterna y después se acercó a su viejo amigo con una sonrisa fría.

—No habría funcionado, Otto. Te habrían detenido en cuanto hubieses enseñado estos papeles. ¡Te conozco, Otto! ¡Sé cómo piensas! —Dejó que calase la información antes de añadir—: Sabes que tendré que matarte, ¿verdad?

—¿Lo harás tú o se lo ordenarás a alguien, Dieter? —repuso él sonriendo.

—Supongo que no te importará mucho quién lo haga, pero quizá quieras pensar sobre el dolor que estás dispuesto a sufrir. El *Reichsführer* Himmler me ha concedido total autonomía al respecto. Puedo seguir siendo tu amigo, Otto. Puedo hacer que sea muy rápido. No sentirás nada. Sin embargo, para eso, amigo mío, necesito que me devuelvas lo que le quitaste al *Reichsführer*.

Rahn miró a los hombres que lo sujetaban y después a Bachman.

—¡Júralo! ¡Júrame por los ojos de tu hija que harás que sea lo menos doloroso posible!

—¡Te lo juro por los ojos de mi hija!

—Entonces te diré la verdad, pero solo a ti, Dieter.

Bachman estudió durante un momento la expresión de su viejo amigo.

—Si me mientes, Otto...

—No te miento. Te debo la verdad, Dieter.

—¡Déjennos solos! —ordenó Bachman, y los soldados se alejaron unos quince metros, estableciendo un cordón a su alrededor. El terreno estaba más o menos nivelado por tres lados, y cubierto de árboles. El cuarto lado era el precipicio. Había doce hombres en total, todos apuntando a Bachman y Rahn con sus linternas. Los dos hombres estaban cerca el uno del otro, iluminados por la luz artificial.

Rahn se restregó las muñecas y movió los pies, intentando recuperar la circulación.

—¿Dónde has escondido la lanza? —le preguntó Bachman.

—Debes comprender una cosa, Dieter. Cuando te diga la verdad, tendrás que mentir a Himmler al respecto. Es mejor para ti no saber nada.

—Resulta conmovedor que te preocupes tanto por mi bienestar, Otto, pero me arriesgaré. ¿Dónde la has escondido?

—¿Estás hablando de la lanza de Antioquía?

—¿De qué si no?

—No la he escondido en ninguna parte. ¿Cómo iba a hacerlo? ¡No la he visto nunca!

—¡Los dos sabemos que no es así!

—¡Ah, eso! ¡Te refieres a lo que traje de Francia! No es la lanza de Antioquía, Dieter. Lo que tú creías un relicario fue una caja que encargué dorar a un metalurgo suizo, para que luego le pegara las piedras preciosas que compré en una tienda. ¿Por qué crees que te pedí dinero? ¡Las falsificaciones creíbles cuestan una fortuna! En cuanto al trozo de hierro del interior, lo que tú llamas la lanza de Antioquía, tuve más suerte con él. Lo desenterré por casualidad de tu jardín.

—¿Qué estás diciendo? —preguntó Bachman, mirándolo sin comprenderlo.

—Estoy diciendo que mataste a aquellos hombres, no, que matamos a aquellos hombres ¡por nada! Yo puse la preciada reliquia de Himmler en la cueva, Dieter. Por eso insistí en ir antes que el resto del equipo, por eso dirigí la búsqueda como lo hice. ¡Fue todo un espectáculo para poder darle una tontería a un loco y seguir conservando las ventajas que conllevaba ser sus favoritos!

—¡No te creo!

—No quieres creerme, pero te juro que es cierto. Lo juro por los ojos de mi hija.

—No —repuso Bachman, sacudiendo la cabeza. Después intentó sonreír—. ¡Es una táctica, un truco! ¡Dirías cualquier cosa para evitar que te torturen! ¡Tú sabes dónde está!

—Sé que la lanza de Antioquía desapareció en Constantinopla hace más de ochocientos años, Dieter. Nadie sabe dónde está. En cuanto a la lanza ensangrentada de los cátaros… descansa en el corazón de los auténticos caballeros.

—¡Pero dijiste que Raimundo la envió de vuelta al Languedoc con su hijo menor!

—Si la poseía y decidió someterse a la tortura antes que entregarla, es que era más idiota que Pedro Bartolomé. Y, si algo sé sobre Raimundo, es que no era un idiota —Rahn se rio al ver la consternación de Bachman—. No dejo de intentar imaginarme cómo se tomará Himmler todo esto. Sabes que te echará la culpa, ¿verdad? A nadie le gusta que lo engañen, y menos a los locos. ¿Mi consejo? Dile que me llevé el secreto a la tumba. Dile que seguirás buscando, pero que me escapé y no pudiste hacer nada. Sin embargo, por tu vida, amigo mío, ¡no le cuentes la verdad si no quieres que ese hombre te mate!

—Cierto o no, ¡le devolveré lo que le robaste!

—No puedo permitírtelo, Dieter.

—¡No tienes elección!

—Siempre hay elección… aunque no sea una elección agradable.

Rahn salió corriendo hacia el borde del precipicio. Tres de los hombres que lo vigilaban estaban lo bastante cerca para interceptarlo, pero él tenía el tamaño y la voluntad suficientes para no dejarse detener. Se lanzó con fuerza contra el mayor de los tres y dio un traspié cuando chocaron. Los otros intentaron agarrarlo por la chaqueta mientras daba dos pasos más.

Al tercero, desapareció.

El Wilder Kaiser (Austria)
16 de marzo de 1939.

Oyó el viento mientras caía. Vio el rostro negro de la montaña volverse cada vez más borroso. Pensó en Elise, sentada junto a él en Montségur. Le daba un suave beso en la mejilla y le decía que quería recordarlo como estaba en aquel preciso instante, los dos por encima del mundo, descansando durante unos momentos entre aquellos bellos fantasmas.

Berlín
11 de abril de 2008.

Un par de semanas después de su regreso a Zúrich, Ethan recibió una carta de *frau* Sarah von Wittsberg, una de los paladines de la Orden de los Caballeros de la Lanza Sagrada. Lo invitaba a visitarla en su piso de Berlín la tarde del día 11 de abril. Según decía, quería pedirle un favor.

Frau von Wittsberg vivía en un piso del siglo XIX que había sido restaurado sin perder del todo su encanto original. Situado en el antiguo Berlín Oriental, el barrio tenía un aire acogedor y bohemio, y a Ethan le sorprendió que la anciana dama de sociedad berlinesa encajase con tanta facilidad en un lugar tan poco pretencioso.

Tenía setenta y tantos años, y seguía siendo una belleza de cabello plateado e intensos ojos redondos y negros. Poseía

444

el porte y la confianza de la aristocracia, los modales de alguien acostumbrado a recibir a diplomáticos y el carácter impávido de los supervivientes de los campos de concentración.

En el recibidor y el salón no había fotografías suyas en las paredes para conmemorar sus treinta años de esfuerzos por proteger la libertad de Berlín Occidental. Lo que sí había eran cuadros de distintos artistas alemanes a los que habían expulsado de Berlín en los años treinta. Su arte había sido declarado decadente por las autoridades nazis. Ethan reconoció a los artistas, aunque no aquellas obras en concreto, así que dedicó unos minutos a estudiarlas mientras la dama preparaba el té.

—Giancarlo me ha contado que usted solía robar cuadros como estos y se hizo rico gracias a ello —comentó ella mientras colocaba el servicio de plata en una mesita frente a un sofá.

—Si le preocupa que vuelva a por ellos, tranquila, me he retirado —respondió Ethan, sonriendo afablemente.

—Eso me dijo. Y también que había encontrado la religión o algo así. —Examinó los cuadros, como si los mirase por primera vez en años—. ¿Sabe? La verdad es que no me gustan mucho. No los entiendo, pero adoro lo que representan. Estos artistas fueron fieles a su visión del mundo, aunque eso significase su ruina. Ahora los artistas se venden por dinero, cuando, en realidad, no lo necesitan. —Después de reflexionar durante un momento, añadió—: Estuve en los campos de concentración, ¿sabe?

—Sí, señora. Lo leí en uno de los primeros artículos que los Caballeros publicaron sobre usted.

—Mi madre y yo pasamos gran parte del primer año en Buchenwald.

—¿Y hoy es el aniversario de su liberación?

—Muy bien, muy bien, señor Brand. —La dama se quedó pensativa un instante—. Giancarlo me dijo que me impresionaría, y empiezo a entender por qué. Mi madre era todavía encantadora cuando llegamos, así que los guardias la utilizaron como prostituta. Al cabo de un año, cuando acabaron con su belleza, nos trasladaron a uno de los campos secundarios, donde intentaron matarnos trabajando o de hambre. Lo habrían conseguido de haber tenido un poco más de tiempo. Sin embargo, fue en Buchenwald donde empezó todo. Allí es donde voy cuando sueño con el infierno.

»¿Quiere que le cuente una ironía muy cruel? —preguntó la dama, después de un momento de silencio contemplativo. Como Ethan no contestó, siguió hablando—. Varios años después, mi madre me confesó que mi padre había estado de guardia en el campo de Buchenwald. Pasamos allí los últimos meses de 1943 y todo 1944. Mi padre había servido en el mismo lugar unos cuantos meses, en otoño de 1938.

»Fue una de las personas que Himmler reclutó personalmente, uno de sus historiadores, en realidad. Lo envió a los campos a trabajar como guardia por alguna razón disciplinaria sin especificar. Después de descubrirlo, me pasé muchos años pensando que mi padre tenía que haber sido diferente de los guardias con los que mi madre y yo nos encontramos. Sabía que era un hombre honrado y dulce, y mi madre me contó que era la persona más honorable que había conocido.

»Ahora que soy más vieja, señor Brand, debo reconocer que seguramente se comportó igual que el resto. Me rompe el corazón pensarlo, pero, verá, había muchos hombres honrados y honorables trabajando en los campos... y todos ellos habrían hecho llorar al mismo Dios con sus acciones.

»Sin embargo, sí hay algo en lo que mi padre se diferenciaba del resto, y es un hecho, señor Brand, no la especulación nostálgica de una hija. Cuando terminó sus tres meses de visita en Buchenwald, dimitió de la Orden de la Calavera. Himmler no quiso aceptarlo, por supuesto. Hicieron que pareciese un accidente de escalada, pero fue un asesinato. Dieron un comunicado de prensa sobre su muerte y lo colmaron de elogios, aunque, mientras tanto, enterraban su cuerpo en algún lugar sin tan siquiera una marca que conmemorase su existencia. Himmler lo trató exactamente igual que a las víctimas de los campos. —*Frau* von Wittsberg sonrió, pero sin alegría—. ¿Conoce la historia de Perceval?

—Perceval fue el caballero que encontró la lanza ensangrentada y el cáliz en el salón del Rey Pescador —respondió Ethan cuando vio que la mujer hacía en serio la pregunta, aunque estaba sorprendido por el cambio de tema.

—Es una encantadora leyenda pagana de la que se apropiaron los cristianos, pero que vale para todos, creo yo. Cuando vio que una procesión de caballeros y damas portaban la lanza y el cáliz, Perceval tenía que preguntar: «¿A quién sirve todo esto?». De haber formulado la pregunta, el Rey Pescador habría sanado de su debilidad y la tierra moribunda habría vuelto a la vida. Como no dijo nada, Perceval se sumió en un profundo sueño y, al despertar, se encontró solo en un páramo.

»Mi padre conocía la leyenda mejor que ningún otro hombre de su generación. Era un estudioso del grial, pero, aun así, cometió el mismo error que Perceval: vio el gran espectáculo que montaron los nazis, los brillantes uniformes, los banderines de colores, los grandes desfiles triunfales y olvidó preguntar: «¿A quién sirve todo esto?». Imagino que como a muchos alemanes de aquella generación.

Se acercó al juego de té y sirvió dos tazas; después le hizo un gesto a Ethan para que se uniera a ella en el sofá.

—No pretendo hablar con acertijos, señor Brand, aunque me avergüenza confesar que he cometido el mismo error que mi padre y Perceval. El pecado de omisión, podríamos llamarlo. Y lo que es peor, ni siquiera puedo echarle la culpa a mi juventud o inexperiencia, como podrían haber hecho ellos de ser de la clase de hombres que ponen excusas. Mi edad me hacía más sabia y, además, tenía presente el recuerdo del error de mi padre. Por no hablar que soy una niña de los campos. Conozco la peor cara de la naturaleza humana..., ¡y ni siquiera así logré hacer la pregunta esencial!

—¿Está hablando sobre el Consejo de los Paladines?

—Luché por la seguridad de Berlín Occidental desde el momento en que empezó a correr peligro hasta que cayó el Muro. Fue un asedio de veintiocho años en el que nadie esperaba la victoria. No escatimé gastos en la causa. De hecho, invertí en ella la mayor parte de mi fortuna. El cortejo de políticos y diplomáticos no es cosa de pobres. Luché en una guerra, señor Brand, igual que si hubiese llevado un arma, y no puse en duda las alianzas que hicimos por el camino. No hay otra forma de decirlo. No fuimos selectivos con nuestras amistades, siempre que sirvieran a nuestra casa.

»Cuando todo terminó, cuando el Muro se vino abajo, esperaba que la Orden de los Caballeros de la Lanza Sagrada se disolviese en silencio. Ya no teníamos razón de ser. Dejé clara mi opinión sobre muchas cosas a lo largo de los años, pero no sobre aquello. Por supuesto, teníamos dinero y unas redes montadas, y los comunistas estaban a punto de caer en la Unión Soviética, así que no podíamos contentarnos con la reunificación de Alemania. ¡Teníamos que seguir!

»Y cuando los soviéticos cayeron y estalló la guerra en los Balcanes, no nos pareció justo darle la espalda al genocidio... —sacudió la cabeza lentamente—. Nunca se me ocurrió pensar que mi guerra había acabado y debía ceder mi puesto. Me enorgullecía de lo que había logrado, porque sabía que habíamos resistido a una gran tiranía y habíamos triunfado. Mi asiento en el consejo significaba que mi esfuerzo había supuesto una diferencia. Era el punto álgido de mi vida de adulta, lo que servía de contrapunto a la oscuridad de mi infancia. Era la prueba de que había hecho algo más que sobrevivir.

»En vez de ofrecer mi renuncia, me aparté y dejé que Johannes Diekmann me representara. Confiaba en Hans. Sabía que haría lo correcto. Cuando no pudo seguir participando, le permití entregar mi voto a su sobrino. Todos lo hicimos. *Herr* Ohlendorf era un hombre muy persuasivo, señor Brand, muy carismático e inteligente, además del individuo más corrupto que he conocido. Y eso que conocí al mismo demonio.

»Nos habíamos convertido en una organización humanitaria; llevábamos a cabo nuestras buenas obras a la luz del día, y solo Dios sabe las atrocidades que cometeríamos a la pálida luz de la luna. En diecinueve años no solicité ver las cuentas, cuentas que tendría que haber examinado. Ni siquiera se me ocurrió plantearme la pregunta de Perceval, y ahora descubro que he despertado en un páramo. Vendimos armas y mercenarios a los peores hombres del planeta. Enviamos asesinos para acabar con líderes elegidos democráticamente. Robamos grandes cantidades de dinero de mil formas diferentes. Traficamos con drogas, personas y objetos con el único objetivo de hacer dinero, y, finalmente, empezamos a asesinar a nuestros amigos.

»Me considero parte de ello porque tenía el poder necesario para pedir explicaciones y me contenté con mirar a otro lado mientras los monstruos bailaban.

»Eso acaba hoy mismo, señor Brand. No puedo deshacer lo hecho, pero pienso aceptar responsabilidad por ello. —Señaló con la cabeza un viejo baúl de viaje colocado en una esquina de la habitación y que hacía las veces de base para un macetero—. Eche un vistazo en el interior de aquel baúl, por favor. Hay algo que quizá le guste.

Ethan se acercó al baúl, le quitó de encima las macetas y abrió la tapa. Encontró una bandeja llena de objetos varios: monedas, anillos, diminutos frascos de cristal y chismes de porcelana.

—Quite la bandeja —le pidió ella. Cuando lo hizo, Ethan vio una cajita dorada no mucho mayor que una caja de música normal. Estaba cubierta de pequeñísimas perlas y rubíes irregulares. La manufactura le resultó algo decepcionante..., hasta que se dio cuenta de que estaba contemplando un relicario medieval de novecientos años de antigüedad—. Ábralo con cuidado —le dijo la señora—. El óxido ha acabado con las bisagras.

Ethan abrió la tapa para echarle un vistazo y vio un trozo de hierro del tamaño de su puño. Eso explicaba el peso de la caja. En una esquina había una tarjeta con una inscripción a máquina y la horrible marca de una esvástica estampada debajo. La nota decía: «La lanza de Antioquía: descubierta por el doctor Otto Rahn en las cuevas del Sabarthès del Languedoc, 1936».

Debajo de la tarjeta, Ethan reconoció la firma de Heinrich Himmler. Miró con cara de incredulidad a la mujer.

—Cuando mi madre murió, en 1960, descubrí que tenía una caja fuerte en un banco de Zúrich desde 1939, renovada cada diez años. Naturalmente, fui a echar un vistazo. A decir verdad, esperaba encontrar algunas acciones antiguas cuyo valor se hubiese multiplicado por cien, pero lo único que encontré fue esto y las cartas de amor que mi padre le escribió a mi madre el invierno antes de que me concibiesen. La tarjeta estaba escondida bajo la seda. No estoy segura de que ella llegase a verla.

—¿Sabe por qué Otto Rahn le entregó esto a su madre?

—Claro que sí. Otto Rahn era mi padre, señor Brand. En mi certificado de nacimiento dice que soy hija de Elise y Dieter Bachman, pero mi madre me contó la verdad, y las cartas que guardaba lo confirman.

»El día que envió su carta de dimisión a Himmler, estoy bastante segura de que se acercó a nuestra casa de la ciudad y le entregó esto a mi madre. Recuerdo su visita porque fue la última vez que lo vi. Era un frío día de invierno y él llevaba su uniforme de oficial de las SS. Nunca lo había visto vestido de soldado y, al principio, no lo reconocí.

»Él era mi tío Ot, parte de la familia desde que tengo uso de razón. A no ser que me esté engañando con fantasías, estoy bastante segura de que llevaba un paquete consigo y que no era mucho mayor que ese relicario que tiene en las manos. Creía que era un regalo para mí. Siempre me llevaba algo cuando iba de visita, pero en aquella ocasión se le había olvidado. Habló con mi madre en voz baja, ojalá pudiera decirle lo que hablaron. Solo sé que los dos estaban muy serios y creo que asustados. Y después, ella lloró.

»Unas cuantas semanas después, mi padre legal me dijo que el tío Ot había muerto, un accidente mientras escalaba una montaña en Austria. Dieter Bachman murió en Polonia unos meses después. Mi madre volvió a casarse y, cuando su marido murió en Sicilia, sus parientes denunciaron que era judía para poder quedarse con su fortuna. Después de la guerra, éramos como todos los demás: tuvimos que empezar de nuevo en aquella tierra baldía. Cuando por fin reconstruimos Berlín, yo ya me había casado y mi madre había muerto. Vio muchas cosas en su vida, pero nunca tuvo que enfrentarse al Muro.

»Descubrí lo de la caja fuerte pocos días después de su funeral. Menos de un año después de que los rusos construyeran un muro alrededor de Berlín Occidental, Hans Diekmann vino a preguntarme si quería ayudarlo a organizar una defensa de la ciudad. Yo ya había traído la caja de Zúrich y había leído sobre el sitio de Antioquía en la época de la primera cruzada. Mientras Hans me explicaba lo que sir William y él planeaban, comentó que estábamos en estado de sitio y que, aunque pareciese una situación desesperada, teníamos que conservar la fe. Eso hizo que pensara en lo sucedido en Antioquía, y me pareció una señal divina.

»Le dije a Hans que haría todo lo que me pidiera, incluso seducir a políticos, si era necesario. Mi marido era rico y los dos teníamos muchos contactos sociales, así que contábamos con una situación privilegiada para hacerlo. Siguiendo un impulso, le sugerí a Hans que nos llamásemos la Orden de los Caballeros de la Lanza Sagrada, ya que nos enfrentábamos a una lucha casi tan desesperada como la de los cruzados en Antioquía.

»Entonces éramos todos muy modernos, señor Brand, y a Hans no le atraía la idea de establecer una orden de caballeros (al menos, estando todavía tan fresca la Orden de la Calavera de Himmler), hasta que le enseñé el tesoro de mi padre. Hans se había convertido en un cristiano muy devoto después de la guerra. Al ver la reliquia, me dijo que sabía que íbamos a conseguirlo.

»Los paladines, los líderes de la Orden, utilizamos esto para prestar juramento. No sabría cómo explicarle el fuego que ardió en nuestro interior mientras nos pasábamos la lanza de unos a otros, jurando por su poder sagrado. Cuando terminamos con los juramentos, fuimos a la guerra igual que los cruzados en Antioquía: sin dudar ni un momento que algún día lograríamos derribar el Muro porque esa era la voluntad de Dios.

»Pero, verá, señor Brand, los paladines me han autorizado a disolver la Orden. Era algo que teníamos que haber hecho hace tiempo, y, como podrá imaginar, hay mucho trabajo pendiente, incluidas varias reuniones de gran calado con distintas agencias del orden público. Puedo encargarme de todo eso. Mi error fue moral, no he cometido ningún delito en el sentido legal del término. Sin embargo, no intentaré quedarme con lo que he repudiado con mi silencio. No me merezco conservar esto, y no tentaré a la providencia pretendiendo lo contrario.

»Ahí es donde entra usted. Giancarlo me ha asegurado que sabrá qué hacer con ella.

—Para serle sincero —respondió Ethan, que se había quedado mudo de asombro durante unos minutos—, no tengo ni idea de qué hacer con algo como esto.

—Entonces le sugiero que rece buscando consejo. Tómese todo el tiempo que necesite... y haga lo que deba. No pediré aprobar, ni siquiera saber, lo que decida al final. Sin embargo, recuerde una cosa, señor Brand: algunas personas creen que el que posea la lanza sagrada tendrá en sus manos el destino del mundo.

EPÍLOGO

Kufstein (Austria)
15 de junio de 2008.

—¿ESTÁS COMPLETAMENTE SEGURO DE QUE NO es auténtica? —preguntó Kate.

Ethan y ella estaban en la terraza de una cafetería, en el pueblo de Kufstein, en Austria. Tenían la lanza de Antioquía de Otto Rahn encima de la mesa, entre ellos, como si fuese un feo pisapapeles. Ethan ya había enviado el relicario al conservador de una institución privada de Texas. A pesar de las detalladas reservas de Ethan sobre su procedencia, el doctor North recibió el objeto con emoción y le pidió a Ethan que escribiese una monografía para que la institución de North la publicase. Él había respondido que sería un placer hacerlo y ya había iniciado el trabajo. El destino de la reliquia en sí, sin embargo, estaba todavía por decidir. Así que Kate y él habían ido a Kufstein.

—¿Ni siquiera crees que exista la muy remota posibilidad de que te equivoques?

—Los cruzados necesitaban un milagro en Antioquía —le dijo Ethan—, y Raimundo de St. Gilles se lo dio.

—Pero ese fue el milagro. Salvó al ejército al decir que esto era la lanza sagrada. Eso lo convierte en una pieza con historia, en algo que a la gente le gustaría ver.

457

Ethan no sabía si Kate se creía de verdad su argumentación o si solo quería hacer de abogado del diablo para que después él no se arrepintiese.

—La fe en Dios salvó al ejército. Esto no fue más que un atrezo para la representación.

—¿Cómo sabes que es una falsificación? Dijiste que lo encontraron enterrado bajo el suelo de una de las iglesias.

—Los sacerdotes hicieron que los obreros levantasen el suelo —respondió Ethan sonriendo—. Después se pasaron casi todo el día excavando debajo. Una vez quedó claro que no había nada que encontrar, ordenaron a los hombres salir de la iglesia. Fue entonces cuando Pedro aseguró haber visto algo y saltó al agujero para comprobarlo. Unos segundos más tarde sacó un trozo de hierro del barro. Raimundo estaba allí mismo para recibirlo, besar el objeto y dar gracias a Dios por la milagrosa señal que les enviaba.

—¿Pedro lo llevaba en el bolsillo?

—La estafa era evidente, incluso para tiempos medievales —respondió Ethan, encogiéndose de hombros—. Por supuesto, cualquiera lo bastante inteligente para comprender lo sucedido también era lo bastante inteligente para darse cuenta de que aquel milagro era la única oportunidad que tenía el ejército de salir vivo de Antioquía.

Kate cogió el trozo de hierro oxidado de la mesa y lo puso al sol, para mirarlo con más detenimiento.

—Lo que no tiene sentido es por qué Pedro Bartolomé se sometió a la prueba del fuego... sabiendo que esto no era más que un trozo de hierro.

—La prueba del fuego tuvo lugar casi un año después del sitio de Antioquía. Para entonces, Pedro dirigía todas las decisiones militares del ejército. Los barones lo adulaban o le ofrecían regalos y sobornos. Los sacerdotes le pedían consejo (por mucho que odiaran hacerlo), y los soldados lo consideraban el hombre santo de la expedición. Resultaba embriagador para un plebeyo, pero sabía que, si se negaba a la prueba, lo perdería todo.

—Y, si aceptaba, moriría quemado.

—Creía que la lanza sagrada lo protegería.

—No tenía la lanza sagrada —repuso Kate, dejando caer el objeto en la mesa—. Tenía esta cosa.

—Para Pedro, se había convertido en lo que él decía que era.

—Creo que el hecho de que aceptara caminar sobre fuego prueba que encontró algo en el barro. Es lo único que tiene sentido.

—Entonces tienes que aceptar que tuvo una visión de San Andrés, que le dijo dónde estaba enterrada. Por supuesto, eso significaría que es la lanza que atravesó el costado de Cristo. —Kate guardó silencio, ya que no estaba preparada para ir tan lejos—. El pensamiento mágico era una forma de vida en la edad oscura. Todavía quedaban unos trescientos o cuatrocientos años para el pensamiento racional. Dado el nivel general de inocencia y superstición de la cultura, a Raimundo no le habría costado mucho convencer a Pedro de que la lanza (no su plan) lo había convertido en un gran hombre dentro del ejército. Una vez Pedro lo hubiese creído, le resultaría bastante fácil imaginar que la lanza lo protegería del fuego.

—El primer paso sobre las brasas tuvo que hacerle ver la verdad —respondió Kate esbozando una sonrisa irónica.

—Entró en un trance extático antes de tocar los carbones. Es probable que no sintiera demasiado hasta llegar prácticamente al final, pero, al parecer, cuando iba a salir del pozo los sacerdotes le hicieron volver por donde había venido. Eso fue lo que lo mató.

—¿Querían que muriese?

—La lanza no era el problema. El problema era que las visiones de Pedro entraban en conflicto con las tácticas militares más apropiadas, y nadie tenía autoridad para cerrarle la boca. Así que le pusieron el cebo de la prueba del fuego para deshacerse de él.

—¿Crees que de verdad creía que la lanza lo protegería?

—Solo sé que todavía la sujetaba cuando lo sacaron del pozo, y que siguió sujetándola durante los trece días que tardó en morir.

—¿Por qué convencería Raimundo a Pedro para que se matase? ¿O es que él también se engañaba a sí mismo?

—Tener una reliquia de la Pasión convirtió a Raimundo en el primero entre los suyos. No había ningún otro líder de la cruzada que pudiera alardear de algo semejante. Y no era solo por prestigio, sino que, mientras todos creyeran que era auténtica, tenía un tremendo valor material. Si la desacreditaban, valdría menos.

—¿Me estás diciendo que Raimundo sacrificó a Pedro por dinero?

—Algunas cosas no cambian nunca.

—Pero, después de la muerte de Pedro, la lanza tendría que haber quedado desacreditada.

—Después de eliminar a Pedro, los sacerdotes no dudaron en declarar que la lanza era genuina. Recuperaron su autoridad. Y, además, todavía tenían que conquistar Jerusalén, y la muchedumbre creía en la leyenda de que el ejército que portara la lanza sagrada nunca sería derrotado.

—¿Qué trajo a Otto Rahn hasta aquí? —preguntó Kate—. Tenía amigos en Francia y en Suiza, ¿por qué no fue allí?

—Lo único que se sabe es que un excursionista encontró su cadáver en la base del Wilder Kaiser la mañana del 16 de marzo de 1939. En cuanto las SS austriacas se dieron cuenta de lo que tenían entre manos, llamaron a las tropas de las SS alemanas que tenían sus cuarteles generales en Berchstesgaden. Fueron aquella misma mañana y se llevaron el cuerpo.

—¿Y entonces desapareció la lanza?

—La gente supo del accidente de escalada del prominente erudito del grial del Reich, pero los de las SS recibieron una buena lección de lo que le pasaría a cualquiera que traicionase a Himmler.

—¿Crees que Rahn era un buen hombre, como supone su hija?

—No lo sé, Kate. Supongo que mucha gente buena acabó mezclándose con las SS. No creo que ninguno de ellos decidiera conscientemente convertirse en un monstruo. Desde su punto de vista, pertenecían a algo noble y puro. Al final, los que quedaron vivos no se diferenciarían mucho de Pedro Bartolomé: se aferrarían desesperadamente a la mentira, incluso mientras ardían.

El Wilder Kaiser (Austria)
15 de junio de 2008.

A los pies del Wilder Kaiser, Ethan y Kate encontraron el bosquecillo en el que habían descubierto el cadáver de Otto Rahn a finales del invierno de 1939. Examinaron con ojo experto la oscura cara de la montaña que se elevaba en vertical sobre ellos. Ethan señaló el saliente desde el que tiraban a los prisioneros de guerra en otros tiempos; era una caída de tres o cuatro segundos. Calculó que era tiempo suficiente para que las plegarias y los remordimientos se te atragantaran, a no ser que se estuviese en paz con Dios.

Ethan quería creer que una persona podía ganarse el perdón al margen de los pecados del pasado, pero su propia experiencia hacía que no estuviese tan seguro. Las buenas intenciones tenían sus límites. Al final, lo que hacemos define lo que somos, a pesar de nuestras penas y arrepentimientos. Otto Rahn había servido en dos campos de concentración de las SS, y eso era demasiado para excusarse en la ignorancia. Quizá dudara de la causa a la que servía, quizá incluso le afectase espiritualmente lo visto, pero, mientras estuvo del lado de Himmler, formó parte del régimen más odiado de la historia, y, además, siendo judío.

¿De verdad sería como un Perceval que despertaba en un páramo, como quería creer su hija? ¿O habían descubierto lo que era y lo habían perseguido por eso? Como era consciente de que la vida rara vez era pura, Ethan pensaba que Otto Rahn debió de tener muchas razones para romper su juramento y renunciar a la Orden de la Calavera, algunas nobles y otras egoístas. Eso no importaba. Lo importante era lo que vino después.

Dos semanas podrían parecer poca cosa en toda una vida, pero era lo único que le quedaba a Rahn, y él debía de saberlo. En aquel momento de soledad y desesperación, el romántico olvidado que llevaba dentro tuvo que imaginar que se unía a la sublime compañía de los heroicos caballeros trovadores que tanto había celebrado cuando todavía era un hombre libre con un alma bella. Y, de ser así, si de verdad se convirtió en un caballero de la lanza sagrada, aunque fuese solo por un par de horas, seguro que también había muerto con ellos.

—Ahora le pertenece a él —susurró Ethan. Tiró la reliquia desde el saliente, y los dos la observaron caer por la tierra negra y depositarse al fin en un lecho de flores silvestres.

NOTAS HISTÓRICAS

LOS CÁTAROS SIEMPRE HAN SIDO TERRENO ABONADO PARA la imaginación, pero es cierto que cientos de miles de ellos fallecieron durante las primeras décadas del siglo XIII. Su idea del amor cortés era revolucionaria y tuvo grandes consecuencias. En cuanto a la naturaleza de su herejía, existen multitud de opiniones, aunque, al parecer, la imagen de la lanza sagrada sustituyó en cierto momento del conflicto a la cruz romana del Vaticano como símbolo unificador de su fe sublime.

Se considera que la lanza de Antioquía, de la que tanto se habla en esta novela, salvó al ejército de la primera cruzada. Es muy probable que aquel acontecimiento inspirase la leyenda de que el ejército que la portara en la batalla nunca sería derrotado.

Nadie ha investigado en profundidad la vida de Otto Rahn; sin embargo, he intentado perfilar de forma precisa la última década de su vida. Tuvo numerosos trabajos antes y después de la publicación de C*ruzada contra el grial*, el más extraño de los cuales consistió en una aventura empresarial como propietario de hotel en Francia, aunque no se sabe de dónde sacó el dinero para emprenderla. Rahn trabajaba en el anonimato en París cuando Heinrich Himmler se puso en contacto con él de forma anónima mediante una carta en la que alababa su libro y le proporcionaba dinero para viajar a Berlín, donde deseaba reunirse con él. Himmler habló con Rahn y, finalmente, lo reclutó para las SS, donde se convirtió en un miembro de confianza de su círculo interno. Durante una temporada, Rahn fue el niño mimado de la flor y nata de Berlín y su libro se convirtió al instante en un best-seller en Alemania, tres años después de su publicación.

Las historias sobre los últimos años de Otto Rahn reflejan una personalidad que fue cayendo rápidamente en los conflictos y la desilusión. Incluyen referencias veladas a la bebida, el derroche y numerosos comentarios bastante imprudentes sobre las autoridades. Su muerte en el Wilder Kaiser apareció en los periódicos del momento, pero no se hace ninguna mención a su funeral y, por lo que se sabe, los oficiales de las SS que recuperaron el cadáver de Rahn nunca se lo entregaron a su familia. Después de la guerra se descubrió que Rahn había dimitido de su cargo quince días antes de su muerte. Solo podemos imaginar por qué Himmler decidió esperar a que se supiera la muerte de Rahn para firmar y sellar personalmente la carta en la que aceptaba su dimisión.

Dieter y Elise Bachman, así como todos los personajes de la historia contemporánea de la novela, son producto de la imaginación del autor. Si desean saber más sobre *La lanza sagrada*, visiten mi página web: www.craigsmithnovels.ch.

AGRADECIMIENTOS

Doy las gracias a Harriet McNeal, Burdette Palmberg, mi mujer (Martha Ineichen Smith), y mi madre (Shirley Underwood), por leer el primer borrador de esta novela. Sus incomparables perspectivas y sus ánimos continuos me ayudaron mucho durante el proceso de reescritura. También debo dar gracias a mis viejos amigos Matthew Jockers y Britta Luher, a Matt por ayudarme con los fragmentos montañosos de la historia y a Britta por enseñarme Hamburgo. Muchas gracias también a todos los que, a lo largo de los años, habéis compartido conmigo vuestros recursos cuando más los necesitaba: Herbert Ineichen, Doug y Maria Smith, Don Jennermann, y Rick Williams.

Finalmente, desearía dedicar un agradecimiento especial a mi editor, Ed Handyside, y a mi agente, Jeffrey Simmons. Este libro no habría sido posible sin su fe inquebrantable y su esfuerzo.